Vers la Nouvelle-France
Tome II
Jehanne, le retour

Jean Brodeur

Vers la Nouvelle-France
Tome II
Jehanne, le retour
Roman

LE LYS BLEU
ÉDITIONS

© Lys Bleu Éditions – Jean Brodeur

ISBN : 979-10-377-5028-0

Pendant des années, les peuples civilisés dépensèrent une bonne partie de leur effort extérieur à se procurer des épices. On est stupéfait de voir que tel fut l'objet suprême de la navigation, alors si dangereuse ; que des milliers d'hommes y jouèrent leur vie ; que le courage, l'énergie, l'esprit d'aventure d'où sortit, par accident, la découverte de l'Amérique, s'employaient essentiellement à la poursuite du gingembre et du girofle, du poivre et de la cannelle.

Les deux sources de la morale et de la religion, p. 327,
Henri Bergson

Les personnages (*ayant existé)

– Anadabijou[*] : sagamo (chef) des Innus (Montagnais) ;

– François Clarion de Mériac : militaire, cousin de Guillaume de Saint-Hippolyte ;

– Jacques Noël[*] : navigateur, neveu de Jacques Cartier, détenteur d'un monopole sur la pêche et la traite des fourrures sur le Saint-Laurent ;

– Étienne Chaton de la Jaunaye[*] : associé de Jacques Noël ;

– François Gravé du Pont[*] : originaire de Saint-Malo, marin, marchand, explorateur, pionnier de la traite des fourrures sur le Saint-Laurent ;

– Geoffroy Fleuriot de Grangeneuve : marchand, père de Jehanne ;

– Guillaume Fleuriot de Grangeneuve : marchand, frère de Jehanne ;

– Guillaume de Saint-Hippolyte : chanoine converti à la religion protestante, pasteur, époux de Jehanne Fleuriot ;

– Geoffroy Fleuriot : fils de Jehanne Fleuriot et de Guillaume de Saint-Hippolyte ;

– Isaac Pinheiro : marchand juif établi à Amsterdam ;

– Jacou : enfant de la rue recueilli par Jehanne, devenu son homme de confiance ;

– Jehanne Fleuriot : ex-novice, fille de Geoffroy Fleuriot de Grangeneuve ;

– Martin Le Lou* : de Honfleur, commerçant, chargé d'affaires du marquis de La Roche ;

– Michel Pourcin du Mas : Breton, avocat, marchand ;

– Pierre Dugua de Mons* : originaire de Royan, officier de l'armée d'Henri IV en Normandie, Gentilhomme de la Chambre du roi, marchand établi à Honfleur ; accompagne Pierre Chauvin lors de l'expédition de 1600 à Tadoussac ;

– Pierre Chauvin de Tonnetuit* : originaire de Dieppe, officier de l'armée d'Henri IV en Normandie, Gentilhomme de la Chambre du roi, armateur-marchand installé à Honfleur, détenteur du monopole du commerce des fourrures en Nouvelle-France de 1600 à 1603 ;

– Pierre Quimart : prêtre, vicaire apostolique en France ;

– Simon Pinto : juif, banquier et changeur, neveu d'Isaac Pinheiro également établi à Amsterdam ;

– Troilus de Mesgouez, marquis de La Roche* : nommé par Henri III gouverneur, lieutenant général et vice-roi pour Terre-Neuve et autres régions ;

– Baptiste Ragnier : homme de main de Pierre Quimart.

1589

— Je reviendrai, s'écria Jehanne Fleuriot du pont arrière du bateau en regardant le rocher et la ville de Saint-Malo fuir derrière.

Fille unique, enfant préféré d'un père marchand, Jehanne avait grandi à Saint-Malo, ville qu'elle chérissait. Elle aurait bientôt dix-neuf ans. Elle était pure et droite comme un cierge de Pâques. Sous le bonnet de laine, des cheveux blonds, placés haut sur le front, tombaient en cascade sur ses épaules et encadraient la beauté simple de son visage. Ses yeux bougeaient d'intelligence et de curiosité.

Deux ans auparavant, pensant le chemin déjà tracé, elle s'était jointe à un groupe de religieuses qui fondaient un couvent dans la ville. Dès le début de ce noviciat, la supérieure l'avait châtiée en la chargeant de préparer et d'apporter un repas à un prisonnier, nommé Dreux[1], rescapé d'une expédition en Canada et abusivement emprisonné. Avec le chanoine Guillaume de Saint-Hippolyte du chapitre de Saint-Malo, tous deux s'efforçant de mettre au jour l'injustice, elle avait lutté pour qu'il vive et qu'il retrouve la liberté. Elle avait aimé d'amour ce prisonnier, au point de vouloir fuir avec lui. Cependant, il était

---

[1] Vers la Nouvelle-France, Tome 1 : Le survivant

mort en prison, sans qu'elle puisse même l'accompagner à son dernier repos, sans qu'elle puisse se recueillir sur sa dépouille.

Elle avait quitté le cloître, ses mesquineries, ses mensonges et l'acharnement de la supérieure à imposer obéissance aveugle et soumission. La médiocrité intellectuelle de la vie de recluse avait épuisé sa ferveur religieuse. De plus, elle n'était pas de celles que l'on menait au doigt et à la contrainte.

Elle s'éloignait de Saint-Malo, pour peu de temps souhaitait-elle, voulant éviter les complications et les tensions que sa participation dans l'histoire de Dreux ne manquerait pas de susciter. Malgré la tristesse de quitter sa famille et sa ville, elle ne regrettait rien. Elle n'avait jamais marché seule, mais elle faisait confiance à la Divine Providence pour la guider sur le chemin de cette nouvelle vie.

Elle partait à la recherche de la famille Beaulieu, protestants de La Rochelle, famille adoptive de ce dernier, réputée réfugiée à Amsterdam. Promesse qu'elle s'était faite lors du décès de l'infortuné, lui qui avait rêvé de rejoindre fiancée et famille dans la ville refuge des huguenots français. C'était sa manière de clore son deuil. Elle partait aussi pour épouser Guillaume de Saint-Hippolyte, l'aumônier du monastère, qui avait été son guide et son confesseur. Celui-ci entendait se convertir à la religion protestante, devenir ministre du culte et pasteur. Arrivés à Amsterdam, ils se marieraient, avait-il promis au père de Jehanne.

Tournant le dos à la ville, Guillaume de Saint-Hippolyte, prostré à tribord, fixait les lames de proue qui larmoyaient sur les flancs du navire. À l'instant, l'ex-chanoine réalisait tout ce qu'il laissait derrière : l'Église catholique en laquelle il avait cru, une posture de religieux réformiste, une position enviable.

Debout sur le pont, cherchant le ciel et la mer dans la brume matinale de novembre, Michel Pourcin du Mas, commandant du navire, aboyait des ordres au pilote et aux marins. Du Mas voulait tout dans l'instant : gagner les petits vents du large ; s'éloigner des côtes pour éviter les grandes marées et revenir le plus vite possible. À peine parti, il regrettait d'avoir accepté cette demande de son partenaire Fleuriot de Grangeneuve. Le petit bénéfice financier ne valait pas le risque du voyage et, surtout, d'être associé à cette fuite organisée.

Ils mirent six jours avant d'atteindre Amsterdam. Six jours d'une mer colérique, sur un bateau agité aussi par l'inconvenance, l'humeur capricieuse et les exigences absurdes du commandant du Mas. L'homme distillait la malveillance. Jehanne le prit en aversion dès le départ et le détestait à l'arrivée. Dès le premier jour, le fourbe voulut les forcer à payer leur passage, puis exigea le paiement de la nourriture, allant jusqu'à les faire jeûner toute une journée. Il menaça de dérouter le navire vers la côte anglaise et les obligea, un moment, à dormir à l'entrepont avec le commun des marins. Il fallut que Saint-Hippolyte, à bout d'indulgence, menace le petit homme des pires châtiments pour qu'il se calme et accepte de les conduire à Amsterdam, au quai du Judenbruck.

À l'arrivée, du Mas, indélicat jusqu'à la fin, fit lancer les malles des passagers sur le quai et ne tendit pour le débarquement qu'une planche étroite. Saint-Hippolyte trébucha et se retrouva à l'eau. Il dut à quelques badauds d'être, sans ménagement, repêché. Paralysé de colère et perdu sur le quai, il courut derrière Jehanne qui appelait le nom de monsieur Pinheiro, agent de change de son père, là où ils devaient prendre refuge, à tout le moins temporaire. Ils le trouvèrent à cent pas et passèrent la première nuit devant l'âtre de la cuisine tant l'humidité perçait et la chaleur du foyer réconfortait leurs corps et leurs cœurs. Dès le lendemain, débordante d'enthousiasme, Jehanne Fleuriot se lança à la recherche de la famille Beaulieu.

Un soir, longeant le canal Oudeschans, Jehanne traversa le Judenbruck et s'arrêta devant la maison de monsieur Pinheiro. Le bâtiment de bois de deux étages était situé à l'est du Damrak, hors des murs de la ville, face à ce même canal par lequel elle était arrivée et par où étaient entrés, quelques années auparavant, les premiers Juifs fuyant le Portugal. Parmi ces derniers, le vieux Isaac Pinheiro dont la masure exprimait le statut de ses habitants, condamnés à une existence précaire.

Le ciel, lourd de nuages, laissait la jeune femme transie. Dans cette ville, où aucun vent ne chassait la grisaille, elle avait la nostalgie d'un ciel bleu, comme celui qu'elle se plaisait à contempler sur le rocher de sa ville natale.

Il y avait près de deux mois déjà qu'elle habitait la Juiverie, mois durant lesquels elle avait fouillé la ville en tous sens, parlé aux commerçants, questionné les chefs de la communauté, les pasteurs, à la recherche des proches de Dreux. Un jour, excitée par des informations de première main, elle s'était rendue jusque dans le Waterland, au nord d'Amsterdam. Elle n'y avait trouvé aucune famille française, aucune n'y ayant jamais mis les pieds. Au retour, d'autres mentionnèrent Anvers, même Douvres en Angleterre. L'évidence la frappa : la famille Beaulieu n'était jamais parvenue à Amsterdam. Étaient-ils tous morts en mer ou avaient-ils été déroutés vers une autre destination ?

Elle abdiqua et vécut difficilement l'échec de n'avoir pu retrouver cette famille. La plaie de son deuil s'en trouva plus vive, plus mornes ses pensées.

— Là où il est, il saura bien les retrouver, pontifia Guillaume de Saint-Hippolyte lorsque Jehanne s'ouvrit de son désarroi.

Que fallait-il comprendre de ce vinaigre sur sa blessure béante et douloureuse encore ? Que savait-il qu'il n'osait lui confier, eux pour qui les destins ne feraient bientôt plus qu'un ? Ce commentaire l'affligea et loin d'oublier, raviva le souvenir du défunt, de sa disparition soudaine, du vide qu'il laissait dans son cœur et dans sa vie.

Pour Guillaume de Saint-Hippolyte, une fois mise à jour la fourberie de Bonquieu et après la mort de Dreux, le château de ses certitudes s'écroula. Il s'indigna, dégoûté par les agissements du clergé, les tergiversations autour des réformes du concile de Trente, et désabusé par les manigances de ses confrères chanoines, dont certains avaient âprement lutté pour lui bloquer la voie vers le décanat du chapitre de Saint-Malo. Harcelé dans les rues, sa vie menacée, il ne pouvait plus appartenir à une Église qui bafouait constamment les principes sur lesquels elle s'était construite et qui repoussait l'importante contribution que lui, chanoine formé à Rome auprès des Jésuites, apportait.

Désemparé, il se tourna vers Jehanne, cette jeune novice qui avait pénétré son cœur, qui l'avait poussé au meilleur de lui-même, vers des territoires qu'il s'était longtemps refusé à considérer. Elle l'avait troublé, provoquant chez lui un merveilleux bouleversement de désir. Elle habitait désormais son esprit et son corps. Prêt à l'épouser, il avait sollicité l'autorisation du père, monsieur Fleuriot de Grangeneuve, qui n'accepta qu'à la condition qu'ils quittent la ville ensemble, désireux, semble-t-il, d'en éloigner sa fille, pour un temps.

Dans cette ville du Nord, celui qui avait abandonné la France n'était plus le même homme. Il s'égarait, sentait à tout moment le sol glisser sous ses pieds, ne retrouvant dans le terreau fertile de sa pensée rien pour refleurir ses ambitions. Il n'y germait que des graines de frustration et de haine. La vengeance prit racine dans cette âme mortifiée. Il organisa à la hâte un départ vers l'académie de Calvin, à Genève, pour y recevoir la formation de pasteur. Il changeait d'armée, se convainquait-il, reprenant le combat pour le triomphe de la vérité et de la vertu, à la plus grande gloire de Dieu.

Il annonça sa décision à Jehanne la veille de son départ, assénant la nouvelle sans précaution, sans délicatesse. Elle s'en trouva sans voix. Que devenait le mariage promis ? Un morceau de sa nouvelle vie s'enfuyait.

Il dut emprunter auprès d'un pasteur français d'Amsterdam l'argent nécessaire au voyage. Nouvelle humiliation pour celui qui n'avait jamais rien demandé à personne, toute sa vie pourvu en prébendes ou en espèces par sa famille.

Il se vêtit de noir et pour tout bagage, partit avec le remords de ne pouvoir justifier sa fuite. La route fut longue et difficile. Il arriva à Genève épuisé, vidé, cherchant même en quoi ce long chemin constituait une perspective salutaire. Il était trop tard, il ne pouvait revenir en arrière.

Ce départ précipité bouleversa Jehanne, la renversa. À peine fut-elle invitée à l'accompagner en Suisse. Dans la tourmente des émotions qui l'agitaient, elle se demanda, malgré toute la vénération qu'elle ressentait à l'égard de celui pour lequel elle avait tout abandonné, s'il était bien celui avec qui elle voulait partager sa vie. Elle choisit de rester. Il avait insisté pour lier leur intention par un serment charnel. Elle n'avait su résister.

Elle se retrouva seule, lourde de regrets et de questionnements. Un destin étrange bousculait sa vie. Amsterdam devenait-elle le cloître qu'elle avait quitté ? Pourtant, la capitale des Provinces-Unies grouillait sous ce ciel gris et bas. Une nation laborieuse et industrieuse, libérée du joug espagnol, s'employait à bâtir une ville et un pays, perçant des canaux à la force des bras, érigeant des digues, drainant des marais. Ce peuple s'activait au commerce des richesses des autres, en tirait une prospérité nouvelle dans un climat de tolérance inconnue ailleurs.

Jehanne, absente à cette agitation, pénétra dans la maison sombre. Le marchand Pinheiro, agent de change et banquier de son père dans cette ville, lui fournissait gîte et couvert, sans rien exiger, sans poser de questions. Sa déférence et le regard tendre qu'il posait sur Jehanne démontraient qu'il comprenait sa peine et combien il avait en haute estime le père de la jeune femme. Il retrouvait, avec nostalgie, un parler français vieux de plusieurs années, endormi sous le malheur.

Ayant gravi l'échelle étroite qui la menait à sa petite chambre, Jehanne referma la porte et s'écrasa sur sa paillasse. Elle s'était arrachée à sa famille, à sa maison, à son enfance, elle avait perdu l'amour de sa jeune vie. Elle était absente de cette ville, en proie à un profond désarroi, elle subissait un huis clos meublé que de souvenirs. Elle rêva qu'un miroir se brisait devant elle. Dix ans de malheur !

Chaque jour, la jeune femme promenait son ennui sur les quais, observant, en cette fin du mois de mars, le mouvement agité des barges, des chaloupes et des radeaux qui transportaient des marchandises que des hommes manipulaient de leurs bras vigoureux. Cette animation ramenait à sa mémoire les promenades avec son père sur les quais de Saint-Malo. Combien elle aimait naguère regarder ces marchands, ces marins, ces portefaix s'affairer. Elle s'informait des marchandises, de leurs provenances et de leurs destinations, parfois des prix. Ses souvenirs de fillette, admirative et enjouée sous la cape protectrice de son père, ranimaient sa volonté de retourner à Saint-Malo. Elle résolut de solliciter auprès de ce dernier l'autorisation de rentrer. Plusieurs fois, elle prit la plume, mais les mots s'envolaient. Le printemps, qui s'installait, n'apportait que davantage de soucis, du corps et de l'âme. Elle perdit l'appétit, put difficilement porter le peu qu'elle ingérait. Elle dormait davantage. Au moment même où enfin la nature éclatait en bourgeons et en fleurs, où le soleil éclairait le ciel d'hiver plombé, où la ville bouillonnait d'énergie, la jeune femme faiblissait, épuisée et minée par une quelconque solitude.

De son fugace époux, elle ne reçut point les lettres promises. Elle se mit à douter de le revoir un jour et elle s'enferma dans la contrition, l'isolement et les dernières paroles de Guillaume au sujet de Dreux. Que lui cachait-il donc ?

1585

En juillet, le petit navire marchand de soixante tonneaux La
Bonne Étoile *reprit la route vers le nord après plus de quatre
semaines de pêche sur le Grand Banc au large de l'île de Terre-
Neuve. Depuis une dizaine d'années, les captures de morue près
des côtes déclinaient. La pêche blanche ne donnait plus autant.
Les navires devaient s'arrêter sur le Grand Banc et pratiquer la
pêche verte, en haute mer, à bord des bateaux. Jacques Noël,
neveu de Jacques Cartier, avait affrété deux bateaux et organisé
le voyage.* Le Bonne Ville *demeurait à l'ancre pour pêcher
tandis que l'autre partait en exploration, à la rencontre des
Sauvages pour la traite des fourrures.*

*Âgé de soixante et un ans, grand, mince, un peu voûté, Noël
ne ressemblait à son oncle que par le mince collier de barbe
qu'il affichait. Il ne dégageait ni le charisme ni l'autorité que la
légende attribuait au célèbre explorateur. Détenteur des cartes
et cahiers de son oncle, Noël s'était converti bien tard à la
perspective de richesse d'une France outremer. Il retournait sur
les pas de Jacques Cartier dans l'espoir de gagner beaucoup
d'argent. Il comptait explorer le fleuve, identifier un lieu
approprié pour un établissement et trouver le passage vers la
Chine. Ainsi, quarante-cinq ans plus tard, des Malouins
rallumaient le flambeau de Cartier. Au retour en France, le
neveu présenterait au roi Henri III une requête de monopole de*

commerce, assortie d'un projet de colonie. Pour l'heure et pour rentabiliser ce voyage, Noël et ses associés comptaient sur la pêche et la traite des fourrures.

La pluie poussée par un vent nord-ouest puissant battait le navire. Le pilote, le Malouin Guerelec, habitué des lieux, suggéra de mouiller pour la nuit dans une baie et d'attendre meilleur vent. Mais Noël était pressé et il ordonna de poursuivre. Le navire se présenta à l'entrée du détroit de Belle Isle en fin de journée au moment où les quatre gentilshommes Noël, Étienne Chaton de la Jaunaye, Michel Pourcin du Mas et François Gravé du Pont, que tous appelaient Pont-Gravé selon la coutume malouine, prenaient le repas dans le salon du commandant. Embouquant le détroit, le vaisseau fut pris d'assaut par une bourrasque qui le souleva et l'inclina sur son flanc. La table se vida d'un coup. Chaton et du Mas furent projetés au sol.

— Un récif ! hurla Pourcin du Mas.

— Un coup d'eau, répliqua le jeune Pont-Gravé. Demeurez ici.

Pont-Gravé se précipita dans l'escalier. En sortant, une masse d'eau lui tomba dessus et faillit le ramener à l'entrepont. S'agrippant à la rampe, il gagna le pont.

Tentant de redresser le bateau sous le vent, Guerelec se cramponnait au gouvernail. Une deuxième rafale renversa Pont-Gravé avant qu'il n'ait pu grimper sur la dunette. Allongé sur le plancher glissant, il se retourna. Dans le ciel, une horde de nuages noirs lancés au galop poussait vers eux un mur d'orage, le vent s'engouffrait dans le détroit entre la grande île et le continent, décuplant ainsi ardeur et terreur. Le jeune Malouin ne mit point de temps à réagir. Il rampa jusqu'à l'écoutille de l'entrepont.

— Coup d'eau ! Dans les gréements ! hurla-t-il. Mettez à cape. Carguez les voiles !

Les marins se ruèrent sur le pont. Le vent balayait les ordres du maître de manœuvre qui dirigea de ses grands bras. Des marins se précipitèrent dans les haubans du mât de misaine. Les plus agiles gabiers grimpèrent au grand mât et carguèrent les voiles qu'ils peinaient à serrer, le vent brassant le navire, rendant l'opération périlleuse. Les hommes se couchaient sur les vergues pour dégager leurs deux bras. Instinctivement, ils se rappelaient la consigne des anciens : « Quand t'es là-haut, rappelle-toi, une main pour le navire une main pour toi, mais si le bateau souffre, ajoute-lui trois doigts. » Et ils ferlaient les voiles. Difficile et périlleux travail au cœur d'une tempête pour un équipage réduit

Les flèches de pluie frappaient sans relâche. Une vague submergea le navire au moment où le commandant Noël et Étienne Chaton se pointaient sur le pont. Pont-Gravé glissa vers eux et les repoussa vers la cabine. Ballotté par le vent, le bateau piquait dans les vagues. De sombres masses d'eau montaient à l'assaut et giflaient violemment le pont et les flancs du navire. Pont-Gravé s'accrocha à un câble qui filait au vent et tira de toutes ses forces, aidant ainsi les hommes à replier la grand-voile. À mesure que les marins abattirent les voiles du haut, le bateau gagna en stabilité. Le timonier força le navire à descendre dans le vent. L'embarcation s'engouffrait dans les creux de vague. Celles-ci s'écrasaient par-derrière sur le gaillard avec violence et déferlaient sur le pont. Gravé du Pont regagna l'arrière prêter main-forte au pilote.

— Bienvenue à Terre-Neuve, cria ce dernier.

Le navire craquait et gémissait sous l'assaut des vagues. Le vent sifflait autour des mâts dont le bout s'accrochait dans les nuages. Le ciel demeura d'encre et la tempête s'acharna toute la nuit. Pont-Gravé, debout aux côtés du pilote, s'esquintait à la manœuvre, implorant l'accalmie pour la levée du jour.

Après des heures de tumulte dans le ciel et de combat sur l'eau, le vent s'essouffla, la mer épuisée s'apaisa et le soleil de l'aube s'installa dans une voûte céleste bleu de rêve.

La tempête avait lancé le bateau loin de sa route. La côte, à tribord, ne représentait qu'une mince ligne sur l'horizon. Noël et Chaton sortirent sur le pont et convoquèrent l'équipage. Noël, à titre de commandant, compta les hommes devant lui. Tous y étaient, certains mal-en-point. Il posa un genou par terre et récita une prière, reprise de voix chevrotante par les hommes harassés. Puis il se dirigea vers Pont-Gravé.

— Des dommages au navire ?

— Rien qui ne puisse être réparé, assura le second.

Noël scruta le ciel et l'horizon. Le voyage s'annonçait long et, à peine entamé, accusait déjà du retard. Il se tourna vers Chaton et du Mas qui l'avaient rejoint.

— Vaut mieux rebrousser chemin, bafouilla le dernier.

Avocat, armateur et financier, d'allure ingrate, originaire lui aussi de Bretagne, familier des scènes de cour, des routes de France et des côtes du vieux continent, il en était à son premier voyage au long cours.

— Revenons l'an prochain, bégaya-t-il.

Chaton approuva d'un signe de tête. Les deux avaient bu de la même peur toute la nuit.

— Hissez les voiles, nous retournons, ordonna Jacques Noël.

Pont-Gravé se dirigea vers Noël. Il n'approuvait en rien une fuite désordonnée. La tempête appartenait à la mer et aux marins comme ce que l'orage était à la campagne et aux *laboureurs. L'important étant d'y faire face et de survivre, pensait-il.*

Derrière lui, les hommes s'inquiétaient. Quelle que soit la décision, ils auraient bien accepté un repos après cette nuit infernale. D'autant qu'ils étaient à peine une douzaine pour faire tout le travail, les autres membres de l'équipage étant restés sur l'autre navire à pêcher et à préparer le poisson. Les voiles avaient été repliées sans soin, attachées à la hâte, quelques-unes pendaient, entremêlées. Pont-Gravé parcourut l'équipage du regard.

— Puis-je vous parler, mon commandant ?

Noël détourna le regard, l'autre insista.

— Permettez-moi de suggérer que nous prenions le temps de remettre notre gréement en bon ordre. Attendons de voir l'état de la mer et du navire avant de prendre une décision. Quelle que soit celle-ci, nous repartirons, peut-être demain dès l'aube, en de meilleures conditions. Je me charge de la bonne exécution des tâches, dit-il, d'un ton assuré. Le navire sera prêt.

Noël consulta ses associés. Les deux hommes murmurèrent entre eux et à peine grognèrent-ils un assentiment. Du Mas, Chaton et Noël regagnèrent leurs cabines. Le jeune Pont-Gravé regroupa les hommes. Plusieurs grelottaient dans leur chemise trempée, le visage creusé par l'effort et la fatigue. Le pilote suggéra de hisser la voile d'artimon et de lofer vers la côte. Là, ils jetteraient l'ancre dans une baie abritée afin de remettre la voilure en bon ordre.

Il répartit l'équipage en deux bordées, la première assignée aux travaux. Les autres regagnèrent les hamacs de l'entrepont pour s'y reposer. Il ordonna que le changement d'équipe se fasse aux deux heures pour permettre à tous de récupérer rapidement. Il demanda au coq de préparer une bouillie d'avoine et de lard salé que les hommes prendraient à la fin de chaque quart. Le second prit la barre et les hommes s'affairèrent aux voiles. Le bateau s'avança à petite vitesse et peu de temps après trouva refuge derrière un îlot, à quelques encablures de la côte.

À la nuit tombée, après à peine deux heures de repos, il revint sur le gaillard arrière. Le ciel était émaillé de longues traînées laiteuses et le jeune homme effectuant un premier voyage au cœur de l'Amérique du Nord ne voulait rien manquer, de jour comme de nuit.

Né en 1560, François Gravé du Pont se targuait d'avoir appris à marcher sur le pont d'un navire. Fils d'une famille de marchands-navigateurs de Saint-Malo, il avait déjà beaucoup voyagé, ayant même accompagné ses oncles dans les îles ; il venait de terminer son service dans la marine royale du Ponant, connaissait tout de l'histoire de Jacques Cartier dont il souhaitait suivre les traces et faire revivre le projet. Il avait convaincu Noël et Chaton de le prendre à bord comme deuxième aux commandes.

L'homme tenait à la fois du chêne et de l'ours. Il possédait force, résistance, vigueur et résilience. Grand gaillard aux larges épaules, il habitait cette solide charpente avec énergie. Ses longs cheveux encadraient un visage déjà brûlé par le soleil, les embruns et le vent du large, illuminé de grands yeux noirs toujours en mouvement.

Il était tout, à l'excès. Il ne parlait pas, il grondait. Il ne riait pas, il s'esclaffait. Il ne se fâchait pas, il tonnait. Il ne prenait pas un verre, il s'enfilait le tonneau. De lui émanait une extravagance ordinaire, une détermination absolue ; il s'exprimait d'autorité, d'une verve colorée, pleine d'entrain, loin de la dentelle, des parfums et de la galerie. Sur terre ou sur mer, rien ne lui échappait. *Il respectait, dans l'ordre, la mer, les bateaux, les hommes et sa famille. On eut dit que la mer le lui rendait. Aujourd'hui dans la mi-vingtaine, il s'investissait en tout : marchand, commandant, explorateur, résolu à faire de la France nouvelle son destin, sa vie. Il serait marchand de fourrure, pionnier d'une nouvelle colonie.*

Le lendemain matin, le calier et deux hommes accostèrent à l'île pour faire aiguade. Plus tard, avant de lever les voiles, le commandant Noël et ses deux associés firent une inspection du navire. Celle-ci rassura et convainquit ces messieurs de poursuivre le voyage. Les marins grimpèrent aux mâts, sortirent les voiles et le navire glissa sur l'onde apaisée.

Jacques Noël prit place au balcon, derrière le pilote. Étienne Chaton de la Jaunaye le rejoignit tard en matinée. Un peu plus jeune que Noël, Chaton servait en mer déjà depuis plus de vingt ans, ayant grâce au commerce sur les côtes françaises acquis une fortune appréciable. Il avait armé des navires pour le compte d'Henri III et participé à la bataille de La Rochelle contre les protestants, ce qui lui avait valu le titre de capitaine de navire et une pension rondelette de 600 livres par année.

Le navire longea la côte nord de l'immense estuaire. La nuit tombée, des feux sur le rivage attirèrent l'attention. À l'aube, le navire doubla Blanc-Sablon, lieu de rencontre connu des pêcheurs Français. Le temps demeurait au beau et un vent nord-est poussa le navire à travers le golfe. La pointe de l'île de L'Assomption se présenta à bâbord et Pont-Gravé comprit qu'il approchait du fleuve Saint-Laurent, « chemin du Canada », comme l'avaient désigné à Cartier les Sauvages[2]. Lorsque le bateau s'engagea dans le détroit de Saint-Pierre, Pont-Gravé,

---

[2] Du bas-latin *silva* (forêt) ayant donné *selvaggio* (en italien) et désignant à l'époque les habitants de la forêt.

debout à l'avant du navire, scrutant de gauche et de droite, eut le sentiment d'entrer dans une majestueuse nef de cathédrale, ouverte sur une voûte infinie, fermée de rudes rochers de granite, abrupts, dénudés, marbrés d'un camaïeu de gris. Sur le flanc des collines et des falaises s'accrochaient des conifères chétifs et rabougris, dardant, tels des cierges, leur maigre cime pointue et insolente vers le ciel. Dans l'échancrure des côtes, se cachaient des chapelles, petites conches aréneuses, baignées de soleil. Des nuées d'oiseaux s'élevaient des îles et îlots, dansaient dans le ciel, effleurant les mâts, jouant de cris et de chants une musique cacophonique. Devant le navire, des baleines, le dos luisant, ouvraient la voie, projetant des colonnes d'eau vers le ciel. Pont-Gravé fouillait chaque parcelle du territoire, trouvant dans ce rude paysage une vastitude qui l'interpellait.

Le commandant Noël voulait atteindre le lieu près de Stadaconé où, à l'époque, son oncle avait établi un fortin. Il présumait l'endroit adéquat pour y bâtir une habitation et les Sauvages du lieu accueillants, malgré les problèmes encourus par l'aïeul durant l'hiver de 1541. Il avait apporté mille cadeaux, couteaux, haches, hameçons, chapelets ainsi qu'un buste sculpté de son oncle en offrande au chef local. Par la suite, il poursuivrait jusqu'à Hochelaga et plus loin, car la hantise de tous demeurait la connaissance d'un passage qui les mènerait plus à l'ouest, vers la Chine.

Pourcin du Mas était apparu sur le pont à quelques reprises. Il se tenait loin des bords et ne s'aventura qu'une seule fois sur le gaillard avant. Il s'était joint à l'expédition à l'invite de Noël parce qu'il avait ses entrées auprès de Henri III et en mesure de diligenter une demande de monopole pour le commerce et d'exploitation des mines pour tous les territoires de la Nouvelle-France. Le malin pouvait égrainer un chapelet de contacts et d'entrées auprès de nobles de tous bords, d'ecclésiastiques de tous rangs et au plus près du roi. Catholique d'origine modeste, fils de clerc, il avait le mérite de s'être assuré rapidement une certaine aisance financière dont les nombreuses rumeurs sur l'origine couraient allègrement. Il ne cachait pas son ambition pour la particule. D'une discrétion tumulaire, le regard fuyant, de caractère bilieux, Du Mas semblait constamment mijoter magouille, ou embrouille. Il était du voyage avec l'ambition de camper, en échange de ses valeureux services, un rôle majeur au sein du groupe qui bénéficierait du monopole.

Le 10 juin, le navire doubla les îles Rondes qui fermaient l'entrée d'une belle baie. Jacques Noël et Étienne Chaton passèrent de plus en plus de temps sur le pont. Ils revenaient sur le chemin de l'exploration de ce continent après plus de quarante années d'absence. Au cours de ces années, la France avait sombré dans les guerres de religion, dans le délabrement et la ruine du pouvoir royal. Henri III reprenait le pays en main, mais combien son combat était difficile.

Chacun avait bien en tête que les trois traversées de Jacques Cartier et celle du sieur de Roberval en Nouvelle-France, la colonie de Villegagnon au Brésil et les tentatives de Ribault et de Laudonnière sur les côtes de la Floride s'étaient toutes conclues par des échecs. Que dire de la France des découvertes ? Qu'elle n'avait point mission de coloniser de lointaines contrées, comme le clamaient bien fort certains mouche-chandelle.

Pourtant, chaque année, des centaines de bateaux quittaient les ports français pour pêcher au large de Terre-Neuve ou dans le golfe du grand fleuve. Ils y remplissaient des cales pleines de poissons puis prenaient la route des îles ou de la Méditerranée pour y vendre leur cargaison et revenir en France chargés et riches de produits exotiques. Les échanges avec les Sauvages s'organisaient désormais et rapportaient. Les fourrures du nouveau continent attisaient les convoitises et enrichissaient les bourses. Mais la France prenait, laissait peu derrière, car rares étaient ceux qui souhaitaient s'y établir et y supporter, même l'idée d'une colonie.

Noël et de La Jaunaye se convainquaient de l'occasion d'affaires que représentaient la pêche, le commerce des fourrures et la richesse des mines, que les légendes alimentaient. Et il y avait ce passage pour la Chine, l'ultime horizon.

Les jours s'écoulaient, splendides ; le vent avait tourné ; le bateau maintenait une progression plus lente mais régulière ; le paysage se laissait admirer. Durant ces jours, Pont-Gravé, installé à la proue du navire, déplia les cartes de Cartier et suivit le nom des lieux attribués par le découvreur. Ceux habités l'intéressaient par-dessus tout, car la présence des Sauvages représentait la possibilité d'acquérir des fourrures. Les villages identifiés sur la carte se situaient toutefois beaucoup plus en amont.

En s'engageant sur le fleuve, une bise souffla du sud-est et le navire progressa plus rapidement. Toutefois, le pilote, choisi pour sa vaste expérience de navigation, il avait conduit des navires à Terre-Neuve et dans le golfe à de nombreuses reprises, naviguait à l'intérieur du continent pour la première fois. Il se méfiait des hauts fonds, des batures et des bancs de sable autant que les récifs près des îles. Aussi, par prudence, fit-il abattre la grande voile à l'approche de la rivière Saguenay.

Le paysage granitique laissait place à des montagnes lourdes de verdure sombre, alignées les unes derrière les autres aussi loin à l'intérieur des terres que le regard pouvait les imaginer. Pour la première fois, ils aperçurent des Sauvages sur la rive.

Dès que le vaisseau s'approcha, une activité fébrile anima le campement. Une dizaine de petites embarcations filèrent sur les eaux à la rencontre de La Bonne Étoile. En s'approchant, certains exhibaient des fourrures ou des morceaux de viande séchée, piqués au bout de longs bâtons.

Le commandant donna l'ordre d'amener les voiles pour freiner la cadence du navire avant de jeter l'ancre. Ses associés et lui montèrent sur le gaillard d'arrière. Les canots se rangèrent sur le flanc du navire et des marins étirèrent le bras, qui pour cueillir un morceau de viande, qui pour s'emparer d'une fourrure. Rapidement, sans crainte aucune, trois jeunes Sauvages grimpèrent sur le pont et inspectèrent le navire avec une curiosité amusée.

Désireux de ne point rater l'occasion, Pont-Gravé, glissant une dague dans sa ceinture, saisit un bahut qu'il tenait sur le pont arrière depuis quelques jours et s'avança vers les visiteurs. Un de ceux-ci, débordant de gaieté, pointa le chapeau de feutre sans rebord orné d'une plume et d'une fleur de lys que le Malouin portait. Ce dernier demeura immobile. L'autre fit un pas devant, porta la main au galurin, s'avança, le prit et s'en couvrit. Il se retourna vers les autres Sauvages en dansant et en criant, courant au bordage pour s'exhiber devant les autres. Tous rirent à gorge déployée. Un autre vit son poignard et gesticula d'intérêt. Pont-Gravé exigea des fourrures.

L'animation augmenta et plusieurs hommes montèrent à bord du bateau. Ils regardaient partout, palpaient les marins, tâtaient leur barbe frisée, s'interpellant, cherchant quelque objet de valeur en échange de belles fourrures. Quelques-uns montèrent sur le gaillard d'arrière. Noël prit peur. Il fit sonner la cloche du navire et cria aux marins de lever une voile. Le navire s'éloigna de la rive. Pont-Gravé poussa les visiteurs vers le bordage et leur remit de petits présents. Il cria et expliqua, tentant de leur faire comprendre qu'il serait de retour sous peu. Les Sauvages descendirent dans leurs canots sous les cris et les rires, chacun emportant ce que les échanges leur laissaient.

Le soir même au dîner, Étienne Chaton et Pourcin du Mas firent une violente sortie contre l'intrusion des Sauvages, enjoignant Jacques Noël à plus de réserve et plus de prudence.

— Ne se mangent-ils pas entre eux ? avança du Mas.

Pont-Gravé éclata de rire.

— Je doute que vous passiez à la marmite, mon ami. Votre chair me semble fort nerveuse.

La plaisanterie fut jugée de mauvais goût.

Après le Saguenay, les montagnes s'accroupirent en collines usées, s'étirant bientôt en plaines verdoyantes glissant jusqu'au fleuve. Suivant les informations de Cartier, l'expédition entra sur le territoire des Iroquoiens qui, en 1535, l'avaient accueilli et sauvé. Noël convoqua l'équipage et exigea la vigilance, ordonnant de ne point laisser monter de Sauvages à bord tant qu'il n'y aurait pas eu d'échange de signes d'amitié dont il demeurait le seul juge. Pont-Gravé retourna sur le gaillard d'arrière, y apportant même une couverture pour y passer la nuit.

À l'aube, le navire contourna l'île de Bacchus et s'approcha du rivage. Nul n'y décela signe de vie. Noël fit descendre une barque. Pont-Gravé et quelques hommes, explorèrent les rives du fleuve, entrèrent dans la rivière Sainte-Croix, longèrent le promontoire. Rien ni personne. Là où Jacques Cartier avait vu Stadaconé, un gros village de nombreuses longues maisons, ils ne trouvèrent qu'une plage déserte, quelques traces de bivouac, une clairière encombrée d'arbres de moyenne taille. Rien témoignant d'un village.

Après une nuit passée non loin de la rive, Noël donna ordre de reprendre le voyage dans l'espoir de trouver en amont les villages visités par son oncle. Tout au long du trajet, Pont-Gravé seconda le pilote, prenant des notes, esquissant une carte. Le fleuve s'ouvrit sur un grand lac, tacheté d'îles herbeuses d'où s'envolaient de bruyants régiments d'oiseaux. Le Malouin humait l'air, admirait le paysage, les rivages verdoyants, la splendeur de quelques feuillus vert tendre qui baignaient leurs racines dans le fleuve. Mais aucune trace des villages indiqués par Cartier. Après huit jours de navigation, le bateau pointa légèrement vers l'ouest et atteignit le lieu appelé Hochelaga. Tous se ruèrent sur le gaillard d'avant et scrutèrent le rivage.

Là encore, rien. Point de palissade, point de peuple grouillant, point de village. Surprise, incompréhension et déception accablèrent les visiteurs. Incrédule, Noël fit mettre une barque à l'eau et Pont-Gravé, accompagné de huit hommes armés, se rendit à terre. Même en s'engageant profondément à l'intérieur, ils ne trouvèrent que forêt, que pays abandonné.

Autour du repas du soir, les gentilshommes se perdirent en conjectures. La réalité frappait : les Sauvages s'étaient retirés, ils avaient déserté les lieux, en laissant libre un endroit somptueux pour établir un village.

Aux autres, Pont-Gravé relut le récit du deuxième voyage de Cartier traitant de l'accueil par plus de mille hommes, femmes et enfants, de la traversée d'une forêt de chênes, de la découverte d'une vaste clairière plantée de maïs avec en son centre un village, ceint d'une palissade faite de trois rangées de pieux de plus de vingt pieds de hauteur, regroupant une cinquantaine de maisons longues.

Le jeune commandant invita Jacques Noël à pousser le navire plus en avant vers les rapides, que l'on entendait tout près. Noël refusa, mais consentit à retourner à terre, poursuivre l'exploration et gravir le Mont-Royal face à eux.

Pourcin du Mas refusa d'accompagner ceux qui débarquèrent aux premières lueurs du jour. Le groupe marcha dans le lit d'une rivière puis bifurqua sur la droite. La colline se détachait dans le ciel bleu et ils mirent quelques heures avant d'en atteindre le sommet. D'en haut, ils purent regarder vers l'ouest sur le fleuve. Ils ne virent aucune chute importante mais trois séries de rapides qui, selon Pont-Gravé, pouvaient être traversés en barque, et donnaient accès à une immensité d'eau. Le jeune Malouin fit un croquis. C'était le lieu pour s'établir, à portée de la route vers la Chine.

Le groupe regagna le navire qui, dès le lendemain, reprit le chemin du retour. Le mauvais temps et les pressions de du Mas ne leur permirent pas de s'arrêter à l'embouchure du Saguenay, ce qui fit tempêter le jeune Pont-Gravé. L'expédition rapportait bien peu de fourrures. Le 12 octobre, le navire accosta à Saint-Malo. Pont-Gravé se retourna vers le large, déjà impatient de repartir.

En septembre 1587, le roi signait les lettres patentes qui accordaient à Jacques Noël et à son groupe un monopole de dix ans pour le commerce, l'exploitation des mines et la colonisation du pays du Saint-Laurent.

1590

Un matin plein de soleil, au retour d'une courte et morne promenade dans les rues fangeuses, bruyantes et grouillantes de cette partie délaissée de la ville, qui la laissa encore plus déprimée, Jehanne se heurta à l'entrée de la maison à monsieur Pinheiro. Au vu, il l'attendait.

C'était un vieillard qui portait sur son dos et dans la lenteur de son pas le poids des années de sa vie et des siècles de souffrance et d'errance du peuple auquel il appartenait. Ses arrière-grands-parents avaient quitté l'Espagne conquérante et sanguinaire de Ferdinand et Isabelle en 1493. Troquant leur nom de famille, réfugiée au Portugal, convertie de façade à la religion, celle-ci avait fui à nouveau en 1541, lorsque les bûchers de l'Inquisition avaient frappé la ville de Belém. À l'âge de douze ans, Pinheiro s'était retrouvé séparé des siens, seul, à Saint-Jean-de-Luz, le roi de France, dans sa grandeur disait-il, ayant autorisé ces marchands, nouveaux chrétiens, à s'installer dans le royaume. Au seuil de la vieillesse, la peste, dont il refusait d'évoquer le souvenir, avait emporté sa famille. Seul rescapé, il avait fui vers Amsterdam. Malgré l'ingratitude du destin, coulait au fond de ses yeux une rivière de douceur. Il s'avança.

— Comment allez-vous, mon enfant ? chuchota-t-il.

Elle appréciait l'hospitalité du vieil homme, mais l'âge, la langue, la foi et plus encore les séparaient. La vie, chacun la voyait du bout de sa lorgnette. Longue pour lui, si courte pour elle. Elle n'osa répondre, sentant bien qu'il ne percevait plus chez elle l'enthousiasme des premiers jours.

— Je vous vois faible et pâle, reprit-il. Souhaitez-vous voir un médecin ?

Dans les Provinces-Unies, la médecine, les métiers de l'argent et certains commerces constituaient les seules activités auxquelles les Juifs pouvaient s'adonner.

— Je vous remercie pour votre sollicitude, répondit-elle. Peut-être un peu de fatigue ou le changement de saison.

Penchant la tête, le regard au plancher, elle gagna sa chambrette, tomba sur le lit et s'endormit. Plus tard dans la journée, elle redescendit à la cuisine. La dame qui brassait le feu s'avança vers elle, s'inclina.

— Monsieur Pinheiro me demande de prendre soin de vous, dit-elle, ajoutant : je m'appelle Annette.

Annette était d'à peine quelques années plus âgée. Toutefois, le parcours de sa vie avait laissé des traces. Rescapée du carnage de la population d'un village, recueillie par des parents fuyant la terreur et les massacres, elle avait été abandonnée, puis accueillie au sein d'une famille de Juifs, en route pour les Provinces-Unies. Elle bredouillait le français, celui du nord de la France qui se mariait au flamand, et un peu de la langue de monsieur Pinheiro.

— Pourquoi aurais-je besoin de quelqu'un pour prendre soin de moi ? rétorqua Jehanne.

— Votre état, madame !

Jehanne recula et refusa de répondre. Un poids immense s'abattit sur elle.

— Vous portez une vie, chuchota Annette.

La réponse la cingla au visage. Elle tituba et prit appui sur le long banc longeant la table. Elle posa ses mains sur son ventre et leva les yeux au ciel. « Oh mon Dieu ! » murmura-t-elle. L'angoisse qui l'assaillait depuis des mois, les transformations qui bouleversaient son corps, les nausées qui la clouaient au lit, tout ce qu'elle vivait et refusait de considérer la frappaient au front et lui firent ployer le dos. Tout cela portait bien un nom. Ce n'était ni langueur, ni faiblesse passagère, ni mal du pays.

Elle portait le fruit de son péché. Elle revit la nuit noire : Guillaume de Saint-Hippolyte glissant sur sa couche ; fouillant sous sa robe de nuit et l'écrasant sous son poids. Elle avait résisté, Saint-Hippolyte avait poussé en elle, lui avait fait mal. Après, il était resté allongé à son côté, le bras étendu sur elle. Bouleversée, elle avait veillé et vieilli. Il s'était endormi. Au lever, elle se rappela avoir pensé à Dreux pendant que... L'odieux de la trahison la submergea. Depuis, elle avait repoussé le souvenir de cette souillure d'autant plus facilement que, quelques jours plus tard, Guillaume était parti pour Genève.

— Vous ne serez pas seule, madame, je prendrai soin de vous, reprit la domestique.

Jehanne n'écoutait plus.

— Que vais-je faire ? s'affola-t-elle. Je n'ai rien pour cet enfant.

Annette prit place à son côté et lui fit comprendre, étant elle-même passée par là, qu'il valait mieux être deux pour traverser ce qui constituait une épreuve imposée. Elle laissa glisser que monsieur Pinheiro prendrait charge.

Jehanne n'entendit que la rumeur de sa misère puis le grondement de sa colère.

Ce qu'elle redoutait depuis des semaines, ce qu'elle avait refusé de voir, d'envisager, d'admettre, éclatait au grand jour. Elle enfanterait d'un homme disparu au loin. Elle serait écrasée sous un double fardeau : l'enfant à naître et l'opprobre des gens autour d'elle, de la communauté, de sa famille. L'enfant la condamnait à l'exil, à la pauvreté, au rejet. Elle ne reverrait plus Saint-Malo. Elle mourrait de chagrin et sa vie se brisait en un passé mémorable, un présent de souffrance et aucun avenir.

Elle perdit l'équilibre, glissa vers l'avant. Annette la retint. La tête sur l'épaule de la domestique, Jehanne pleura des larmes d'impuissance, de rage et de désespoir. Elle aurait voulu balayer le gris des derniers mois, la misère qui s'attachait à elle et dont elle ne se départirait peut-être jamais.

Elle n'avait jamais retrouvé la famille de Dreux, elle n'était pas mariée et elle serait mère. Elle déboula la pente d'un gouffre béant dont elle ne vit pas le fond.

***

— Madame, vous rêvez, vous rêvez ! chuchota Annette en poussant Jehanne à l'épaule.

Jehanne sortit d'un sommeil agité.

— Qui est Dreux ? lui demanda Annette, au matin, une fois les deux femmes attablées devant un bol d'eau chaude et un morceau de pain noir.

— Comment connaissez-vous ce nom ? rétorqua la jeune femme.

— C'est le nom qui agite votre sommeil, madame.

Jehanne ne répondit pas. Le souvenir de Dreux revenait, lancinant, insistant depuis qu'elle se savait enceinte. Les paroles de Guillaume bourdonnaient dans sa tête : « Là où Dreux était… » Qu'avait-il insinué ? Dreux n'était-il pas mort ? C'est ce qu'on lui avait pourtant affirmé. Mais qui ? Son père ? Cédric le gardien ? Peut-être Jacou. Elle n'était plus certaine. Elle se souvenait de s'être présentée à la prison le matin, comme tous les jours, et d'avoir appris sur place la mort du prisonnier. Cédric veillait et elle ne put entrer dans la cellule. Elle n'avait jamais vu le corps, transporté le jour même au cimetière, lui avait-on dit.

Elle n'avait de cesse d'y penser, manière obsédante de revenir en arrière, de revivre ce véritable moment de rupture, de rattraper le temps. Pouvait-il être encore vivant ? Et qui donc l'aurait fait fuir ? Où avait-il été caché ? Le souvenir de Dreux, l'imaginer vivant, rallumait une petite flamme d'espoir et lui faisait croire au bonheur. Savoir Dreux vivant changerait sa vie. Qui pouvait bien connaître la vérité ? Mais les vagues de réminiscence qui roulaient dans sa tête ne portaient qu'un message : elle ne reverrait plus Saint-Malo.

Une fin de journée du mois d'août, des cris et des éclats de voix montèrent du rez-de-chaussée, d'habitude si mortifère. Elles craignirent pour monsieur Pinheiro et sa servante, du même âge.

Dans l'échelle, Annette précéda Jehanne, déjà lourde de plusieurs mois. Elles ne comprirent rien à la confusion et à l'effusion de joie causées par ce jeune homme dans la vingtaine, de belle allure, qui saluait avec force gestes les habitants de la maison, ces derniers émus aux larmes. Ils multiplièrent les embrassades, sans prêter la moindre attention aux deux femmes demeurées en retrait. Tant de bonheur fit fleurir un sourire à Annette, une grande gêne chez Jehanne. Le vieux Pinheiro les aperçut du coin de l'œil.

— Oh, madame Jehanne, Annette ! s'écria-t-il. Venez, venez, mon neveu, d'Anvers, oui, oui, d'Anvers !

Jehanne portait une grossière robe brune sans attrait qu'Annette lui avait achetée pour quelques sous. Toujours fiévreuse, grelottante, ensevelie sous cette bure de cloîtrée, Jehanne avait perdu ses belles formes. La masse pesante de son ventre la tirait au sol. Des mèches de cheveux gras et ternes fuyaient du bonnet qui coiffait son visage émacié, creusé par des torrents de pleurs. Elle ressemblait à une jeune sorcière au pied du bûcher. Elle croisa brusquement son châle sur son ventre et rougit de honte.

Monsieur Pinheiro balbutia que son neveu, dont la famille, jadis des alentours de Lisbonne, active dans le commerce des épices, était arrivée en Flandres des années auparavant, après un séjour de plusieurs années en France. Le jeune homme, apprit-elle plus tard, chassé d'Anvers par les exactions de l'armée espagnole, était venu à Amsterdam, à l'invitation de son oncle et attiré par la prospérité naissante de la ville depuis la prise de pouvoir de Guillaume d'Orange, nouveau gouverneur général, pour s'initier au métier de banquier et prêteur.

Le neveu s'avança vers Jehanne. Il portait les traces du voyage sans que la saleté ou la fatigue altèrent l'éclat de ce beau visage basané et la lumière de ses grands yeux bruns. Il avait de beaux traits fins, des cheveux point trop longs, crépus. Il lui fit une courbette amusée et la salua dans un exquis français qu'il agrémenta de révérences, teinté d'un accent délicat. Il posa un regard sur le ventre que Jehanne tentait de couvrir et il lui sourit. À peine arrivée, il fit entrer la lumière dans la maison. Elle eut honte de sa condition, courut à l'échelle, grimpa à l'étage où elle se lova sur sa paillasse, les larmes aux yeux.

— Je crois qu'il est ici pour vous, madame, déclara Annette. Monsieur Pinheiro ne voulait pas vous voir dépérir davantage. Il faut vivre. Madame, n'attendez pas le bonheur de demain. Prenez celui d'aujourd'hui.

— Vous dites n'importe quoi, ma pauvre Annette, rouspéta Jehanne.

— Celui d'aujourd'hui s'appelle Simon, roucoula Annette. Un beau jeune homme de votre âge, gracieux comme un chat.

— Taisez-vous, ma pauvre ! C'est honteux, clama Jehanne. Ne voyez-vous point leur triste manœuvre ?

L'autre sourcilla.

— Ce sont des juifs, Annette. Ils veulent me voler mon enfant.

***

La grossesse déjà difficile tourna au cauchemar. La jeune femme se perdait dans un labyrinthe de désespoir. Elle était abandonnée et lestée d'un écrasant fardeau à porter. Si son prétendu époux revenait à Amsterdam, que dirait-il, serait-elle répudiée ? Comment vivrait-elle seule dans cette ville ? Les filles-mères se voyaient dépouillées de leur enfant, confinées à la rue ou au bordel. Dans la turpitude qui l'accablait, elle n'avait aucun repère, aucune prise, peu de lumière qui eût pu éclairer son triste présent et son sombre avenir. Incapable de se payer un toit ni de mettre à manger sur sa table, elle vivait de la charité d'un ami de son père et portait un enfant qu'elle n'avait jamais désiré.

Aux jours de tristesse succédaient les nuits de cauchemars. Un matin, alors que la ville dormait encore, elle longea le canal et considéra s'y laisser couler. Les eaux brunes couvriraient son départ, emporteraient son calvaire. Personne ne la chercherait, personne ne la pleurerait. Pourquoi n'avait-elle pas le courage d'en finir ?

Dès la fin du mois d'août, malgré les exhortations d'Annette, elle refusa de sortir de peur de croiser un regard familier, craignant d'être prise à partie comme fausse-mère ou mauvaise fille, de se voir enfermer en attendant l'enfant.

— Il n'y a pas plus grand malheur que le mien, confia-t-elle à sa domestique.

— Madame, avait soupiré Annette, au marché des misères, on trouve toujours pire que la sienne.

De fait, Annette aurait pu dérouler ses propres années de douleurs, de l'enfance jusqu'à la perte de son propre fils mort dans ses bras à la naissance, petit corps froid qu'elle avait collé à sa peau fiévreuse toute la nuit dans l'espoir dément de le ramener à la vie. Elle avait tant voulu qu'il vive, que le voyant mort pour toujours, elle souhaita l'accompagner. Pourtant, elle était là, ouvrant son cœur, déployant ses simples ressources pour aider Jehanne à émerger du puits dans lequel celle-ci s'enlisait. Elle voulait, encore plus que Jehanne, voir cet enfant, le tenir dans ses bras, le faire vivre. Elle ne désespérait jamais, supportant les malheurs et le désespoir de sa maîtresse.

Au milieu de la nuit le 6 septembre 1590, Jehanne, dans les cris et la souffrance, donna naissance à un garçon et seules Annette et une sage-femme juive l'assistèrent. Dieu veillait. L'enfant se présenta, avec énergie et vigueur, les yeux grands ouverts, comme déjà animé d'une insatiable curiosité, d'un appétit pour ce monde.

Lors d'une naissance, il fallait déclarer le père de l'enfant. La sage-femme juive n'avait pas cette obligation car les Juifs ne comptaient pas, n'étant pas considérés comme citoyens de la ville. L'enfant évita d'être abandonné à la crèche ou à l'adoption. Mais Jehanne le repoussa.

— Madame, cet enfant n'a pas demandé à naître. Il compte sur vous.

Il fallut cette insistance délicate pour que la jeune mère couche son fils sur son sein et nourrisse celui qui exigeait de vivre.

Deux jours plus tard, monsieur Pinheiro fit venir un musicien et avec son neveu, ils chantèrent, dans leur langue, des airs de bonheur qui montèrent jusqu'à la mansarde. Le neveu fit porter à la mère et à l'enfant des huiles et des parfums. La jeune mère repoussa le cadeau. Elle refusait de sortir et de présenter le nouveau-né à ses hôtes. Toutefois, Annette prit l'habitude de se faufiler dehors avec l'enfant pour qu'il voie le jour. Elle devait demeurer devant la maison, à la vue de Jehanne, qui veillait sans cesse.

Un matin, Annette s'éloigna. Jehanne, rouge de colère, débola l'escalier, se précipita dans la rue et courut auprès de la domestique. Annette résista à la réprobation et à la colère, tint tête et argumenta que le nouveau-né n'avait pas choisi la prison que sa mère s'était érigée. Jehanne recula.

Le lendemain, elle profita d'une belle journée pour sortir l'enfant caché sous sa cape. Les deux femmes firent un détour en longeant le Singel et se glissèrent le long du Keizersgracht. Le numéro 6, au deuxième étage, cachait une église catholique. L'existence de ce lieu de culte, officiellement interdit, était connue des autorités. L'église était tolérée, tant que les fidèles s'obligeaient à la plus grande discrétion.

Ce n'était certes pas la cathédrale de Saint-Malo avec ses ors, son élégance, sa lumière et ses saintes statues. Mais la simplicité du lieu, le rappel d'images et de scènes qui avaient marqué son enfance nourrirent Jehanne d'une sérénité apaisante.

Le vieux curé français, monsieur Bourdain, officia avec douceur et diligence. Il reçut sa confession, attendit et entendit un repentir sincère avant de lui donner l'absolution. Il lui rappela ses devoirs de croyante et de mère et devant la douleur de son péché, il rappela le pardon du Seigneur à Marie-Madeleine :

— Ne fut-elle pas pécheresse, puis compagne du Christ, la première à qui il se présenta ressuscité ?

Dans cette ville où la religion catholique éclairait sous le boisseau, Geoffroy Fleuriot, enfant de Dieu, fut accueilli dans la religion de ses ancêtres. Le bébé demeura insensible à l'eau sur son front, ce qui fut perçu comme un salutaire présage. La cérémonie terminée, Jehanne baisa la main du prêtre, emmaillota l'enfant, le remit à Annette et descendit. Elle fit signe à la domestique lorsqu'elle vit la rue libre de quidams. Elles regagnèrent le logis, soulagées et confiantes dans le salut éternel de l'enfant. « Il ne sera jamais ni juif ni protestant », se réjouit-elle.

Malgré les paroles rassurantes du curé, la jeune mère se cloîtra à nouveau. La vie au-delà de la mansarde lui paraissait hostile et rébarbative. Elle craignait pour Geoffroy. Les mêmes cauchemars de morts-vivants, de voyages sans retour, de coffres secs venaient la hanter. Au lever du jour, elle était lourde de désespoir. Les questions concernant Guillaume de Saint-Hippolyte, Dreux, le sens sa vie, roulaient dans sa tête comme le ressac sur la grève et ne laissaient sur le sable de ses jours aucune réponse. La vie, sa vie filait au gré des marées.

Cependant, le petit bousculait et il opéra une nouvelle mise en forme de sa vie, un nouvel ordonnancement des simples activités qui meublent le quotidien. Il y avait les incontournables : le lever, lui donner à boire et, pour cela, elle devait elle-même manger, prendre des forces, se refaire une allure. Il y avait aussi les dons du ciel : le sourire de ce bel enfant, ses yeux bleus comme le plus bel océan, les mouvements excités des petits membres dans l'air, les murmures enjoués, les pleurs insistants. Jehanne s'attachait peu à peu à son enfant et elle voyait bien, au-dessus de son gouffre, une éclaircie, mais elle n'avait pas la force ou le courage de s'en approcher.

Par chance, Annette veillait. La domestique assumait auprès du poupon un rôle qui n'était pas le sien, mais qu'elle accomplissait avec empressement, compétence et ravissement. À défaut de pouvoir convaincre ou imposer, elle parlait du cœur et assumait sa condition avec grand plaisir.

— Madame, l'encourageait Annette, il faut sortir. Cet enfant a besoin de la lumière du jour, de l'air frais.

Craignant de voir Simon disparaître avec son enfant, Jehanne se résolut à accompagner la domestique. Ainsi prirent-elles l'habitude de sortir tous les jours, beau temps, mauvais temps, l'enfant arrimé au corps d'Annette, sous sa cape. Le petit anticipait le moment, la fin de matinée. Il s'agitait, réclamait, et une fois bien installé, roucoulait de bonheur. À plusieurs reprises, elles croisèrent Simon. Jehanne s'angoissait et fuyait son regard, poussant Annette vers l'avant ou empruntant une rue de travers. Que cachait l'angoisse de la jeune femme ? Un soir, pour une première fois, le jeune homme se présenta à la cuisine alors que les femmes en étaient à leur rituel de fin de journée. Il s'approcha et admira, par-dessus l'épaule de Jehanne, l'enfant rassasié qui somnolait. Jehanne baisa la tête et serra le petit contre elle.

— Quel joli petiot, madame ! Un bel enfant... une servante fidèle et dévouée... un père aimant... et vous-même, belle personne, ne me semblez pas dépourvue de talents. Vous avez toutes les chances.

Jehanne ne broncha pas, ne répondit rien.

— Vous ai-je offensé, madame ? N'habitons-nous pas sous le même toit, ne gagnerions-nous pas à nous connaître ?

— La mauvaise fortune me contraint ici. Passez votre chemin, monsieur. Je n'ai rien à vendre, rien à donner.

— Madame, vous prenez de bien haut le sourire qui vous est offert, les mains qui vous sont tendues.

— Ce sont les mains qui ont porté le Christ en croix…

***

Ce jour gris de novembre, François Gravé du Pont lança un regard derrière lui. Depuis le soulèvement populaire et la proclamation de la république en mars dernier, la suspicion imprégnait la ville, les dénonciations pleuvaient et les expulsions se succédaient. Il arrivait à ce rendez-vous, le premier depuis son retour, ayant pris garde de ne pas être suivi. La liberté avait la mèche courte. Il bomba son torse large comme une tourelle, et pénétra dans l'enceinte.

Le garçon l'attendait. Ils traversèrent la cour et entrèrent dans la demeure du marchand par la porte de la cuisine. Le jeunot l'invita à monter à l'étage, puis retourna fermer les battants de la porte cochère, ne laissant déverrouillé que le guichet permettant aux domestiques de circuler.

Pont-Gravé grimpa les marches deux à deux, entra dans la pièce sans frapper. Il devait à ses années dans la marine royale du Ponant un tempérament de corsaire qui le servait bien dans ses nouvelles entreprises. Et il en avait bien besoin, car il n'avait pas choisi le plus facile : la traite des fourrures dans la grande baie de Saint-Laurent jusqu'au Saguenay où il se rendait depuis peu pour traiter avec les Sauvages et pour pêcher.

— Vous voilà, mon ami ! s'exclama Geoffroy de Grangeneuve accueillant le marin d'un large sourire et d'une solide poignée de main.

— Mal mer ! Pour arriver ici, je me suis fait vermine, gronda le visiteur. Je ne vous dis pas les précautions que j'ai prises. Vivement la belle saison que je reprenne la mer. J'y suis en meilleure sécurité.

Michel Pourcin du Mas s'approcha à son tour et tendit une main molle.

— Lorsque l'on n'a rien à se reprocher, nul besoin de regarder derrière, déclara l'homme.

Pont-Gravé le dévisagea, tira une chaise à lui, prit place à la table et retira de son pourpoint une grosse enveloppe de toile.

— Voilà votre bénéfice, dit-il en posant sur la table un sac de pièces d'or sonnantes.

— Est-ce tout ? demanda du Mas, en prenant le sac qu'il soupesa.

Le sieur du Mas s'était fixé récemment à Saint-Malo après avoir fait l'acquisition, avec le sieur de Grangeneuve, d'un bateau de quatre-vingts tonneaux baptisé *La Françoise*. Dupont-Gravé en détenait également une part réduite.

— Ah, belle mer… la pêche a bien donné, vous serez comblés, répondit le marin.

Il regarda les deux hommes.

Pour la fourrure, grogna-t-il, j'en peste encore. Je suis arrivé tard.

Le marin avait dû se contenter de maigres échanges avec des Sauvages. L'avocat, maussade de nature, se leva et se dirigea vers la chaleur du foyer au fond de la pièce. Pont-Gravé reprit :

— De plus en plus de navires frayent près des côtes. Les Basques surtout. Ceux-là, ils mangent à tous les râteliers et ils jouent de la couleuvrine dès que l'on vient respirer trop près d'eux. Aucun respect pour les autres, tout pour eux. J'ai vu aussi des bateaux de Brouage, de La Rochelle et, bien sûr, de la côte normande. Plusieurs navires de Honfleur et de Dieppe qui ne laissent pas leur place, eux non plus.

Il posa sec ses grosses mains sur la table et ajouta :

— La prochaine fois, je pousserai mon bateau plus à l'intérieur des terres sur le grand fleuve Saint-Laurent et moi aussi j'aurai quelques couleuvrines. On réfléchira avant de s'attaquer à François Gravé du Pont. On ne m'effraie pas avec de la grenaille. S'il le faut, j'armerai même un canon. Quelques boulets bien placés dans la voilure feront réfléchir. Ils verront que je n'entends pas céder ma place. Je connais ces lieux comme le fond de ma bourse. Je ne me laisserai pas bousculer ni incendier mon navire.

— Prenez garde ! C'est avant tout mon bateau, réagit du Mas.

Ces propos de l'avocat, encore répétés, rappelaient à Pont-Gravé l'urgence d'avoir son propre navire.

— L'année prochaine, je descendrai à terre et traiterai face à face avec les Sauvages. Ils veulent nos biens, nous voulons leurs fourrures. Et moi, je veux beaucoup de fourrures. Le poisson nourrit, la fourrure enrichit. Voilà ce que je pense.

Depuis le début des années 1580, le commerce des pelleteries avec les Sauvages, au début informel, avait pris une importance grandissante avec la popularité de la fourrure dans les grandes villes françaises et le bouleversement des circuits traditionnels d'approvisionnement. Plusieurs conflits avaient fragilisé la route des fourrures passant par la Baltique et la mer de Finlande. Le conflit entre la Suède et la Russie pour le contrôle du port de

Narwa, plaque tournante de ce commerce, avait détourné les acheteurs vers le nord de l'Allemagne. Ainsi, les peaux de bièvres, loutres, martres, hermines et autres espèces recherchées n'arrivaient plus directement en France. Un temps, la ville d'Anvers, centre du commerce européen, avait pris le relais. Mais la guerre des Flandres et la répression à l'égard des protestants avaient entraîné l'exode des bourgeois et marchands vers Amsterdam, Utrecht et d'autres villes de France du Nord et d'Allemagne. De plus en plus de fourrures en provenance de Terre-Neuve arrivaient directement dans les ports de Rouen et Bordeaux.

Du Mas revint vers la table et déclara d'un ton fâcheux :

— Ce n'est pas la première fois, monsieur, que vous nous chantez cette promesse. L'année dernière, vous aviez juré de remédier à la situation. Qu'attendez-vous pour livrer la marchandise ?

Il reprit sans laisser l'autre répondre :

— Je concède que le bouclage de la capitale par Henri de Navarre paralyse plusieurs activités, mais pas en mer. De toute façon, ce blocus se réglera un jour, ajouta-t-il. Et ce jour, nous devons être au premier rang pour en profiter. Alors, commandant, entendez-moi bien, il me faut des fourrures.

Il prit place devant les deux autres. Il respirait fortement, essoufflé de sa montée coléreuse. Gravé-Dupont se leva, irrité par les jérémiades du petit avocat. Ce partenaire n'avait navigué qu'une seule fois vers Terre-Neuve, terré au fond de sa cabine. Il ne connaissait rien des longues semaines en mer, du danger des tempêtes, des rationnements et des disettes. Il fallait composer avec les hommes d'équipage, organiser la pêche, trouver sur la côte l'endroit propice pour rencontrer les

Sauvages, y être les premiers... et encore fallait-il que ces derniers aient des fourrures.

— L'ami Pourcin, reprit le commandant, soyez patient, nous y arriverons.

L'autre lui coupa la parole.

— Je n'ai jamais été votre ami et je ne compte pas le devenir, claironna-t-il. Notre association est claire. Vous commandez les expéditions et vous ramenez des fourrures. Faites ce que vous voulez avec les Sauvages, je m'en fous. Je les ai vus. Je n'y vois que des bêtes, vêtues de peaux, errant dans les bois, grappillant pour leur nourriture, faisant la guerre à plus miséreux qu'eux.

Il fit une pause, respira profondément et releva la tête. Il reprit :

— Contraignez-les par la force, s'il le faut. Nous n'avons qu'à faire comme...

Gravé-Dupont l'empêcha de terminer sa phrase.

— Mal mer, tonna-t-il. Je connais votre chanson, monsieur. Sachez, encore une fois, que je fais du négoce, moi. Je ne suis pas un conquistador qui extermine des peuples entiers pour de l'or. Je n'établirai pas mon commerce sur un cimetière.

Les deux hommes se turent, chacun campé sur sa position. Dupont-Gravé demeurait le capitaine du navire, seul maître à bord après Dieu, et pour lui, les Sauvages n'étaient pas des adversaires. Ils n'avaient jamais attaqué les Français, mais plutôt sauvé la vie de Cartier et de ses compagnons en 1535. Ils représentaient des partenaires intéressés à acquérir des biens que les Français possédaient, en échange de fourrures.

— Ne pourrions-nous obtenir un monopole, à tout le moins des fourrures ? demanda Geoffroy de Grangeneuve, désireux de faire baisser la tension entre ses deux partenaires.

— Messieurs, n'oubliez pas que le sieur Troilus de Mesgouez dispose toujours, on peut le croire, d'un monopole consenti par Henri III. Toutefois, avant de faire respecter ou requérir un monopole, ne faudrait-il pas, en premier lieu, un vrai roi pour ce le voir accorder, rétorqua du Mas ?

Il fit une pause et reprit :

— Cela ne semble pas pour demain. Il y a de nombreux prétendants à la couronne royale, mais aucune bonne tête sur laquelle la poser, ajouta-t-il. Je me demande parfois si notre pays est gouvernable. Très mauvais pour nos affaires.

— Nous n'en sortons pas ! s'exclama Grangeneuve.

Ennuyé d'écouter ses partenaires discourir, le commandant reprit son chapeau et fit signe qu'il entendait partir. L'attitude de du Mas le faisait rager. Il imaginait l'avocat en petit rat de cale, longeant les anguilliers, préférant l'ombre, reniflant la petite ration.

Lui, le marin, l'homme d'action aimait la droiture humaine et les marchés clairs, l'impuissance et les tergiversations des autres l'agaçaient. Il aurait voulu être mandaté par le souverain et obtenir le marché des fourrures. Un temps, il avait compté sur ce du Mas pour y arriver, mais ce dernier apparaissait de moins en moins sûr.

— Belle mer ! Vous avez raison, mon ami de Grangeneuve, dit le marin, mais l'espoir ne nous nourrit pas. Pouvons-nous attendre que les armes se taisent, que la raison s'impose, que tous les petits coqs qui jacassent regagnent silencieusement la basse-cour de la nation ? Et qu'au surplus, notre faux ami l'Espagnol et son pape délaissent la France ? Ne devons-nous pas agir maintenant pour qu'une fois la paix revenue, si Dieu nous prête vie jusque-là, nous soyons prêts, de la poupe à la proue ?

— J'aime ces terres, reprit-il. Bien sûr pour le commerce, mais aussi pour ces espaces immenses, ces paysages spectaculaires et les gens qui y habitent. Je suis convaincu qu'il faut y fonder villages et villes, y voir naître des enfants et germer du blé. Et, ajouta-t-il, trouver un passage vers la Chine.

— Je vous trouve bien agité, soupira l'avocat. Contentez-vous de ramener des fourrures et nous serons très heureux. Pour ce dernier voyage, devant les résultats, je ne peux garantir votre part.

— Mal mer, du Mas, vous trichez encore. J'ai rempli mon contrat.

On frappa à la porte. Le garçon entrevu plus tôt se glissa dans la pièce et murmura à l'oreille de Grangeneuve.

— Merci, Jacou, répondit l'homme. Messieurs, mon fils est ici. Il vaut mieux mettre un terme à cette rencontre. Je vous en prie, sortez par la cour arrière.

Pont-Gravé se leva et s'approcha de l'avocat.

— Je connais trop les limites de votre honnêteté du Mas. Pour vous rassurer, j'ai déjà pris ma part.

Grangeneuve tira Pont-Gravé vers la porte.

— Vous m'obligeriez beaucoup si, par hasard, vos affaires vous portaient vers Amsterdam. Vous comprenez, j'aimerais avoir des nouvelles de ma fille Jehanne.

Pouvait-elle être encore sa fille bien-aimée ?

***

Les jours passèrent, Simon évitait la cuisine. Jehanne, se risquant de plus en plus à sortir, l'apercevait parfois s'affairer dans le quartier, s'accorder avec monsieur Pinheiro, débattre ou négocier avec d'autres Juifs près des quais, et parfois même avec des marchands du lieu.

Un jour qu'elle promenait Geoffroy, sur le quai près de la maison, elle se buta à lui qui descendait d'une barge. Ne pouvant l'éviter, elle répondit à son salut. Ils demeurèrent face à face, une éternité en silence, s'étudiant, se demandant lequel parlerait le premier.

Elle le voyait ainsi pour la première fois. À peine plus grand qu'elle, les cheveux frisés glissant en vagues serrées sous son bonnet de toile rêche. Il avait la peau mate, le contour du visage anguleux et surtout, surtout des yeux d'un noir aussi vif qu'un boulet de canon, pourtant chaleureux comme une auberge de campagne. Son visage souriait, dans un amalgame de joie, de douceur, de patience.

La vie avait coulé depuis la naissance de Geoffroy et malgré ses soupçons, elle ne pouvait lui reprocher aucune atteinte, l'ombre même d'une menace, le bruit d'un faux pas. Elle s'en réjouissait. Le brouillard au-dessus de sa vie se dissipait, et un ciel ensoleillé pointait. Elle ne pouvait plus mariner longtemps dans l'absence et le malheur. Elle travaillait intérieurement à se construire une échelle pour sortir du gouffre, pressée de trouver les quelques barreaux qui manquaient encore.

— Vous aimez les promenades sur les quais ? dit-il.

— Elles permettent de réfléchir. Vous n'ignorez pas qui je suis, rétorqua-t-elle.

— Vous êtes devant moi une belle personne, à la recherche de son...

Elle lui coupa la parole.

— Je suis fille de trois générations de marchands de Saint-Malo. Enfant, j'accompagnais monsieur mon père sur les quais. Je participais aux affaires, croyez-moi, balbutia-t-elle.

Elle chercha à retrouver son assurance que la dernière année avait tourmentée. Il ajouta :

— Alors, la vie du bord de mer vous manque.

— Vous savez, j'entends être marchande. Je pourrais même avoir mon propre bateau, fronda-t-elle.

— À l'exemple de votre père et ceux avant lui, je présume ?

— Non, pas à ce que je sache. Monsieur mon père transige des cargaisons. Achète, vends, bouge les choses. Il sait voir le profit.

— Il y a là, peut-être, une certaine sagesse. Achetez des noix, dit-il, vous ne mangerez pas la coquille. N'en va-t-il pas ainsi de la valeur d'un bateau ? C'est ce qu'il contient qui importe.

— Vous dites cela parce que vous ne pouvez en avoir, rétorqua-t-elle, piquée.

— Oh, peut-être ! Mais certains ont des bateaux, d'autres gonflent la bourse qui permet à de valeureux de voyager. Dites avec moi : chacun son métier.

Elle se détourna, indécise.

— Je partirai d'ici. Je retournerai à Saint-Malo !

— Avec votre bateau ?

Geoffroy bougeait d'appétit sous sa cape. Jehanne fut soulagée de mettre fin à la conversation. Elle avait beaucoup bluffé. Elle gagna la cuisine chez Pinheiro, Annette l'attendait. Une fois le bébé repu, elles montèrent à l'étage. La domestique porta Geoffroy au berceau, Jehanne sortit de la chambre et trouva refuge sur les marches de l'escalier. Le souvenir de cette rencontre avec le jeune Juif, de cette première conversation, ramena Guillaume de Saint-Hippolyte à sa mémoire. Comment deux hommes pouvaient-ils porter tant de différences ?

Saint-Hippolyte, comme elle l'avait connu, transpirait l'exaltation. Le front arrogant, de haut panache, ne réfléchissant que les yeux fermés, autrement portant le regard vers le ciel cherchant une grâce divine à recevoir ou à honorer. Il était de ceux dont la vie se déroulait dans le cerveau et dont l'essentiel, même la foi, était question d'intelligence.

Simon, lui, cachait dans ce sourire une résolution ferme, mais contenue. Il fixait constamment devant lui, le regard à hauteur d'homme, celui avec qui parler, partager, transiger, rire. On eût dit que les hommes sur son passage constituaient des pièces d'or à ramasser, des affaires à avenir, un négoce à conclure.

À l'échelle d'une cathédrale, Guillaume de Saint-Hippolyte représentait la flèche au bout du clocher. Unique, droite, résistante aux intempéries et l'élément le plus près de Dieu. Simon Pinto en constituait la simple porte d'entrée, le narthex, au niveau du sol, sur la terre de son Dieu, ouvert et accueillant, assurant à la fois la rencontre et le passage.

Pour Jehanne, Guillaume de Saint-Hippolyte l'avait oubliée, abandonnée à Amsterdam. Si Annette disait vrai, Simon Pinto était venu pour elle, sans même la connaître et semblait là pour y demeurer. Peut-être devait-elle accepter que Saint-Hippolyte ne pût qu'être mort, que l'histoire de Dreux resterait à jamais sans réponse et qu'il valait mieux tourner la page. Tourner la page ? Cela impliquait d'oublier Saint-Malo et de s'ancrer ici. Et pour y faire quoi ?

**

Pourcin du Mas avait bien entendu l'invite de Grangeneuve à Pont-Gravé à visiter sa fille. Y avait-il là quelque chose qu'il gagnerait à connaître ? Existait-il une raison qu'il ne soit pas le premier à savoir ? Il profita d'un négoce en mer baltique pour s'arrêter à Amsterdam. Le port allait fermer, la glace s'accrochait déjà aux quais, les canaux devenaient des miroirs sur lesquels les nuages bas couraient.

Il rôda autour de la maison de Pinheiro et, pressé par le temps, il résolut de frapper à la porte. Simon ouvrit. Il demanda à voir Jehanne au moment où celle-ci revenait de promenade. Ne reconnaissant pas le visiteur de dos, elle le contourna et se dirigea vers la cuisine, tout au fond du couloir.

— Votre père m'a demandé de prendre de vos nouvelles, clama-t-il pour marquer sa présence.

Jehanne reconnut la voix si détestée, se retourna pour faire face. Du Mas vit l'enfant dans ses bras et jeta un regard perfide vers Simon.

— Monsieur, madame. Mes hommages et mes félicitations, persifla-t-il. Mon ami, votre père, sera heureux de savoir sa descendance établie, hébraïque de surcroît.

Jehanne demeura sans voix. Elle détestait déjà ce sinistre personnage, à l'instant, elle le maudissait. Annette vint cueillir l'enfant et s'éloigna. Simon réagit.

— Non, monsieur, rassurez-vous, je ne suis pas le père de ce bel enfant.

— Bien sûr, bien sûr. Euh, pardonnez-moi, je ne vous dérangerai pas plus longtemps, siffla-t-il, j'appareille à la marée du soir.

Frappée au cœur et au front, Jehanne sut se redresser. Elle soutint le regard de l'ignoble, de l'infâme, mais ne sut que rétorquer. Au-delà des paroles, elle vit son père et Saint-Malo. L'immonde visiteur poignardait définitivement son ambition de retour.

Du Mas tourna le dos et fila. Les deux le regardèrent se diriger vers la ville. Elle retint ses larmes, ayant décidé que le temps des pleurs était passé. Comprenant son inconfort, Simon respecta son silence.

Le soir, Jehanne tarda à s'endormir. Une année avait passé depuis le départ de Saint-Malo. Elle n'avait rien réalisé de ce qu'elle avait anticipé. Elle avait perdu beaucoup, gagné ce qu'elle n'avait pas cherché : Geoffroy, Annette, Simon. Plus encore. L'intrusion de Pourcin du Mas, son comportement misérable et outrancier la blessait, mais lui insufflait une volonté nouvelle de se battre et de réussir. Il lui lançait la première pierre. Il se noiera avec, se dit-elle.

L'année 1590 s'éteignait ; 1591 allait débuter. Dix ans avant la fin du siècle ; dix ans avant la fin des temps, disaient certains ; avant la venue du Christ sur terre, affirmaient d'autres. Elle sollicita de l'argent à monsieur Pinheiro. Avec Geoffroy, elle participa à toutes les cérémonies religieuses célébrant la naissance du Christ et soulignant la fin de l'année. Elle fut généreuse pour l'église et pour le curé, pria dévotement sollicitant que la lumière du Très Haut éclaire son chemin. Elle sortait du gouffre et elle s'allouait dix ans pour bâtir sa vie, une vie pour elle. Ambitieux programme.

1591

Le troisième jour de janvier, la ville se retrouva ensevelie sous un demi-pied de neige qui s'accrocha durant plus de deux jours. Tous furent emprisonnés dans les maisons, regroupés autour des foyers, pour ceux qui possédaient suffisamment de bois de chauffage. À partir de ce moment, Jehanne s'installa dans la cuisine, y fit son quartier général, le lieu de vie de Geoffroy, Annette et elle.

Personne ne s'en offusqua. La vie de la maison s'en trouva modifiée, animée, grouillante comme une halle aux poissons. Jehanne réalisa l'importance du va-et-vient quotidien, le nombre de personnes qui visitaient monsieur Pinheiro. Juifs pour la plupart mais également des marchands locaux, des étrangers de passage et même un pasteur. Ils repartaient l'air satisfait.

Simon prit l'habitude d'y apparaître tous les soirs. Il venait pour Jehanne, affichant la même bonne humeur, patient comme un pêcheur du dimanche. Il la savait en gestation de son avenir et comprenait qu'elle y mette le temps. Souvent, les deux s'accommodaient un moment en fin de journée, seuls, lorsque Annette montait à l'étage pour mettre Geoffroy au lit.

— Ces Hollandais sont incroyables, lui dit-il un soir. Certains pensent à se rendre en Chine, chercher des épices. Quelle aventure exceptionnelle !

— Y arriveront-ils seulement ?

56

— Ils s'organisent. Et vous, mon amie, que comptez-vous faire ? demanda-t-il, en effleurant de la main la table devant elle, comme s'il eût voulu libérer l'espace, ouvrir un chemin dans ses pensées.

Jehanne suivit le mouvement lent de cette main, de ces doigts longs et fins. Une seule idée l'habitait : le commerce. Mais encore ? Comment démarrer ? Une femme, en plus. Le peu qu'elle possédait à l'instant n'était pas à vendre. Elle ne dormait sur aucune fortune ; étrangère dans la ville, presque nouvelle dans la vie.

— Si vous cherchez conseil…

Il ne put dérouler sa pensée, elle l'interrompit.

— Je n'ai rien pour payer, aucun moyen de transport, ni aucun acheteur. Voilà la vérité de ce jour. Il me faut un produit concret, que personne ne possède ou dont nul ne dispose ici, mais de préférence disponible à Saint-Malo. Si vous avez une idée, gratuite, je suis preneuse.

Il n'était pas de ces amuseurs forains, tirant une poule d'un sac ou avalant un couteau. Toutefois, le lendemain, il invita Jehanne à le suivre. Ils firent le tour des quais, furetèrent sur les marchés, se penchèrent aux vitrines sombres des échoppes, suivirent des charrettes bâchées transportant quelques secrets d'un côté à l'autre de la ville. Ils se nourrissaient de ce qu'ils voyaient et plus ils en voyaient, plus ils avaient faim.

Le manège dura des jours, et chaque journée se terminait sur le même constat. Pourtant, Simon l'emmenait partout, partout où lui, le Juif, le banquier, le prêteur d'argent, pouvait aller. Jehanne décréta une pause. Pendant des jours, l'apprentie commerçante avait couru partout sans succès. Mars déjà réchauffait le port. Les bateaux revenaient, la ville s'animait. Elle voulait faire partie de ce printemps.

Avait-elle d'ailleurs un choix autre que de prendre son destin en main et de marcher ? Elle était mère, sans mari, d'un enfant dont elle avait la charge. Elle avait porté la vie et, quoi qu'il arrive, ce petit être grandirait. Il serait toujours, par la grâce du Très Haut, son fils, le fruit béni de ses entrailles. La responsabilité de subvenir à ses besoins lui incombait et elle ne pouvait tourner en rond toute sa vie dans une maison miteuse de la Juiverie d'Amsterdam, au crochet de son père.

Elle revint sur les quais, cette fois pour discuter avec des commandants français. Puis, avec Simon, elle visita quelques auberges, tavernes, gargotes. Elle s'informait, évaluait, sculptait dans la masse d'information une idée qui cherchait à émerger.

Les gens des Flandres du Nord buvaient presque exclusivement de la bière. D'autre part, Saint-Malo constituait un cellier géant rempli des vins du monde entier que les capitaines rapportaient pour lester leur embarcation. De plus, Amsterdam regorgeait de crédit et de navires. La colonie française d'Amsterdam, les visiteurs et même les gens du lieu gagneraient, croyait-elle, à boire un bon vin de France. Tel devint son projet. Elle se mit à courir les auberges, se fit rabrouer presque partout. Elle ne se découragea point, persuadée qu'une fois le produit disponible sur place, et le vin goûté, les portes s'ouvriraient.

Elle crut bon de recourir, pour débuter, à celui qui la comprenait le mieux : son père. Elle lui écrivit une longue lettre, raconta l'année écoulée, son cheminement et exposa sa détermination.

N'ayez pour moi aucun traitement de faveur. En affaires, nous serons associés et je n'exige rien de plus ou de moins que ce que vous feriez pour un quelconque partenaire. Vous me fournirez et je vous payerai. Mes bonnes affaires seront aussi les vôtres.

Elle commanda quelques barils de vin qu'elle crut pouvoir écouler dans les auberges et gargotes du quartier français. Elle confia sa missive à un capitaine retournant à Saint-Malo. Elle rayonnait, fière, croyait-elle, d'avoir livré bataille, d'avoir remporté ce premier combat... sur elle-même. Elle démarrait son négoce et n'aurait de cesse de le faire fructifier. Elle n'avait pas le droit à l'échec, trois générations de Fleuriot la regardaient.

Toutefois, en cherchant à démarrer son affaire, elle réalisait combien jusqu'à présent sa vie ne s'était déroulée que sous le regard affectueux et protecteur de quelques hommes. Celui de son père, de Dreux, de Saint-Hippolyte, de Simon et de monsieur Pinheiro. Cette pensée la troubla. Son désir de commerçante ne pouvait se réaliser sans une quête personnelle, celle de se libérer du regard des autres, sans s'affirmer pour ce qu'elle était. Elle devait changer, prendre sa place et c'est par elle-même, pour elle-même qu'elle devait se battre et réussir sa vie.

***

Mai débutait et Pont-Gravé se lassait de chercher du Mas. Plutôt, chercher le bateau de du Mas, celui dont il possédait une maigre part et qu'il commandait depuis quelques années. Le départ pour la saison de pêche et de traite de fourrure était imminent et le commandant tournait en rond. Chaque matin et soir, il descendait de la ville, scrutait le havre intérieur, le quai de la Grande Porte, s'enquérait à gauche et à droite du mouvement des bateaux. Un jour, il s'était même rendu sur la Ranse, derrière la tour de Solidor, fouiller les chantiers, voir si son navire n'aurait point été en rade ou en réparation.

Il consulta de Grangeneuve, actionnaire du bateau.

— Où est ce bougre, ce sans-parole, ce malhonnête ?

Grangeneuve ne savait rien, n'avait point vu le petit avocat depuis le début de l'année, depuis qu'il lui avait rapporté des nouvelles de sa fille. Les dires de du Mas l'avaient touché au plus profond de lui-même, au plus profond de son cœur, au plus profond de l'amour infini qu'il avait pour elle.

Depuis, il sortait peu, gardant quelques affaires pour demeurer indépendant de son fils et se maintenir sur le marché. La situation de sa fille et le comportement de son fils faisaient souffler sur son âge un vent hargneux. Il ne voyait pas le printemps fleurir, ne sentait pas le soleil réchauffer la mer et les bateaux, ramener la joie dans la ville. Quelques douleurs au corps lui rappelaient l'inéluctable fin de sa route. Il écrivit à son ami Pinheiro pour s'enquérir s'il pouvait ramener sa fille et son petit-fils à Saint-Malo. La réponse tardait et entre-temps il brodait dans sa tête divers scénarios dont le plus courant comportait la mort de Guillaume de Saint-Hippolyte. Auquel cas, la condition de veuve et la présence d'orphelin, pour la compassion qu'elle soulèverait, faciliterait son retour dans la ville.

Pont-Gravé souhaitait se débarrasser de du Mas qu'il qualifiait de couleuvre, de faux partenaire. « Vous détiendrez le navire, je le commanderai et je rachèterai votre part à même mes gains », assura-t-il.

Le matin du 10 mai, Pont-Gravé, son inspection terminée, se réfugia dans une gargote du port, déterminé à noyer l'injure que lui faisait du Mas, et la perspective de passer une saison à quai. Chaque verre qu'il siphonnait lui rappelait l'urgence de posséder son bateau, d'être le maître à bord, sur mer comme sur terre.

À midi, il estima prudent de rentrer chez lui, l'amertume frôlant sa ligne de flottaison. Présent à sa colère, il prit la direction du guai, passa la Grande Porte et se frappa sur celui qu'il apprenait, avec joie et facilité, à détester. Il dégrisa à l'instant. Du Mas était revenu et n'eut même pas le temps d'avoir l'ombre d'une pensée. Pont-Gravé le saisit à deux mains par le pourpoint, le suspendit au bout du quai et le laissa s'agiter au-dessus de l'eau, avant même de l'avoir salué ou requis une quelconque explication. L'autre criait dans le vide, meuglant des excuses qui se noyaient dans les murmures animés et les rires gras de la foule se pressant au spectacle.

Pont-Gravé redéposa le petit manchot et lui cracha son souffle atrabilaire en plein visage : « Salopard ! Crapule ! Apprenez que je lève l'ancre demain. »

Il courut chez lui, tenant toujours le petit avocat par le collet, pour empêcher quelque malversation ou quelque initiative malheureuse. Pont-Gravé ramassa ses instruments de navigation, ses maigres effets de bord et convoqua sa femme sur le quai pour le matin du lendemain.

Organiser une expédition en Canada, pour la pêche et les fourrures, n'était pas une mince affaire. Mais il savait faire. Dans les jours qui suivirent, il recruta une soixantaine d'hommes, du pilote au maître de manœuvre, dont un coq pour la cuisine, des matelots, des caliers, des chasseurs de rats, d'improvisés soldats pour défendre le navire et même un écrivain de bord. Il fit venir des collègues afin de remplir les cales des provisions nécessaires.

Madame se présenta. Au bruit sourd de la musique des calfats au fond de la cale, il la rassura sur son état d'esprit, insistant toutefois pour lui dire qu'il dormirait à bord du bateau et lèverait les voiles le plus tôt possible. Il sollicitait son aide pour recueillir, bien sûr, rapidement, verroteries, miroirs et autres pacotilles pour échanger avec les Sauvages. Les fourrures ne venaient pas pour rien et les Sauvages découvraient de plus en plus la valeur des choses. Pont-Gravé avait prévu et stocké déjà une quantité de têtes de hache, hameçons et quelques couteaux. Il fit ramasser sur le marché local tout ce qui s'y trouvait de dinanderie.

Il préparait sa sortie pour la grande marée des derniers jours de mai. Il fit prévenir de Grangeneuve. Pont-Gravé vida à nouveau son énorme sac de dépit, de doléances, d'amertume à l'égard de Pourcin du Mas et enjoignit à l'autre de faire équipe pour jeter ce dernier par-dessus bord de leur association. De Grangeneuve posa ses conditions : que l'opération demeure secrète et que Pont-Gravé s'engage à aller quérir sa fille Jehanne et son fils à Amsterdam. Ils se serrèrent la main. Le lendemain à l'aube, Pont-Gravé fit lever les voiles. Le bateau glissa hors du havre abrité et s'engagea vers la mer. À midi, le vent cinglait les voiles. Le navire gagna le large, cap sur la baie des Français au nord de l'île de Terre-Neuve.

Le même jour, Grangeneuve reçut la lettre de sa fille, le lendemain la réponse de Pinheiro à la sienne.

***

L'homme sonna. Habitué des lieux, il savait que la réponse pouvait être longue. Un abbé vint lui ouvrir, le reconnut et lui fit signe d'entrer.

— Monseigneur est très occupé, chuchota le religieux. J'ignore si Monseigneur pourra vous recevoir ce jour.

— De la plus haute importance, rétorqua l'homme.

Il retira son bonnet, suivit l'abbé et prit place dans la salle d'attente. Il tranchait dans ce décor princier, le pourpoint gris pendant sur ses chausses bleu terne. Il portait un couvre-chef de clerc élimé sur un crâne déjà dégarni. Il était mince, ordinaire d'allure, sauf une tache rougeâtre sur la joue gauche et de petits yeux noirs éteints de vie. Il demanda à boire, mais n'eut point le temps d'être servi. La porte de l'antichambre s'ouvrit et un jeune prêtre lui fit signe. Il connaissait le lieu. Ils traversèrent la pièce décorée de portraits aux cadres dorés de papes et d'éminences qu'il aurait eu peine à identifier. L'abbé frappa à la porte, ouvrit, s'effaça devant le visiteur, qui entra d'un pas feutré.

Baptiste Ragnier se dirigea vers la grande table disposée au centre de la pièce. Son Excellence monseigneur Pierre Quimart faisait courir une longue plume sur une feuille de papier. Un feu vigoureux brûlait dans l'âtre au fond de la pièce.

— Je suis à vous à l'instant, murmura le religieux, sans lever la tête.

Ragnier recula d'un pas et balaya la pièce de son regard morne. À chaque visite, il se ravissait de l'enjolivement du décor, de ce plafond orné de caissons dorés dans lesquels de lumineuses scènes bibliques brillaient. Au mur de droite pendaient trois tapisseries, représentant la dernière cène, la Pentecôte et le jugement dernier. De l'autre côté, il remarqua, sur une colonnette, le buste du pape Sixte Quint, l'air bourru fixé à jamais, trônant seul là où l'accompagnait, lors de ses précédentes visites, un buste d'Henri III.

Quimart recula pompeusement sa chaise, se leva, contourna la table de travail. Jésuite, nommé cardinal, assurant la charge de nonce apostolique en attendant une nomination officielle du Saint-Père, l'homme occupait une position centrale dans la lutte contre l'hérésie protestante en France. Il connaissait les ambitions de tous ceux qui comptaient sur l'échelle du pouvoir, manipulant l'un contre l'autre les fervents ou les opportunistes, les sincères et les assoiffés. Il s'était bâti une toile d'espions couvrant la France, jusqu'à Genève et certaines villes allemandes.

Il s'avança, balançant sa lourde croix pectorale sertie de nombreuses pierres précieuses, et présenta sa main droite gantée de blanc à l'annulaire de laquelle brillait une améthyste d'un violet translucide presque diaphane. Ragnier mit un genou à terre et baisa l'anneau.

— Monseigneur ! susurra-t-il.

L'ecclésiastique regagna son siège au large dossier sculpté, lissa précieusement sa soutane et referma les pointes de son mantelet.

— Qu'avez-vous à me dire, Ragnier ? Hâtez-vous, j'ai à faire, marmonna-t-il.

— Huit nouvelles recrues au collège de Calvin, monseigneur. Sept jeunes provenant du sud de la France et un homme plus âgé.

— Vous avez la liste ? Dépêchez-vous.

Ragnier tira un bout de papier de la poche intérieure de son pourpoint et le tendit au prélat.

— Il y a aussi un certain Guillaume de Saint-Hippolyte, chanoine de Saint-Augustin, anciennement de Saint-Malo.

— En êtes-vous certain ?

Ragnier jura et raconta que l'homme était arrivé à Genève au début de la dernière année, qu'il avait entrepris la formation de pasteur. Contrairement aux jeunes recrues, il habitait l'académie ; aussi n'avait-il pu s'en approcher, le rencontrer ou l'épier.

— Assurez-vous qu'il s'agit bien de lui.

— Monseigneur, mes renseignements sont toujours exacts.

Quimart n'écoutait plus. Il connaissait Saint-Hippolyte, cet ignoble chanoine, l'ayant croisé à Saint-Malo après l'assassinat du duc de Guise par Henri III. L'ineffable lui avait tenu tête devant une assemblée de religieux et avait contrecarré ses plans de vengeance contre les protestants du lieu. Il l'avait publiquement humilié.

Il quitta à nouveau son siège et se dirigea vers la fenêtre. Il n'était pas étonné de savoir que l'infâme chanoine avait déserté la Sainte Église. Mieux en valait-il ainsi. Dehors, les brebis galeuses. Il serait aussi plus facile à neutraliser.

— Est-il toujours à Genève ?

— Monseigneur, oui. Selon mes informations, il doit y demeurer encore une année.

— Compte-t-il revenir en France ?

— Je crois savoir qu'il doit se joindre à l'entourage de l'hérétique Henri de Navarre, dit-il en penchant la tête.

Ragnier n'en savait absolument rien. Toutefois, plus la nouvelle était importante, et celle-ci semblait l'être à la réaction de Quimart, plus elle avait son prix. Sa conscience, ou ce qui en restait, s'accommodait sans mal de ces forgeries. Ne point dire toute la vérité n'était pas mentir, se rassurait-il. Identifier les gros poissons et agir efficacement, discrètement, constituait ce que l'on attendait de lui, ce pour quoi il servait. Et ce pour quoi on le payait.

Le religieux demeura de longs moments devant la fenêtre. Sans se retourner, il chuchota :

— Ce traître ne doit pas revenir en France. Rendez service à Dieu et à son Église. Faites le nécessaire.

— Fort bien, monseigneur.

Le prélat retourna à sa table, tira une petite bourse du tiroir et la déposa sur le coin de la table. L'autre la cueillit d'un geste avide et se pencha pour remercier, estimant, discrètement, d'une pression expérimentée le magot dans sa main.

— J'aurai des frais, monseigneur, insista-t-il, la tête inclinée.

L'autre soupira et fit glisser quelques écus. Ragnier les ramassa, le remercia en reculant.

— Ne tardez pas. J'attends.

À la sortie de la résidence, l'homme des basses œuvres prit à gauche dans la rue du Faubourg Saint-Honoré. Il longea le Louvre, passa devant l'église Saint-Germain-l'Auxerrois et gagna l'Auberge de la Grue, en bord de Seine. Il commanda à boire, puis à manger, prit une chambre, une fille, et y passa la nuit.

Le lendemain, il se présenta chez un tailleur, rue du Bac et se fit confectionner un pourpoint marron foncé et des chausses grises, se dirigea ensuite vers l'église Saint-Séverin, non tant pour l'office que pour prendre des nouvelles de l'agitation parisienne et glaner des informations sur ce Saint-Hippolyte. Il aimait connaître ses victimes.

Baptiste Ragnier avait trente ans. Candidat à la prêtrise, son parcours avait dévié après une rencontre avec l'évêque Quimart qui lui avait fait réaliser qu'il y avait plusieurs façons de servir Dieu. L'homme avait compris que ce service n'était point gratuit. Il était donc l'un des *bons apôtres* de l'émissaire du pape, et surtout son homme de main. Pour l'instant, il exerçait son « ministère » à Genève, comme il s'amusait à dire.

À Saint-Séverin, il apprit que l'ennemi était un fils de la noblesse, ayant étudié à la prestigieuse abbaye de Saint-Victor de Paris. Sacré chanoine de Saint-Augustin, il avait étudié à Rome les idées et décisions du concile de Trente et, à son retour à Paris, il s'était opposé fermement aux pères prêcheurs. Chassé de la capitale, sa famille l'avait pourvu de quelques prébendes à

Saint-Malo où il avait su s'imposer. Dès cette époque, on le disait près des protestants et certains avaient même cherché à l'éliminer avant qu'il ne fuie vers Amsterdam.

Le sbire flaira le gros gibier valant son pesant d'or. Le temps ne ferait qu'en augmenter le prix.

***

Les deux lettres, celle de Jehanne et celle de Pinheiro, demeurèrent deux longues semaines enfouies dans le tiroir de son secrétaire. Grangeneuve fut lessivé par une crise de dysenterie qui dura dix-sept jours et qui le laissa faible, agonisant presque. Durant la maladie, le médecin courut à son chevet à plusieurs reprises et le prieur du chapitre de la cathédrale vint recueillir la dernière confession de celui qui se mourait. Le diable d'homme s'accrocha et survécut. Quelques jours après l'accalmie, il put se rasseoir à son pupitre, relire les lettres et reprendre le cours de sa vie.

La lettre de sa fille amena une bouffée de fierté, un souffle d'énergie, un vent d'espoir. Il reprenait contact avec cette bien-aimée, la ramenant en quelque sorte dans le giron familial, dans la tradition des ancêtres, dans ce qu'il connaissait le mieux. Il ne douta pas de son succès et de son retour prochain à Saint-Malo. Une autre raison l'animait, mais il sut la taire.

Incapable d'écrire sans trembloter, pressé de cautionner et de rassurer, il fit venir un clerc, un homme d'âge mûr, apte à traduire ses sentiments, pratiquant en l'office de son notaire.

« Mademoiselle, ma fille chérie », commença-t-il. Sans se justifier, il s'excusa du retard apporté à répondre à sa missive. Il voulut honorer son initiative, saluer son courage et sa détermination. Le scribe trouva les mots que le cœur du père cherchait :

« Un chemin s'ouvre devant vous, une nouvelle vie commence. La décision que vous prenez, pour l'avenir, tire des ténèbres ce que le passé de notre famille a de lumineux. Reconnaissez, comme je le fais, la beauté de votre rêve. C'est le point de départ de ce voyage. N'ayez crainte, soyez vous-même, ayez confiance et allez de l'avant. L'erreur vous guette, soit. Apprenez à oublier celle-ci, mais à en retenir les leçons. Ne cherchez point à plaire à nul autre qu'à vous-même. »

Il craignit que son évangile de père ne soit un peu long et décourageant, alors il passa aux importants détails. Il s'activerait, promit-il, le jour même à trouver le meilleur produit, le moyen le plus efficace de lui faire parvenir.

« J'imagine et je comprends votre impatience. » Prenant la suggestion du clerc, il rajouta : « Votre vin, un peu vieilli, n'en sera que meilleur. »

Il fit relire la lettre trois fois, n'y changea rien, malgré qu'il la sût contenir une erreur, non une fausseté. Il gratifia le scribe d'un généreux pourboire et lui donna rendez-vous pour un peu plus tard. Pinheiro devait recevoir sa réponse en premier.

La missive, à ce dernier, ne demandait point un message du cœur, mais un engagement de la tête, bien pensé, mûrement réfléchi comme le plan de survie d'un général assiégé. Le scribe se remit donc à la tâche. Grangeneuve commença par remercier le vieil ami pour tout ce qu'il faisait pour sa fille. Lui demanda de faire les comptes des dépenses récentes. Puis, il en vint au rocher qui pesait sur sa confiance. Il s'exprima clairement au clerc et celui-ci traduisit par une longue arabesque polie ce qui se résumait simplement par les propos suivants : je suis le grand-père d'un enfant sans père et cela me suffit largement. Retenez votre neveu.

Il s'enquit de l'état d'esprit de sa fille, de sa détermination, soit de revenir à Saint-Malo, soit de poursuivre son projet de commerce. Suivait enfin une liste détaillée et méticuleuse des mesures que le marchand d'expérience, et le père aimant, entendait poursuivre pour appuyer le négoce de sa fille. Les affaires demeuraient les affaires, c'est-à-dire une suite d'opérations simples dans une chaîne complexe menées avec discipline. Toutefois, Pinheiro devait l'appuyer.

L'encre à peine séchée, Grangeneuve remit au clerc une bourse d'un poids fort raisonnable. « Partez pour Amsterdam cet après-midi. Le bateau vous attend au quai. Mon garçon de courses, Jacou, vous y accompagnera. Chemin faisant, ne parlez à personne. Sur place, vous trouverez la maison de monsieur Pinheiro. Présentez-lui la lettre, rédigez sa réponse et revenez par le même bateau. Le capitaine vous attendra deux jours. »

Le pauvre n'eut d'autre choix que celui d'obtempérer. Le marchand avisa le clerc une dernière fois avant de le voir quitter sa maison.

— Je vous paye pour écrire, monsieur, non pour parler. Conséquemment, vous ne parlez qu'à Pinheiro en personne, pas à ma fille à Amsterdam et surtout pas à mon fils ici.

Jacou attendait dans le corridor. Il guida l'homme vers le bateau et le regarda sortir du port. Lorsqu'il sombra au bout de son regard, il courut en aviser monsieur de Grangeneuve. Le scribe partit, Grangeneuve respira. Les nouvelles de sa fille, son projet de commerce et la préparation des deux lettres lui avaient fouetté le sang. Il retrouvait un élan d'optimisme, un filet d'énergie, nourri par la crainte du dernier moment, du dernier souffle.

Il ne doutait pas que son fils veillait. Il fit disparaître toute trace des correspondances et le lendemain, il se rendit chez le notaire.

***

Dès le départ pour les Terres-Neuves, Pont-Gravé s'installa près du pilote du navire et ne quitta cette position que pour dormir à peine. Ils cherchèrent ensemble chaque brise, chaque souffle du vent qui aurait amené le bateau sur le rivage de l'Amérique plus rapidement. Le chef des manœuvres en eut presque mal au cou à force de branler la tête de derrière le navire jusqu'au bout des mâts. Fussent-ils arrivés plus tard en se laissant porter ?

De fait, le bateau se trouva déporté de sa route initiale, frôlant la terre de glace qui ferme l'océan au Nord et s'approcha de sa destination en longeant la côte du Labrador. « Terre de Caïn », avait jugé Cartier en longeant la côte. Les temps avaient bien changé. La nature n'était pas plus luxuriante mais commandants et pilotes avaient découvert nombre de baies et de havres où ils pouvaient garer leur navire à l'abri, près des côtes poissonneuses, accueillantes pour un campement temporaire et, parfois, près des Sauvages et donc propices à la traite.

Pont-Gravé n'hésita pas un instant. Prendre le meilleur endroit disponible pour pêcher le plus longtemps, commercer et revenir avec la plus grosse cargaison possible. Il se réfugia dans la baie de Forteau, lieu de pêche fréquenté par les navires français depuis des dizaines d'années et de plus en plus visité par les pêcheurs et baleiniers basques. Il fit établir un campement à terre pour faire sécher la morue et maintint son bateau au large pour la pêche verte, à la ligne. Il fit débarquer du matériel pour la traite et s'installa lui-même sur la rive. Les Sauvages venaient pêcher l'été le long du littoral, y apportant de belles peaux de caribous, d'orignal et d'ours. Pour l'heure, Pont-Gravé prenait tout ce qui lui était offert.

Durant ce temps, à Amsterdam, Jehanne courait sur les quais chaque jour. Peu à peu, l'agitation fébrile se fondait en inquiétude, chaque jour en plus de déception.

— Je ne comprends pas, répétait-elle. Pourquoi monsieur mon père ne me répond-il pas ?

Simon la rassurait et l'exhortait à la patience, bien au fait de par son oncle de l'évolution du projet, mais contraint de ne point parler. Il tenait promesse.

Ne serait-ce que pour maintenir espoir et élan, il suggéra de se rendre devant chaque commerce susceptible de prendre son vin, une fois qu'il serait disponible sur le lieu. Devant chaque enseigne, chacun devait énoncer les raisons qui motiveraient le tenancier à acheter le produit. Au bout de quelques jours, de quelques visites, le jeu lassa. Le résultat ne fut qu'un aide-mémoire de belles intentions. L'exercice ouvrait toutefois une porte intime sur soi-même et sur le monde.

Mais Jehanne découvrit un Simon dévoué et sensible, cherchant l'intention de l'autre pour s'y coller et l'orienter. Les mots, ces mots sortaient d'un sourire, formaient une musique douce et paisible, le chant des moines à l'office de matines. Elle si empressée, si impatiente, si volontaire se laissait émouvoir par le jeune homme. Le chemin qu'ils traçaient sur les pavés de la ville s'imprimait aussi en elle, se faufilait jusqu'à son cœur. Elle rentrait parfois à la maison chavirée et la nuit sur la paillasse une bouffée de joie retardait son sommeil.

Pour Pont-Gravé, la déception fut rapide et immense. Près des côtes, la pêche donnait bien, mais de plus petits poissons. Il fallait presque prendre le double pour s'approcher des prises que l'on faisait au large. Dès le début d'août, les hommes se plaignirent du froid, de l'eau glaciale qui raidissait et gonflait la peau de leurs mains que les fils de pêche fendaient comme un fruit trop mûr. Le commandant distribua les lanières de cuir prélevées sur les peaux d'orignal obtenues des Sauvages, peu y fit. Le moral de l'équipage tira la pêche à son plus bas.

Pire encore : les Sauvages du lieu furent peu nombreux à se présenter pour échanger. Ils ne disposaient que de peaux de loups-marins, d'orignal, quelques loutres et renards. Très peu de castors. Depuis qu'Henri IV en 1583 s'était procuré un chapeau noir fait de feutre de castor, la mode s'était emparée de Paris et des principales villes françaises. Le castor avait la cote et se transigeait à fort prix. Hélas, il revenait, sous ce rapport, très dépourvu.

Durant toute la traversée de retour, il cogita et rumina son plan. Enfin, au début d'octobre, il aperçut les remparts de Saint-Malo. Son objectif demeurait le même, mais les munitions pour attaquer faisaient défaut. Il devait voir Grangeneuve en premier. Manœuvrer à deux lui apparut la solution. À peine accosté, il le trouva fort préoccupé et peu disponible. Pont-Gravé apprit plus tard qu'il préparait un chargement pour Amsterdam et que de plus Grangeneuve et du Mas avaient scellé son futur immédiat.

***

Avant que l'hiver ne frappe, ils furent plusieurs nouveaux pasteurs à prendre la route pour la France à travers le col de la Faucille. Saint-Hippolyte, par prudence, prit la direction de Bâle, puis Zurich, s'engagea vers Stuttgart puis gagna Amsterdam le 15 décembre. Il sut s'orienter vers le quartier juif, reconnut la maison de monsieur Pinheiro et frappa à la porte. Simon ouvrit.

— Je cherche Jehanne Fleuriot, balbutia le pasteur.

Le jeune Juif l'invita à le suivre. Le couloir sombre, le plancher de terre battue, les murs de planches non peintes et l'odeur d'humidité assaillirent le nouveau pasteur. Il revenait après deux ans d'absence, amaigri et vieilli, mais retrouver Jehanne lui procurait une grande joie. Il avait mûri le projet de mariage et la perspective d'un prochain retour en France.

La formation de pasteur s'était révélée longue et peu stimulante pour lui qui avait poursuivi des études philosophiques et doctrinales avancées.

— Un visiteur pour vous, chantonna Simon, en entrant dans la cuisine.

— Madame, il me tardait tant de vous retrouver, déclara Guillaume d'une voix éteinte, un pied à peine dans la pièce.

Jehanne nourrissait le bébé, Annette préparait le repas du soir. Elles se retournèrent en même temps. Jehanne tira son châle pour couvrir Geoffroy qu'elle arracha à son sein. Le bébé hurla.

Elle regarda le revenant, assaillie de rage et de rancune à la vue de celui pour lequel elle avait tout quitté, et qui l'avait abandonnée. Le pasteur Guillaume de Saint-Hippolyte demeura sans voix devant Jehanne et l'enfant. Elle n'était plus la jeune demoiselle dont le doux souvenir avait peuplé ses rêves. Il demeura figé dans l'embrasure de la porte.

— Revenez sur terre, monsieur, siffla Jehanne.

Annette se rapprocha de sa maîtresse. La pièce était froide, à peine éclairée de mauvaises chandelles qui dégageaient une fumée noire, une odeur de graisse brûlée. Un chicot de branche de chêne fumait dans l'âtre, une lourde marmite de fonte pendait à la crémaillère. La pièce puait la soupe au chou.

— Puis-je poser mon bagage ?

N'avait-il rien d'autre à dire ? pensa Jehanne. Ne voulait-il point voir son fils ? Ne voulait-il pas la réconforter ? N'apportait-il aucun baume à son cœur meurtri ?

— Point dans cette maison, monsieur.

Il regarda autour de lui.

— Puis-je m'asseoir ? chuchota-t-il.

La fatigue du long voyage s'abattit sur ses épaules. Il n'avait vu dans le retour qu'un jour ensoleillé, un moment de fête. Jehanne ne répondit pas. Un silence cruel envahit la pièce. Annette désigna des yeux un coffre près de la porte arrière. Guillaume s'y appuya. Par où commencer ? se demanda-t-il, abattu. Jehanne lui tourna le dos, et elle remit l'enfant à son sein. Ne sachant que dire, il se releva. Il devait trouver un gîte pour la nuit. Il reprit son sac, plus lourd de la déconvenue de ce retour raté, et il s'approcha de Jehanne. Elle comprit le regard qu'il posa sur elle.

— Oui, monsieur ! C'est bien votre fils. Il se nomme Geoffroy Fleuriot, ajouta-t-elle, bravache.

Cette arrivée, au moment où Jehanne jetait les fondations de sa nouvelle vie, n'apportait pas que le souvenir des promesses qui l'avaient amenée dans la ville du Nord. Saint-Hippolyte ne revenait pas seul. Il ramena la mémoire de Dreux dans sa vie.

***

Durant les jours suivant son arrivée, le nouveau pasteur redécouvrit, dans une ville sans lumière, une compagne affairée, qui l'ignorait ou qui retournait ses avances en lui rappelant son interminable éloignement, son infrangible silence et son évanescente promesse de mariage. Elle prit un plaisir redoublé à se montrer en compagnie de Simon, à le faire attendre, à courir la ville sans l'en informer.

Il tenta de s'approcher de l'enfant, mais ne put jamais l'arracher aux bras d'Annette.

Il dut se résoudre à vivre à l'auberge dans une petite pièce fermée d'un grenier poussiéreux.

Seule chance pour lui, le décès du pasteur de la communauté française de la ville ouvrit un ministère pour lequel il fut le seul candidat. Selon la règle, il dut prêcher trois dimanches d'affilée devant les fidèles et le consistoire de la communauté en présence de pasteurs invités venus de Strasbourg. Il fut confirmé, malgré la rumeur publique de sa liaison avec une catholique pratiquante, au surplus déjà mère.

Le service du culte, auprès de la communauté d'un millier de personnes, exigeait peu. Pour l'office du dimanche, il choisissait les lectures bibliques et les chants de psaumes, préparait et assurait la prédication et tenait les sessions de catéchisme.

Saint-Hippolyte était de cette race de personnes qui ne sont heureuses qu'au service d'une cause, que définies par l'adversité. Au sein de l'Église catholique, il était du côté du renouveau, de la réforme. Maintenant pasteur de l'Église réformée, il avait perdu son arène, triomphait sans combat, sans opposition. L'univers intellectuel dans lequel il pataugeait ne comblait pas son besoin de connaître, d'agir et de combattre. Il devait recomposer le monde, lui redonner un sens, y retrouver une raison d'être. L'ennui le gagna et le besoin de vengeance, qui dormait sous le boisseau, refit surface.

Il se convainquit d'un devoir divin et, pensant faire œuvre utile, il entreprit de consacrer son temps à la préparation d'un livre de prières et de méditations sur le thème de l'exil. Il n'y vit point la propre turpitude de son âme de réfugié, mais plutôt un moyen de tirer gloire et revenus, permettant de vivre, car le seul salaire de pasteur était bien maigre, fort loin de ses revenus de chanoine du chapitre de Saint-Malo.

Avec la réforme protestante, le livre de prières et de méditations, autrefois propre aux dévotions des moines, trouvait chez les fidèles un complément aux prêches des pasteurs. Au début du XVIᵉ siècle, Guillaume Farel avait rédigé en français le tout premier livre de prières réformé. Vers la fin du siècle, le célèbre Théodore de Bèze avait publié un livre de piété sous la forme de méditations. Plusieurs autres avaient suivi. Saint-Hippolyte avait pris pour modèle un livre écrit par Daniel Toussain, dont le titre et le contenu résonnaient pour lui : *L'Exercice de l'âme fidèle, Assavoir Prières et Méditations pour se consoler en toutes sortes d'afflictions.*

L'exil lui pesait. Il relut le livre de l'Exode et trouva dans *La marche des Israélites dans le désert* plusieurs passages propres à la méditation. Le livre de Sagesse lui fournit également ce passage :

Les âmes des justes, elles, sont dans la main de Dieu et nul tourment ne les atteindra plus. Aux yeux des insensés, ils passèrent pour morts, et leur départ sembla un désastre, leur éloignement une catastrophe. Pourtant ils sont dans la paix. Même si selon les hommes, ils ont été châtiés, leur espérance était pleine d'immortalité.

Après de légères corrections, ils recevront de grands bienfaits.

Dieu les a éprouvés et trouvés dignes de lui ; comme l'or au creuset, il les a épurés, comme l'offrande dans l'holocauste, il les a accueillis.

L'exercice fit naître en lui la conviction de sa mission sur terre : protéger le peuple de l'Église réformée et l'accompagner dans sa marche vers le salut. Il s'inscrirait parmi les grands défenseurs de la foi nouvelle et prendrait le relais des Philippe de Bèze, Duplessis-Mornay et autres éminents théologiens protestants. Pour appartenir à cette lignée, il changea son nom. Il s'appellerait désormais Guillaume SH de Noailles, ce dernier lieu étant le fief de sa famille, la particule qui le rattachait à une certaine noblesse et qu'il s'était toujours refusé de porter.

Le choix de patronyme permit à ses étranges démons de famille de revenir le hanter. La volonté de son père, dont il n'avait jamais été le fils bien-aimé, l'avait-elle éloigné, privé de l'héritage du grand domaine familial depuis longtemps promis à son rustre et guerroyant frère aîné ? Était-il devenu prêtre par défaut ?

Entre ombre et lumière, la relation avec le fils qu'il apprenait à connaître le renvoya à son propre père avec lequel il n'osait reprendre contact, craignant, encore plus aujourd'hui, le jugement. L'utilisation du patronyme familial le projetait en pleine contradiction.

Il imagina dans le mariage avec Jehanne un nouveau printemps, un horizon stable et il la pressa de se convertir, les anciens de la communauté s'opposant à la « bigarrure », comme ils qualifiaient les mariages mixtes. En réalité, ce type d'union était fréquent et toléré, pour autant qu'il fût discret. Jehanne refusa d'abjurer sa religion. Elle était née catholique, sa famille demeurait catholique et malgré les griefs que son futur époux entretenait à l'égard de son Église, elle ne renierait pas sa foi.

C'est dans ce contexte de chimère et d'illusion qu'il fit d'un retour en France le fondement de sa revanche.

1592

L'hiver de janvier figeait les activités sur le port. Aussi Jehanne fut-elle la première étonnée de recevoir une livraison de tonneaux de vin. Des bateliers, manœuvrant leur barque vacillante à fleur d'eau, les empilèrent sur le quai devant la maison de monsieur Pinheiro.

— Qu'est-ce cela ? Qu'avez-vous pensé, madame ? grogna Saint-Hippolyte.

Une nuit sournoise, sans lune, tombait et seul le pasteur levait au bout de son bras une lampe à la lueur blafarde. De lui-même, vêtu de noir, dans l'encre de la nuit, ne paraissait que le visage et la main tenant l'appareil. Sa voix sans lumière semblait s'échapper de la lanterne.

— Est-ce bien là tout ce que vous avez imaginé pour vivre, madame ? À qui passerez-vous cette marchandise, si peu vertueuse ? N'avons-nous pas déjà suffisamment de souillures à nos existences ?

— Monsieur, ne me harassez pas de votre morale. J'ai la ferme intention de tirer de ce vin ma subsistance. Pour l'heure, ajouta-t-elle le souffle court, mon problème est de trouver un endroit où l'entreposer. Vos discours ne sont qu'un poids inutile.

Vingt beaux tonneaux neufs de bon vin de France encombraient la rue, bloquant le passage. Cette marchandise constituait la réponse du père à la lettre de sa fille qu'il lui livrait, à titre gracieux, pour lancer son affaire.

— Au moins, soyez commode, monsieur. Croyez-vous que je porterai ces tonneaux moi-même dans ma chambre ? débita Jehanne, affligée de n'avoir pas prévu le problème, anticipé la solution.

Elle tournait en rond sur le sol boueux de la rue tandis que Saint-Hippolyte demeurait insensible à son exaspération rageuse.

— Je souffre de voir mon épouse donner dans le négoce, celui du vice et des excès encore plus, lui dit-il.

— Je vous répondrai, monsieur, que femme encore épousée, je ne suis, et qu'à ce titre, mais aussi pour toujours, je demeure libre de mes mains, de ma tête et de ma vie.

Il ne voulut point laisser passer ce camouflet, mais cherchait sa réponse. Elle ajouta :

— Monsieur, cessez de babiller. Je ne ressens aucun besoin d'entendre vos oraisons. Épargnez-vous pour vos fidèles. Je cherche une solution à un problème très concret, que vous devez sûrement constater. Il se nomme un entrepôt pour vingt tonneaux.

Jehanne attendait quelques barils, peut-être quatre ou cinq. Même trois auraient suffi. La bonne intention du père la mettait face à un défi : entreposer et vendre. Elle devrait bouger des montagnes pour réussir, mais à l'instant elle demeurait impuissante devant ce monticule.

— Aidez-moi, monsieur, reprit-elle, impuissante et désespérée. Ne connaissez-vous pas chez vos fidèles un lieu qui puisse accueillir cette marchandise ? Me voulez-vous coucher dehors à veiller sur mes barils ?

L'ecclésiastique leva les yeux au ciel. Il ignorait tout de ce genre de problème. Ce qui concernait la basse existence matérielle des êtres humains lui était étranger, une personne de son entourage ayant, dans le passé, assumé cette fonction pour lui : domestique, employé, collègue. Aujourd'hui, organiser sa vie relevait du défi. S'il eût été en son office, avec l'éternité pour frontière, il eût réfléchi, posé sur papier quelques considérations et notes, échafaudé une liste de solutions. En ce moment, debout sur le quai humide et battu par le vent, il ressemblait à l'oisillon tombé du nid.

La nuit avançait. Jehanne fulminait, marchant de long en large, battant des bras, vide de solution. Aujourd'hui que lui parvenaient des produits à vendre, elle trébuchait sur le premier obstacle. Monsieur Pinheiro l'avait prévenue. Elle n'avait d'autre choix que de demander son aide.

— Oh ! Votre père, monsieur de Grangeneuve. Votre père, répéta-t-il, voyant la montagne devant chez lui. Il vous faut un magasin, clama-t-il, comme ravi de l'heureux problème.

— N'importe quoi, mais un endroit pour les ranger, ce soir, bougonna la jeune commerçante réprimant son impatience. Je chercherai demain, affirma-t-elle.

— Oui, oui, dit-il, branlant de joie.

Il lui fit signe d'attendre, appela le neveu Simon, donna quelques instructions dans sa langue, pointant du doigt un lieu aux portes de la ville. L'autre ne mit point de temps à comprendre, marcha quelques longues enjambées vers le canal puis se fondit dans la nuit.

Jehanne se remit à piétiner. Le temps pesait de plus en plus lourd, Pinheiro souriait. Le neveu réémergea de la nuit, accompagné d'un autre homme.

Saint-Hippolyte fit dos aux arrivants que le jeune homme présenta :

— Monsieur Carvalho. Il possède, près d'ici, un endroit où poser vos barils.

L'homme salua Pinheiro avec déférence. Ils échangèrent quelques phrases.

— Il vous invite à le suivre. Allez, nous veillerons ici, déclara l'oncle.

Jehanne fit signe à Simon de l'accompagner. Ils ne mirent point de temps à revenir. Il n'y avait pas seulement un magasin mais toute une maison de disponible, lui dit-elle, fort animée. Le magasin occupait le rez-de-chaussée sur lequel reposait un étage pour l'habitation. La maison se trouvait en bordure du quartier juif, un peu vers l'est, là où la ville commençait à s'étendre, poussée par l'arrivée massive des gens des campagnes, du sud de la Flandre et même des principautés allemandes le long du Rhin, tous attirés par la prospérité de la ville.

— À qui appartient cette maison ? demanda-t-elle en se tournant vers le vieil homme. Elle conviendrait, mais je n'ai pas d'argent, s'empressa-t-elle d'ajouter.

— Cet homme est un ami, répondit le vieux marchand. Il n'occupe pas la maison. Si elle vous va, c'est le plus important pour ce soir, dit-il. Le reste, nous verrons plus tard. Maintenant, trouvons le moyen de transporter vos tonneaux.

Jehanne pouvait-elle hésiter ? Encore une fois, elle dépendait du vieil homme. Elle lui était déjà redevable du gîte et du couvert depuis son arrivée, maintenant d'un entrepôt et peut-être même d'une maison. Combien cela coûterait-il à la fin ? Cette générosité avait un prix et le jour de l'addition viendrait assurément, lui répétait Guillaume. À ses yeux, Jehanne faisait preuve de naïveté et d'imprudence en maintenant cette proximité avec ces gens.

Toutefois, à cette heure précise de la nuit, elle n'avait pas le choix. Même si elle veillait elle-même sur ses tonneaux toute la nuit, elle se réveillerait assise sur le même problème.

Elle remercia le vieil homme et elle tenta, du mieux qu'elle put, d'assister les hommes à charroyer ses barils. En cette nuit, ce vin prenait un goût amer.

Le lendemain, à la lumière du jour, après une visite complète des lieux, Jehanne réalisa sa chance et le privilège qui lui était consenti. Elle rassembla ses maigres affaires, poussa Annette et le bébé Geoffroy, et tous s'installèrent dans la maison du chemin que les gens appelaient le Muiderstraat.

Dans les jours suivants, échantillons et prix en main, elle battit la rue, frappa aux portes, essuya sarcasmes et refus. À la fin de la première semaine, elle n'avait rien vendu. La deuxième s'annonçait de la même eau jusqu'au moment où elle accepta, à contrecœur, de laisser, en consignation, au tenancier Rondeau de l'auberge Le Lys d'or, deux barils.

La nouvelle se répandit et avant la fin de la semaine, elle avait placé huit tonneaux. Trop beau pour être vrai. Le commerce était lancé, mais, à regret, elle toucha bien peu.

Elle reprit ses visites tout en consacrant du temps à organiser la maison, sa maison, la première depuis qu'elle avait quitté celle de son père pour le couvent quatre ans auparavant. Avec l'aide de Simon, qui connaissait par leurs prénoms tous les regrattiers de la ville qui savaient faire crédit, elle se procura quelques pièces de mobilier, dont une table aux pattes ouvragées qu'elle utiliserait pour le travail, et un magnifique miroir au cadre rehaussé de dorure. Ces objets étaient totalement superflus, mais c'était son choix, sa décision, son achat, les premiers pas d'une marche qu'elle voulait chanceuse et longue. Simon lui présenta un homme de confiance pour les livraisons et la tenue du magasin. Saint-Hippolyte pestait contre la présence du jeune Juif et, pour ne point demeurer en reste, dut aussi contribuer.

En mars, débordante d'enthousiasme, Jehanne sollicita de son père une nouvelle livraison de vingt tonneaux. En contrepartie, elle achemina à Saint-Malo quelques tissus qu'elle s'était procurés auprès d'artisans de la ville.

***

Loin en Canada, au nord du grand fleuve, sur les lacs et les rivières, la nuit, la glace craquait. La lune de ce début d'avril allumait des guirlandes de cristaux collés aux branches. Dans la douce obscurité des cieux laiteux, la vie se renouvelait, s'affirmait par des grattements sur les arbres, par le murmure régulier des visiteurs de la nuit. La neige abandonnait le pied des arbres. Du tapis brun et vermoulu s'exhalait un souffle frais de feuilles mouillées et de buis. Les trembles poussaient au ciel leurs rameaux juvéniles vert tendre ornés de bourgeons ocre. Les lièvres reprenaient la couleur ambrée de la forêt, des canards revenaient cancaner dans les roseaux, les oiseaux s'offraient en concert devant l'aube qui tirait des montagnes des roses et des jaunes ouateux, promesses d'un jour rayonnant. Des filaments d'eau argentée couraient sur le sol, serpentant vers la rivière. La neige collée à l'écorce grise des abris glissait paresseusement au sol. La froidure fuyait, la saison des beaux jours, le *nipen*, s'installait.

Le Grand Esprit habitant les plantes et les animaux, le ciel, la terre et les eaux ramenait le vent chaud, la vie et l'abondance.

Les habitants de ce monde, partie intrinsèque de cette nature, lui vouaient respect et gratitude.

Le ciel du jour éclatait d'un bleu pur et serein. Sous le soleil insistant, les campements émergeaient de l'hiver. Les enfants couraient tout autour, se bousculant sur les sentiers qui reliaient les familles du clan. Certains pataugeaient pieds nus au bord de la rivière, construisaient à l'aide de pierres des pièges à poissons. D'autres ramassaient du bois ou entraient dans la forêt y camoufler de petits pièges. Les aînés sortaient des tipis le dos arrondi comme les grosses roches du rivage perçant la neige. Les femmes étendaient au soleil les peaux grattées pendant l'hiver, allumaient les feux et apprêtaient les dernières réserves. Debout dans le *titinigan* accroché au dos de leurs mères, les bébés de l'hiver voyaient le monde, pour la première fois.

Les hommes remisèrent les jambières de cuir, les raquettes, les longs mocassins et les lourdes peaux qui les protégeaient du froid. Ils raclèrent les peaux d'ours pour recueillir la graisse qui les protégerait des moustiques et pour lisser leur belle chevelure noire.

Tous préparaient le grand voyage.

Anadabijou et ses fils n'avaient pas que chassé durant l'hiver. Ils étaient montés loin, à des jours de marche et de portage, aux confins des territoires connus, là où les rivières coulent vers le nord, pour y rencontrer les peuples-frères : les Chicoutimiens du Saguenay, les Piékouagamiens du grand lac, les Nékoubauïstes de la rivière Ashuapmushaun, les Knistenaux du lac Némiscau. À chaque arrêt, le feu revigorait, les hommes pétunaient, se racontaient la vie des clans. Anadabijou se souvenait des noms de tous les frères, village par village, s'informant de l'un ou de l'autre, compatissant à la perte d'un ancien, à la mort d'une femme, au sort d'une veuve, à la disparition d'un jeune guerrier.

Ils parlaient de survie, de jeunes à marier, de problèmes de territoire.

Aussi, ils troquaient fourrures contre des armes de métal, des objets pour la vie de tous les jours, consolidant ainsi leurs alliances, pour se protéger et combattre.

Dans la vallée du grand fleuve, par le commerce, les hommes blancs redéfinissaient l'existence de tous, dans ses moindres détails. Ils déversaient sur leur terre des biens devenus si essentiels : têtes de hache, pointes de flèche, longs couteaux, hameçons, pointes d'épée ou de lance, mais aussi des marmites de fer ou de cuivre. Les femmes appréciaient les marmites qui remplaçaient les contenants d'écorce ou de poterie. Les couvertures de laine réchauffaient le dos des anciens. Les petites billes de verre et de miroir décoraient les vêtements, les coiffes, les *wampuns* si importants pour raconter l'histoire.

Ces produits voyageaient maintenant du nord au sud, de l'est à l'ouest, même par la route du cuivre qui traversait le nord du pays, du lac Saint-Jean jusqu'au pays des Hurons. Ils bouleversaient les rapports entre ces nations, exacerbaient les tensions avec les rivaux. Qui détenait les armes imposait sa loi et surtout la capacité de commercer avec les hommes des bateaux de bois pour acquérir d'autres biens.

Dès la fonte des neiges, tous les membres du clan d'Anadabijou préparaient le voyage vers Tadoussac, lieu de rencontre et d'échange avec les Français. Sous le regard et les conseils des aînés, selon la tradition, dans une économie de mots et de gestes, tous s'affairaient.

À l'aide de nerfs de caribous et de lanières de cuir, les jeunes hommes ficelaient les fourrures pour en former des ballots. Les hommes réparaient les canots, renforçant les membrures, étendant de la gomme de conifères sur les coutures. Les femmes préparaient d'amples provisions de viande fumée séchée et d'herbes médicinales. Elles démontaient et remisaient la tente qui abritait les femmes, celles qui, aux prochaines lunes, donneraient la vie.

Dans quelques jours, le peuple des hommes, les Innus, lancerait sur le fleuve immense une flottille de petites embarcations. Ils voyageraient presque sans arrêt pour dresser leurs tentes sur la rive du fleuve près de l'embouchure de la grande rivière Saguenay, lieu choisi par Anadabijou. Il était primordial d'y arriver les premiers. Ainsi contrôleraient-ils le commerce avec les Blancs, et les autres frères qui arriveraient après devraient offrir des présents ou passer par eux pour vendre leurs fourrures.

Des canots viendraient d'ailleurs, chargés d'enfants, de femmes, de provisions et de produits. Ils se rassembleraient pour vendre leurs fourrures, mais aussi se rencontrer, danser et festoyer : les Anichinabés – que les Français appelaient les Algonquins – de la rivière Kitchesippi, les Atikamekws de la rivière de Fouez, les Betsiamites qui remonteraient le fleuve, et des frères de l'autre rive, les Etchemins-Malécites, peut-être les Waban-aki et les Mi'gmaqs de la rive de la grande mer. Temps de rencontres, de mariages, d'échanges, temps des palabres et des longs discours. Dans ce monde difficile, la parole constituait la sève qui nourrissait la cohésion entre tous ces gens. De la parole naissaient les chefs.

Ils parleraient de guerre contre le peuple des maisons longues, ceux qu'ils appelaient les serpents venimeux, Haudenosaunees, qui habitaient près du grand lac du sud, dont les eaux coulent moitié vers le nord, moitié vers le sud.

Au temps des premiers voyages des Blancs sur le grand fleuve, des peuples Iroquoiens habitaient Stadaconé et

Hochelaga. Durant l'été, ils remontaient le long des rives pour pêcher. Ils attaquaient tous ceux qui s'y aventuraient. Pourquoi depuis avaient-ils déserté les rivages du fleuve, abandonné leurs villages ? Les anciens racontaient que les Iroquoiens avaient empêché les Kanien'kehá : ka (Agniers pour les Français) de vendre des fourrures aux Européens et d'acquérir eux aussi les mêmes produits. Ces derniers s'étaient vengés et avaient exterminé ceux qui vivaient sur le fleuve.

Aujourd'hui, les Innus occupaient Uepishtikueiau, le lieu où la rivière rétrécit, à la place même occupée autrefois par les Iroquoiens. Eux et les autres peuples du fleuve subissaient les attaques fréquentes des Haudenosaunees qui venaient piller les villages pour accaparer de nouveaux produits, prendre des esclaves et des femmes pour leurs fils. Les anciens murmuraient que les Français avaient apporté ce malheur. Anadabijou, chef des Innus, s'interrogeait sur ces hommes blancs. S'amenaient-ils seulement pour les fourrures ? Que voudraient-ils par la suite ? S'établiraient-ils dans son pays ? Son peuple et ses alliés pouvaient-ils profiter de ces derniers ? Les questions accablaient anciens et chefs de clan et plusieurs se tournaient vers lui dans l'espoir de réponses qui rassureraient.

Bravoure, droiture, habileté à la chasse, respect pour les aînés, mais surtout son don de la parole avaient fait de cet homme, Anadabijou, le chef, le sagamo de tous les Innus. Il savait expliquer, convaincre et rassembler. Sa voix portait et comptait.

Avant de partir, il se retira une journée auprès du chaman. Le vieux sage revêtit sa coiffe de plumes et son tablier de peau de chevreuil. Il fit un feu dans la tente, ouvrit un canard et un raton laveur, pour le voyage sur l'eau et sur terre. Le sang coula, le chaman le prit dans un bol, s'en marqua le front et le présenta au sagamo. L'oiseau et l'animal étaient vigoureux et ils offrirent leur force au chef pour qu'il guide son peuple. Anadabijou remercia ces animaux d'être à ses côtés et aux côtés de sa tribu.

La vieille du départ, le chef envoya, en éclaireurs, deux jeunes hommes reconnus pour leur force et leur sens du devoir. Ils reviendraient à la moindre alerte, au moindre signe de présence d'ennemis. Ils lancèrent leur canot avant l'aurore. Les Innus se mirent en route aux premiers jours de mai. Il fallait compter une semaine pour atteindre les terres là où la rivière Saguenay rencontrait le fleuve. D'autres familles sortiraient des bois par les rivières et se joindraient à eux.

L'Esprit de l'abondance serait-il du voyage ?

***

— Vous coucherez ici une fois notre mariage consacré, avait-elle décrété.

Ainsi, Guillaume devait quitter la maison avant la tombée de la nuit.

— Changez de religion. La chose sera plus simple, rétorquait-il.

La jeune femme ne revint pas sur sa décision. Il dut déployer tous ses talents à convaincre le consistoire de sa communauté. Il promit, de sa propre initiative, une conversion imminente et sincère. Il fit aussi accepter une démarche de mariage simple et brève, la jeune femme étant épargnée de la nécessaire autorisation du père et des promesses publiques. Le couple ne fit que ce qu'il était tenu de faire légalement.

À la fin de mai, ils furent unis et, peu après, Guillaume convainquit Jehanne de se rapprocher de sa communauté, en réalité trop heureux de s'éloigner de la Juiverie et de Simon. Il dénicha une modeste maison sur le canal Elegantiers à la jonction avec le Prinsengracht. La maison plut à Jehanne. Devant notaire, elle réalisa, pour la première fois, sans qu'il fournisse d'explication, qu'il signait Guillaume SH de Noailles.

Ils s'installèrent de l'autre côté de la ville dans un quartier que l'on extirpait des marécages. Quartier du Lys d'Or du cabaretier Rondeau, lieu d'accueil des nouveaux arrivants, le Joordan, célèbre pour ses jardins et ses potagers, regroupait la communauté protestante française. La maison, presque neuve, comportait une résidence au rez-de-chaussée et deux étages de magasin. Ne pouvant se résoudre à faire hisser les tonneaux aux étages, Jehanne la fit donc réaménager, installant la famille aux étages et le magasin au niveau de la rue et la cuisine à l'arrière. Elle pouvait ainsi recevoir directement ses marchandises au fil de l'eau et rouler les barriques à l'intérieur. Comme le voulait la pratique, elle fit accrocher à la façade un petit tonneau, permettant d'identifier son établissement de vente de vin.

Au cours des mois qui suivirent, Guillaume, de plus de dix ans son aîné, se montra assidu et vigoureux, et elle s'acquitta de ses devoirs d'épouse. Cette promiscuité, dont elle aurait pu prendre plaisir, ramena Dreux à sa mémoire et voila ses jours. Elle questionna son époux, tentant de connaître les derniers instants du prisonnier Dreux. Toutefois, la réelle question était de savoir s'il était encore vivant. Elle n'obtint rien de concluant et crut préférable de remiser ses questions.

D'autant plus qu'avec le déménagement elle connut un accroissement de ses affaires. Elle recevait davantage de vin de France, qu'elle réussissait à revendre non sans une présence constante et un pénible acharnement à se faire payer. Mais elle remboursait monsieur Pinheiro qui réglait avec son père. Parfois, elle acheminait à Saint-Malo quelques produits qu'elle dénichait, non sans peine. Elle aurait voulu plus et mieux. Ne pourrait-elle pas vendre aux Pays-Bas ou même en Allemagne la morue de Saint-Malo ? Elle en oublia le projet de retour, mais se prit à envisager de posséder son propre bateau et être libre de contraintes d'approvisionnement.

Entre-temps, elle développa une nouvelle affaire en bonifiant son service, ne vendant que le vin, reprenant les barils vides. Elle soulageait ainsi ses clients du coût du tonneau et de la contrainte de la disposition. Elle revendait les barils vides, à bon prix, à des producteurs de cidre ou d'alcool aromatisé, souvent à des affréteurs. Pour certaines auberges, elle offrait même des barriques trois quarts qui permettaient aux acheteurs de couper le vin d'eau. Recettes et profits étaient au rendez-vous.

Elle apprenait le métier, pied par pied, parcourant les rues, ayant trouvé cette façon de tenir sa place comme femme commerçante, ce que la ville d'Amsterdam permettait plus que toutes les autres capitales européennes. Toutefois, la glace était mince. Elle sortait vêtue de noir, la tête couverte d'un bonnet, la plupart du temps en compagnie d'un homme, Simon ou son employé, marchant toujours derrière lui et, généralement, laissant l'homme parler en premier. Toutefois, elle intervenait rapidement, négociait le prix, convenait des livraisons, mais ne serrait jamais les mains. Les bons clients s'adaptèrent à elle, certains avec plaisir. Elle apprenait à ne point baisser les bras, à respecter les autres comme elle souhaitait l'être elle-même, à ne rien laisser au hasard. D'autres prenaient son exemple. Des vins du Rhin et des vins sucrés du sud de l'Espagne arrivaient maintenant dans la ville.

Elle tenait son mari Guillaume en dehors du commerce, convaincue que, même converti au protestantisme, il n'avait pas modifié son vieux rapport catholique à l'argent.

***

Lors du retour l'automne précédent, Gravé du Pont avait vite compris. Il se tramait quelque chose entre les partenaires, propriétaires du bateau *La Françoise*. Grangeneuve achetait-il la part de du Mas, ou l'inverse ? Il ne put confronter les deux hommes et chacun chanta donc une sornette différente. Aussi, dès le mois de janvier, il affréta le navire, se lançant dans une expédition en Espagne qui eut pour mérite de gagner de l'argent et de priver du Mas du navire. En avril, il s'arrêta à peine à Saint-Malo, y fit le plein de provisions et mit à nouveau le cap sur l'île de Terre-Neuve, désireux d'être le premier sur place. La traversée fut rapide et il s'installa au large d'une petite anse afin d'éviter d'éventuels glaciers glissant du Labrador. Tout le mois de mai, l'équipage pêcha et empila la morue verte dans la cale. Les conditions glaciales ne facilitèrent pas le travail, mais le commandant houspilla et poussa ses hommes. Il gagnait du temps pour autre chose. Puis les vents du sud apportèrent quelque chaleur. C'était le signal qu'il attendait.

***

Ce matin-là, elle se présenta tôt à l'arrière de l'auberge du Lys d'or.

— Vous m'avez bien compris ? Êtes-vous prêts ? s'enquit Jehanne.

Ils acquiescèrent, piaffant d'impatience. Elle releva la tête, poussa la porte et, suivie des huit hommes, traversa la cour d'un pas pressé, s'arrêta devant la porte, posa la main sur la poignée, regarda ses loqueteux, leur fit signe de la tête et ouvrit brusquement. Ils se précipitèrent à l'intérieur en poussant de grands cris de joie. Pour une fois, ils boiraient un bon coup sans payer.

Jehanne entra à son tour, referma la porte derrière elle et coinça le loquet. La bande entière se rua contre les tonneaux de bière et de vin. La servante occupée au foyer poussa un cri d'effroi et recula contre le mur. Jamais n'avait-elle vu dans l'auberge de monsieur Rondeau pareil ramassis de va-nu-pieds et de propre-à-rien. Un des hommes s'avança vers le foyer et déroba une miche de pain qui se dorait sur la sole chaude.

— Allez-y ferme, mes amis, buvez jusqu'à plus soif ! clama Jehanne au-dessus de la mêlée.

Les vauriens se bousculaient pour tendre leur gobelet sous les robinets, les remplir à ras bord et les ingurgiter d'un trait. Ils riaient à grande gueule et, dans l'agitation, le vin se répandait sur le plancher. La cuisine se transforma en un panier de crabes, mille pinces saisissant tout ce qui se buvait et se mangeait.

Occupé en salle, l'aubergiste Rondeau, alerté par les cris, accourut. Arrogant comme un coq sur son tas de fumier, il crut dominer le tumulte et tancer les intrus.

— Dehors, mécréants !

Jehanne lui fit face.

— Je les ai invités à boire mon vin, monsieur.

Ce Rondeau, huguenot de Paris, réfugié à Amsterdam, petit homme replet et suffisant, était depuis le premier jour un très bon acheteur, mais un horrible payeur. Il s'approcha de Jehanne.

— Que dites-vous ? Ce vin m'appartient. Il se trouve dans mon auberge.

Les hommes pintaient goulûment, étrangers à la colère du propriétaire. Un de ceux-ci arracha un morceau de pain de la miche de l'autre et, le gobelet plein, se retira derrière, savourant son trésor. Rondeau tenta d'éloigner les fripouilles des barils de vin mais ceux-ci le repoussèrent, s'accrochant à leur bonne fortune comme des naufragés aux bouées. Une telle chance ne s'éterniserait pas. Le patron jeta un coup d'œil rapide vers le coin de la pièce et alla s'emparer d'un gourdin. Jehanne fit un signe et un des hommes lui bloqua le passage. Rondeau fonça vers Jehanne.

— Sortez d'ici, lui dit-il. Vous êtes dans mon auberge.

Depuis des semaines, malgré les demandes répétées, les implorations et les menaces, la jeune commerçante n'arrivait pas à se faire payer. À bout de ressources, elle avait monté cette opération d'exception.

— Ce vin m'appartient, rétorqua Jehanne. Vous ne m'avez pas payé. Je vous le livre depuis des mois et je n'ai rien reçu. Sortez vos écus, après nous partirons.

— Je ne payerai pas sous la menace ! Encore moins celle d'une femme. Je n'ai pas peur de vous, cracha-t-il, arrogant.

— Si c'est ce que vous voulez !

Elle se retourna vers ses sbires.

— Mes hommes, videz ces marmites aussi.

Rondeau tenta de bloquer les intrus. Il fut rapidement débordé et revint vers Jehanne, exaspéré.

— Je n'ai pas d'argent, les affaires sont mauvaises. Arrêtez, revenez demain. Je verrai ce que je peux faire, balbutia-t-il.

Le tapage enterrait ses suppliques. Jehanne croisa les bras :

— Je ne partirai pas sans avoir touché mon dû. Payez !

— Assez ! Arrêtez ! reprit Rondeau, agitant en tous sens ses petits bras dodus, n'orchestrant que les rires gras des hommes.

Il courut vers la porte d'entrée.

— Gardes ! Gardes ! cria-t-il, se retournant pour menacer Jehanne de regards furieux. Vous l'aurez cherché. Je vous fais emprisonner.

Il ouvrit la porte. Deux hommes le repoussèrent violemment à l'intérieur et verrouillèrent derrière eux, empressés de rejoindre leurs comparses qui faisaient bombance. Les quelques clients qui n'avaient pas déjà fui la scène collaient aux murs, tétanisés.

— Êtes-vous sourd ? Payez-moi et nous partirons, grogna Jehanne, bien campée au centre de la cuisine. Prenez votre cassette, réglons l'affaire.

— Sorcière, vous êtes ignoble ! Je vous dénoncerai aux autorités. On ne devrait pas permettre aux femmes de faire du commerce, vociféra l'aubergiste.

— Monsieur ! En quoi une femme honnête ne peut-elle gagner sa vie à sa façon ? Ma jupe vous donne-t-elle le droit de ne me point payer ? Ne payez-vous pas pour lever celle des pauvres filles ?

Il tourna au blanc. Elle rougeoyait de colère.

— Dépêchez-vous de régler, sinon, je fais fouiller la place et je prendrai tout ce que j'y trouverai.

La menace porta.

— Attendez, attendez. Je vais vous donner quelque chose, gémit-il en s'éloignant.

L'homme se pencha sur un meuble dont il ouvrit un des tiroirs. Il y plongea une main, puis le bras et tira sur un morceau d'étoffe dissimulant un petit coffre noir qu'il posa sur le meuble. Il y plongea la main et soupesa quelques pièces.

— Voilà, c'est tout ce que je peux vous donner. Sortez vos bandits d'ici et que je ne vous revoie plus jamais.

Jehanne ouvrit la main, compta rapidement, releva la tête, furieuse.

— Ce n'est pas assez ! Si je suis pour perdre, monsieur, vous ne gagnerez rien non plus. Allez, mes hommes ! Percez ces tonneaux. Je vais prévenir tous les vendeurs de vin de cette ville.

Nous vous mettrons à genoux, malhonnête ! vociféra la jeune femme.

Les hommes, excités par le vin, poussèrent des cris féroces. L'un deux se mit à pisser dans un coin sous les yeux de la cuisinière qui courut chercher refuge auprès des clients.

Rondeau recula devant cette Jehanne qui le menaçait d'un doigt rageur. Elle le bouscula, lui arracha le coffret des mains, le renversa sur une table, compta les ducats et prit son dû. Les hommes se précipitèrent sur quelques piécettes, échappées du coffre, qui dansaient sur le sol. L'aubergiste s'effondra. Jehanne glissa l'argent dans la bougette sous sa mante.

— De plus, monsieur l'aubergiste, je prends quelques pièces à titre d'avance pour la prochaine livraison. Ainsi, je n'aurai pas à revenir. Je vous remercie de votre compréhension et de votre chaleureuse hospitalité, dit-elle, gouailleuse.

Elle se retourna, appela ses hommes.

— Tous, venez ! C'est terminé. Monsieur Rondeau a été très compréhensif et nous sommes redevenus les meilleurs amis du monde. N'est-ce pas, monsieur l'aubergiste ?

— Sortez d'ici, sorcière ! Je vous ferai brûler, hurla-t-il, anéanti.

**

Plus tard, Saint-Hippolyte, courroucé, franchit le seuil de la maison d'un pas bruyant et entra en coup de vent dans la cuisine.

— Mais madame mon épouse, quelle calamité ! On ne parle que de vous dans le quartier.

Simon Pinto et Jehanne s'esclaffaient devant Annette et Geoffroy qui s'amusaient à les voir rire.

Jehanne feignit l'innocence.

— Qu'ai-je donc fait, monsieur mon époux ? Vous m'apparaissez très remonté.

Simon regardait Jehanne d'un œil admiratif. Il clama bien fort :

— Monsieur, votre épouse est l'héroïne du jour.

— Je ne vous ai rien demandé, vous, rugit-il sans le regarder. Qui vous autorise à entrer dans ma maison ? Sortez d'ici !

— En d'autre fortune, monsieur le pasteur, répondit Simon la tête haute, vous étiez bien heureux de dormir sous la mansarde de mon oncle, me semble-t-il.

Le pasteur roula des yeux chargés de rage, se retourna et fixa son épouse.

— Ma chère, on raconte que vous vous êtes présentée chez l'aubergiste Rondeau avec un parti du pire argot de la ville, que vous avez séquestré et détroussé le pauvre homme. Qu'avez-vous pensé pour tenir si mauvaise conduite ?

Ne recevant aucune réponse, il ajouta :

— Il portera l'affaire au tribunal et il vous fera jeter en prison.

— Vous êtes bien informé. Rassurez-vous, il n'en fera rien, rétorqua-t-elle, fière comme une jonquille. Je n'ai fait que récupérer mon argent.

Jehanne fanfaronnait, car sa bravade comportait des risques, qu'elle n'ignorait point. Celui de la justice, certes, mais surtout celui de s'aliéner ses autres clients. Menace et violence ne figuraient pas à son blason, mais elle avait dû se rendre à l'évidence : douceur et persuasion ne donnaient pas toujours les résultats attendus. Comment maintenir son affaire à flot, ce qu'elle souhaitait le plus au monde, sans être payée ? Tolérer une mauvaise créance aurait fait le tour de la ville. Elle n'attirerait que rires et railleries et perdrait le respect des clients. Finis projets et indépendance, avait-elle craint.

Devant son époux, elle savourait sa victoire, affichait sa dignité, bien que blessée de voir celui-ci réprouver son audace au lieu de louanger son courage. Simon la soutint d'un regard chaleureux, la salua, affronta le regard du pasteur et sortit. L'époux remonta sur la barricade.

— Je ne partage pas votre certitude, madame mon épouse.

Il revint à ses suppliques.

— Combien de fois ne vous l'ai-je demandé ? Cessez ces activités qui ne conviennent pas, qui ne se prêtent pas à l'épouse d'un pasteur. Pensez à ce que l'on dit de moi dans la communauté. Je vous en prie. La paix reviendra, nous vivrons à nouveau en France.

Retourner en France : souhait secret de Jehanne, mais obsession de Guillaume. Ruminant toujours une vengeance et prenant son âne pour un cheval, il s'affichait déjà docte pasteur de l'Église de Calvin, apôtre de la promotion de sa religion et de la réconciliation dans une France gouvernée par un roi protestant. La correspondance soutenue qu'il entretenait, entre autres, avec le chroniqueur Pierre de L'Estoile et toutes les informations qu'il arrachait aux visiteurs ou aux nouveaux réfugiés nourrissaient son rêve et confortaient son projet.

Depuis l'assassinat d'Henri III, le protestant Henri de Bourbon, roi de Navarre, cousin du défunt, demeurait le seul héritier de sang au trône royal. Il comptait bien l'occuper sous le nom d'Henri IV. Toutefois, déchu de ses droits par le pape Sixte Quint en 1585, il faisait face à l'opposition virulente d'une partie importante de la noblesse regroupée au sein de la Sainte Ligue. Mais Henri bataillait ferme et accumulait les victoires. Saint-Hippolyte en jubilait, mais pestait contre l'armée espagnole venue en renfort de la Ligue et qui tenait la capitale. Et sans Paris, point de trône. Les catholiques de France se cherchaient un roi. La France tout entière aspirait à la paix… et attendait son souverain. Il reprit pour se convaincre lui-même :

— Nous retournerons à Saint-Malo sous peu, je vous en fais la promesse solennelle devant Dieu.

Jehanne se redressa.

— Je ne retournerai ni à Saint-Malo ni ailleurs en France. Il n'y a plus de place pour nous là-bas. Monsieur, ouvrez-vous les yeux et faites-en votre deuil. Notre vie est ici.

Sur l'horizon de sa vie, la France et Saint-Malo représentaient une fenêtre sur laquelle Jehanne avait, à regret, tiré les rideaux. Elle n'était que trop consciente qu'aujourd'hui et demain, sa maternité suspecte, son mariage avec l'ancien chanoine du Chapitre de Saint-Malo converti au protestantisme, sa carrière de commerçante, tous ses choix de vie, faits sciemment ou non, refermaient sur elle les portes de la ville.

De plus, les nouvelles qu'elle recevait de sa ville d'origine l'attristaient et confirmaient sa regrettable conviction. Saint-Malo refusait de reconnaître Henri IV et repoussait également les avances de la Ligue et du duc de Mercœur qui contrôlait la Bretagne. Pour assurer le maintien de cet équilibre fragile et protéger les privilèges des marchands de la ville, dans la nuit du 11 mars 1590, cinquante-cinq jeunes hommes avaient pris d'assaut le château du gouverneur. Dans l'escarmouche, ce dernier avait été tué. La population pilla le château et à dix heures, tous célébrèrent une messe solennelle dans la cathédrale. Le cordelier Michard, disciple de Marcellin Cornet, présent pour le prêche du carême, monta en chaire, loua le Seigneur et lui rendit grâces. Un conseil des Conservateurs fut mis en place et imposa son autorité sur la ville. Tous ceux qui étaient contre l'action du conseil ou qui semblaient appuyer le nouveau roi furent expulsés. La ville ferma ses portes aux étrangers. La république de Saint-Malo, république des marchands, était née.

Les épreuves liées à son départ précipité et à sa nouvelle vie de commerçante forgeaient le caractère et la détermination de Jehanne. Elle ne retournerait surtout pas à Saint-Malo par seule considération des ambitions de son époux. À Amsterdam, elle jouissait d'une certaine indépendance, profitait d'un gagne-pain, difficile mais lucratif, auquel elle se donnait sans peine et sans remords. En l'état des choses, l'avenir pour elle se projetait ici et maintenant. De plus, penser à Saint-Malo la ramenait avec douleur à Dreux. Perdue dans un échafaudage de suppositions, elle croyait parfois à un complot pour l'éloigner du prisonnier et son époux partie de cette magouille.

— Mon cher époux, n'avez-vous pas sur Saint-Malo quelque secret à dévoiler ?

Il ne répondait pas et ce silence, pour elle, cachait la vraie réponse à sa question. Elle reprit son calme, se leva et se dirigea vers la sortie. Avant de le quitter, elle murmura, presque tendrement :

— Monsieur mon époux, regardez le ciel et l'horizon. Vous n'y verrez aucun signe présageant un apaisement ni une embellie nous permettant un retour en France ou à Saint-Malo. N'avons-nous pas, ici, le bonheur d'être vivants ? Remercions-en le Seigneur.

Elle fit une pause, puis ajouta :

— Vous avez raison, j'ai frappé fort pour récupérer mon dû. Cela pour faire vivre notre foyer. Sachez, monsieur, que la vente de vos manuels de prière ne nourrira pas le nouvel enfant de vous... que je porte.

***

François Gravé du Pont déposa un groupe d'hommes à terre pour qu'ils poursuivent la pêche. Ils disposaient de barques pour pêcher près des côtes, d'outils rudimentaires pour se fabriquer un toit et se mettre à l'abri des intempéries. La routine était fort simple. En matinée, ils sortaient en mer. L'après-midi, ils ouvraient le poisson, en retiraient la langue et le foie, salaient et étendaient le poisson au soleil. Il fallait sécher à point, ni trop dur, ni trop humide avant de le mettre en barriques. Ainsi préparée, la morue, dite blanche, avait meilleure valeur sur les marchés.

Une fois les hommes organisés sur le rivage, le commandant reprit la route vers le grand fleuve. Il contourna la pointe nord-est de l'île et s'approcha de la Belle Isle, la contourna par le sud avant de mettre le cap vers la côte, vers Tadoussac, faire la traite.

Aucun bateau à l'horizon. Il serait le premier.

Il longea la côte sur le tribord, affrontant le fort courant du détroit, surveillant le relief marin, là où parfois les eaux changeaient de couleur. Il observait l'échancrure des terres, l'arrivée des nombreuses rivières dans le fleuve, la proéminence des montagnes couvertes de résineux obstinés, d'un vert sombre, retrouvant ses repères des voyages précédents dans ce paysage unique. Il n'était pas géographe et aurait eu grande peine à dessiner une carte, mais chaque lieu s'imprimait dans sa mémoire.

Un matin, il observa quelques bateaux basques qui remontaient aussi la grande rivière pour pêcher et chasser la baleine blanche. Ils s'installaient à terre pour en fondre la graisse. Ils le faisaient depuis si longtemps qu'ils connaissaient tous les bons endroits, tant pour la pêche que pour la chasse ou le négoce. La région de Tadoussac permettait les trois avec la même fortune. Par prudence, Pont-Gravé se tint loin de ces bateaux et poussa le pilote à augmenter la cadence malgré le vent debout.

En matinée du cinquième jour, il fit jeter l'ancre à distance de la côte, dans la baie près de l'embouchure du Saguenay. Le paysage lui était familier et lui ramenait, chaque fois qu'il y venait, le pesant souvenir de Dreux et des vingt-trois hommes morts de souffrance sur cette grève quatre ans auparavant. Il convoqua l'équipage sur le pont et fit lire une prière par l'écrivain de bord.

De l'autre côté de la rivière, derrière les rochers, sur la pointe Saint-Mathieu, les fumées des campements montaient dans le ciel.

Gravé du Pont avait échafaudé un plan, non sans quelques craintes derrière son naturel frondeur. Pour lui, l'opération à venir allait au-delà des fourrures et des têtes de hache : il désirait voir naître et s'établir une relation. Le Malouin avait décidé de débarquer et de traiter directement avec les Sauvages au lieu d'attendre que ceux-ci s'amènent le long ou à bord de son bateau. Avec les caliers, il prépara un coffre d'objets de commerce et attendit.

Le lendemain, ne voyant aucun signe du côté de la rive, il descendit à sa cabine, se vêtit d'un pourpoint bleu chatoyant et de belle coupe et ordonna que l'on mette une pinasse à l'eau. La journée était belle, le ciel radieux, la surface du fleuve chatouillée de légers frissons. Il désigna quatre volontaires pour l'accompagner et ils dirigèrent l'embarcation vers la rive, au fond de la baie de Tadoussac. Le commandant en second suggéra de prendre une arquebuse et quelques hommes armés. « Belle mer ! Celui qui me fera craindre n'est pas encore né », répliqua le Malouin. Il glissa tout de même une longue dague et un braquemart dans son ceinturon. Ils accostèrent et s'installèrent sur la plage.

Peu de temps après, trois canots fendirent les eaux du fleuve. Pont-Gravé et ses hommes admirèrent ces frêles embarcations d'écorce qui glissaient au fil de l'eau, stables et rapides. Les Sauvages contournèrent la barrière de rochers qui traçait une ligne entre la rivière et le fleuve et poussèrent leurs barques sur le rivage.

Le Français fit quelques pas sur la grève et demanda à ses hommes qu'on lui apportât le coffre, qu'il ouvrit.

Torse nu, les quatre Sauvages portaient, noué à la ceinture, un pagne qui descendait jusqu'au haut du genou. Ils avaient la peau cuivrée, propre, luisante, les cheveux d'un noir brillant, cintrés d'un bandeau. Seul le plus grand exhibait un collier et quelques plumes au bandeau. Le visage glabre, les cheveux lisses, pieds nus, ils étaient de même taille que les Français, toutefois plus minces, plus musclés, sûrement plus agiles. Ils affichaient sur le visage et la poitrine des bandes de couleur, rouges, noires ou jaunes. Ils s'installèrent devant les Français, les observant avec curiosité, attentifs aux mouvements, sans aucune crainte dans le regard.

Pont-Gravé s'avança de quelques pas et les salua d'une voix ferme. Il donna ordre et un des hommes prit dans le coffre quelques têtes de haches qu'il posa sur le sol. Le chef fit signe à ses hommes de s'asseoir. Accroupis, ils regardèrent Pont-Gravé et ce que le marin étalait devant eux. Ils discutèrent entre eux, puis le plus grand fit signe aux Français de s'asseoir aussi.

Les deux groupes se faisaient face, les Sauvages les jambes croisées devant eux, les Français appuyés sur leurs genoux. Sans bouger, le chef fixait le commandant français, le regard acéré. À l'orée de la forêt, la bise douce de juin frôlait les bouquets de laurier de Saint-Antoine et les longues tiges de roseaux qui pliaient et bruissaient de ravissement sous la caresse. Des troncs d'arbres blanchis par l'eau et le soleil, déposés par la marée ou les glaces d'hiver, dormaient sur le rivage. Des oiseaux chahutaient dans le ciel, des canards filaient au ras de l'eau.

Ce n'était pas les premiers Sauvages que le marchand de fourrures voyait. C'était toutefois la première fois qu'il se tenait ainsi, si près du but qu'il poursuivait. La conviction d'un moment décisif l'habitait. Les murmures hostiles de ses hommes derrière lui l'agaçaient.

— Taisez-vous ! Ne bougez pas, ordonna-t-il.

Il avait étalé sa marchandise ; il appartenait maintenant aux autres de réagir. Les canots débordaient de fourrures, mais ils n'en avaient sorti aucune. Le fleuve chuchotait, des vagues agonisaient sur la grève, le soleil chauffait, des essaims de moustiques tournoyaient au-dessus des têtes. Le temps ralentissait, comme s'il allait s'immobiliser, disparaître.

Lentement, sans dire un mot, le chef des Sauvages se leva, promena son regard sur chacun des Français devant lui, balaya l'air d'un grand geste du bras puis se frappa la poitrine de sa main ouverte.

— Sagamo Anadabijou, Anadabijou, insista-t-il.

Le marchand français demeura immobile.

Le chef se mit à parler, la voix puissante, énergique, emplissant l'air, la tête haute, les yeux courant sur la ligne d'horizon, signalant parfois un relief au loin, parfois plus proche : un arbre, une colline, les falaises qui plongeaient dans les eaux tourbillonnantes du Saguenay.

De ses échanges précédents, le Malouin avait retenu quelques mots. Il crut comprendre qu'Anadabijou parlait des collines derrière eux qu'il désigna comme la terre de son peuple. Il mimait de ses bras la marche ou la course, pointait la ronde du soleil pour rappeler les jours. À plusieurs reprises, il désigna les fourrures dans les canots et les objets que les Français avaient posés sur le sable. Du ton sobre de sa voix ne montait aucune contrainte, aucune menace. Il portait en lui la patience d'un peuple qui avait, au cours des millénaires, traversé les espaces infinis, marché un continent.

Il termina sa harangue et reprit place au milieu des siens.

À son tour, Pont-Gravé déplia son corps trapu, se mit debout. Il repoussa ses longs cheveux qui descendaient sur ses épaules, replaça le chapeau à plume et à large rebord qu'il portait, chassa de la main le nuage de mouches et, commençant par celui qu'il savait être le chef, il scruta chacun des hommes devant lui, l'œil animé, le regard décidé.

Il bomba le torse et déclama :

— Je suis François Gravé du Pont, officier de la marine du roi de France, marchand originaire et citoyen de Saint-Malo, et du Royaume de France.

Il répéta à quelques reprises son nom en se frappant la poitrine comme l'autre l'avait fait. Il reprit :

— Anadabijou, dit-il, ouvrant la main en direction de l'autre. Gravé du Pont, fit-il en la refermant sur lui.

Il expliqua, en désignant son bateau, qu'il venait de loin à l'est. Il pointa la lune pâle qui, au-dessus de l'horizon, attendait le soir. Il fit le signe deux de ses doigts. Il déclara qu'il avait traversé la mer avec la permission de son roi pour venir ici, à sa rencontre, établir des liens d'amitié et de commerce. Il s'exprima lentement, laissant ses paroles se poser sur la plage.

Il montra au sol les objets disposés, pointant les canots et joignant les mains pour exprimer que, de part et d'autre, ces objets, eux, lui et sa troupe, ne formaient qu'un.

Les Sauvages, impassibles, l'écoutaient, suivaient l'agitation de ses mains, de ses bras et de ses yeux.

Il craignit de ne pas être compris et, d'un geste inusité, fouillant dans son pourpoint, il en sortit le long poignard. Il s'avança et le tendit au chef. Il venait en paix, lui disait-il, prêt à se désarmer devant lui.

Le Sauvage referma la main sur l'arme, sans détacher ses yeux du Malouin. Pont-Gravé recula sans se détourner et reprit place devant ses marins.

Anadabijou examina le poignard, le sortant de son fourreau, inspectant la lame d'acier luisant et le manche en bois de chêne poli. Répondant aux murmures des autres assis à ses côtés, il fit circuler l'objet. Après un temps, il se leva et se déclara, ce que comprirent les Français, très satisfait et il glissa l'arme à sa ceinture. Il détacha le collier de perles de bois et de coquillages qu'il portait au cou, l'offrit au Français et reprit place avec les siens. Il murmura quelques paroles et un des hommes courut au canot, en tira des peaux qu'il plaça devant les haches. Le marchand en compta trois.

— *Mamushush*, déclara Anadabijou.

Ours, comprit Pont-Gravé qui grogna quelques paroles.

— *Mauat, Mauat*. Ceci n'est pas assez, dit-il. Il se pencha et reprit une tête de hache.

Le chef ne broncha pas. Il fixait le Français de ses yeux noirs. Il prononça quelques mots. Un autre homme à ses côtés posa une peau sur celles déjà étendues sur le sol.

Le commandant ne broncha pas.

— Castor, castor. *Amishk, amishk*, bredouilla-t-il.

L'autre pointa la hache par terre et fit un signe qui semblait indiquer son insatisfaction.

Le Français déposa la tête de hache qu'il tenait encore dans sa main. L'autre sourit. Il se tourna vers le canot et sortit un ballot de peaux de castor. Gravé du Pont mit quelques couteaux et des chaudrons de cuivre sur le sol. L'autre fit signe de la main vers les têtes de hache. C'est ce qu'il désirait avant tout.

Un geste entraînant l'autre, si l'un soustrayait, l'autre additionnait. On eût dit un passe-pied sans musique. Les fourrures prenaient de la valeur, les haches aussi.

Les tractations entre Pont-Gravé et le chef des Sauvages durèrent près de deux heures. Les Indiens avaient mis sur la grève toutes les peaux contenues dans leurs canots. Le chef s'avança et, tout en parlant, fit un grand geste en pointant le halo de lune encore bas dans le ciel bleu.

— Demain, demain. Reviens demain, dit-il dans sa langue, décrivant la course du soleil dans le ciel.

Le Français voulut bien comprendre et indiqua qu'il serait de retour. Il remercia le chef, le salua dignement et se dirigea vers sa barque. Les hommes chargèrent les peaux et le coffre. Ils regagnèrent le bateau pendant que les canots viraient déjà de l'autre côté de la rivière. Il considéra la journée fructueuse, par le nombre de peaux qu'il rapportait, mais surtout par la confiance qui semblait s'établir.

L'équipage salua le retour du commandant et des autres marins.

Le négoce reprit le lendemain et le jour suivant. Malgré l'habitude et la promiscuité, chaque rencontre commençait par un discours et l'échange d'un présent. La même lenteur prévalait. Tour à tour, l'un ou l'autre estimait la qualité des peaux ou celle de l'objet au sol. Les Sauvages connaissaient la valeur de ce qu'ils présentaient et de ce que l'autre pouvait offrir. Ils avaient le calcul instinctif.

Le troisième jour, deux navires français apparurent au loin sur le fleuve. Pont-Gravé apporta tout ce qu'il avait à vendre. Il achèterait tout ce qu'il pouvait avant l'arrivée des autres.

Au mi-temps de la journée, les Sauvages demandèrent des chaudrons, des perles de verre et des miroirs en échange des dernières peaux. Le marchand sortit tout ce que son épouse lui avait baillé. Il eût pu, avec grand plaisir, barguigner encore, offrant ses propres vêtements s'il l'eût pu. Une partie des fourrures ainsi acquises lui appartenaient en propre, garnissaient sa casette, celle qu'il préparait pour se débarrasser de Pourcin du Mas.

Avant de partir, il fit quelques pas sur la grève, prit un bout de branche qui y traînait et, posant un genou au sol devant le chef des Sauvages, il traça deux traits parallèles. Il étendit un bras en direction du fleuve.

— Grand fleuve, dit-il en regardant le chef.

Celui-ci acquiesça. Pont-Gravé tira deux autres lignes perpendiculaires au fleuve. Il se leva, montra la rivière qui, derrière le cap rocheux, déversait ses eaux dans le fleuve. Puis il tendit le bâton. Le Sauvage le reçut. Tout en fixant le Français, il se pencha et il poursuivit la rivière en prolongeant les deux traits. Au bout de ceux-ci, il fit un grand cercle. Il regarda le marin, immobile devant lui. Celui-ci marmonna quelques paroles. Le Sauvage se leva et, plongeant la main dans l'eau, il en versa sur la forme ronde qu'il venait de tracer.

— Un grand lac... dit le marin, en tendant la main pour reprendre le bâtonnet.

Se penchant à nouveau vers le sable de la grève, Pont-Gravé balaya le sol au-delà du cercle. Il traça de mémoire les cinq rivières qui se déversaient dans le grand lac, comme il avait vu sur une des cartes de Cartier. Puis, regardant le chef, il lui présenta de nouveau le bâton.

L'Indien allongea un long trait vers le nord-ouest et, au bout du trait, il dessina un nouveau cercle, plus grand que le premier.

Il pointa le premier pour montrer, sans doute, qu'il s'agissait aussi d'une étendue d'eau. Le Sauvage fit force mimiques montrant le grand fleuve et la rivière, agitant les lèvres pour exprimer ce que perçut le marchand comme le geste de goûter. « De l'eau salée », pensa le Français. Il sourit.

Le bâton changea à nouveau de main. Pont-Gravé fit signe pour montrer au-delà de ce cercle d'eau. Le Sauvage sourit à son tour, ouvrit les bras et hocha de la tête. Pont-Gravé crut comprendre que les terres de son peuple n'allaient pas au-delà des montagnes qui fermaient son regard.

— Belle mer ! C'est tout bon, cela. Nous aurons à explorer, dit-il en se tournant vers ses hommes. Bon, nous avons terminé. Il s'approcha du *sagamo*. L'autre s'avança également.

Ils se serrèrent la main, avec respect et chaleur retenue. Puis les Indiens gagnèrent leurs canots et filèrent derrière le cap rocheux. Les Français partirent à leur tour. À bord du navire, les marins saluèrent le retour de la petite ambassade par des cris de joie. Le soir, tout à la gaieté d'une affaire bien menée, Pont-Gravé fit verser à chacun une ration de vin. Les hommes chantèrent.

Pendant que les marins festoyaient sur le pont, Pont-Gravé recopia la carte tracée sur le sable en pensant aux voyages de Jacques Cartier et à celui de son neveu Jacques Noël auquel il avait participé. Les deux mentionnaient le royaume du Saguenay, là où abondaient poissons, fourrures mais aussi minerais et autres richesses. Cartier s'était même aventuré sur cette rivière, mais avait dû rebrousser chemin faute de temps. La longue étendue d'eau au nord qu'Anadabijou avait dessinée mènerait-elle à un passage vers la Chine ?

— Mon commandant, venez sur la dunette, vint alerter le pilote.

Les deux hommes regardèrent le fleuve en aval. Ils n'eurent point à discourir.

— Regroupez les hommes, chacun à son poste de guet pour la nuit, ordonna Pont-Gravé.

Le jour suivant traçait à peine une fine ligne blanche sur l'horizon que des marins montèrent dans les voiles. L'ancre fut levée, le maître de manœuvres cria des ordres, le bateau vira vent arrière et gagna le milieu du fleuve. Il y avait trop de navires autour pour que Gravé du Pont coure quelque risque de se faire attaquer et dévaliser. Il se crut suivi, mais porté par le courant et les vents favorables, le bateau gagna rapidement Terre-Neuve et rejoignit l'équipage qu'il avait laissé derrière.

Les jours suivants, le marchand fit charger à bord les barils de morue, une provision d'eau douce et commerça avec des Indiens du lieu pour quelques viandes fraîches. Puis le bateau longea la côte vers le Sud cherchant à se joindre à un groupe de navires reprenant la route pour Saint-Malo. Un navire isolé représentait une proie trop facile. Il revenait satisfait de ce périple. Satisfait mais inquiet.

***

Connaissant la réprobation de son époux, Jehanne rencontrait Simon en ville pour sa tournée auprès de ses clients. Il était hors de question d'arrêter de le voir. Elle lui faisait parvenir un message, par l'intermédiaire d'Annette. Guillaume était de plus en plus taciturne et ombrageux. Il maigrissait, lui déjà mince, devenait sec et tranchant. Depuis l'annonce d'une prochaine maternité, il fuyait la maison et son lit.

Simon était tout ce que son époux n'était pas et Jehanne s'obligeait, à regret, à une distance prudente avec le jeune Juif.

Ce dernier avait l'immense mérite d'être là pour elle. Elle l'appréciait aussi pour ses connaissances, sa vision des affaires et son amitié constante.

— Connaissez-vous une autre façon de réussir ? Je vous en prie, mon ami, partagez cette recette miracle, lui répondit-elle ce matin-là, alors qu'ils discutaient d'affaires.

Jehanne avait survécu sans trop de mal à l'affaire Rondeau. La plupart de ses clients, bons protestants, avaient déploré le comportement vindicatif de la commerçante, mais aussi la malhonnêteté du sieur Rondeau. À leurs objections et commentaires, elle placardait un « Qu'auriez-vous fait à ma place ? » Quelques-uns répondaient par un sourire, la plupart changeaient de sujet. Chose certaine, le paiement ne constituait plus un souci. Mais la tâche était lourde, le milieu hargneux, les compétiteurs, de véritables loups.

— Je ne dis pas que vous devez abandonner ou changer de métier, reprit le jeune homme. Considérez plutôt d'autres produits. Cherchez de meilleures marges, une clientèle plus aisée et plus avenante.

— Facile ! Qu'avez-vous donc en tête, mon ami ? Vendre des indulgences en pays protestants, peut-être !

N'entendant rien aux indulgences, il se pencha vers elle et murmura :

— Les épices ! La terre de Chine, voilà l'avenir.

Malgré les générations disparues, Simon demeurait attaché au commerce qui avait fait la prospérité de ses ancêtres, marranes de Bélem. Il connaissait et s'intéressait à ce marché depuis ses années à Anvers et, conséquemment, à la route maritime pour atteindre les contrées lointaines qui les produisaient.

— Les Hollandais s'organisent. Une réunion de commerçants de la ville intéressés au commerce des épices d'Orient doit se tenir prochainement. Je vous préviendrai et nous irons. Je vous accompagnerai.

Jehanne douta de l'idée, mais surtout de l'accueil que tous ces riches marchands blancs et protestants lui réserveraient, surtout en son état. Néanmoins, elle ne ferma pas complètement la porte.

***

Deux canots, quatre jeunes hommes bondirent sur la grève. Ils avaient voyagé depuis deux jours, sans manger, ne dormant que quelques heures sous leurs embarcations renversées sur la rive. Ils portaient la menace, le drame et ils coururent vers la grande tente, là où Anadabijou et des chefs de clan palabraient.

Alertés par les cris et l'agitation, les anciens sortirent. Les arrivants saluèrent. Ils venaient d'Achelay sur le fleuve. Ils tenaient la nouvelle d'un éclaireur waban-aki qui avait donné l'alerte. Un parti de plus de vingt ennemis, portant des couleurs de guerre, avait été aperçu près du grand lac Saint-Pierre. Les Waban-aki avaient fui leur campement d'été le long du fleuve et étaient entrés dans la forêt. Les Etchemins, peuple auquel les quatre hommes appartenaient, se regroupaient pour partir vers l'est, aussi à l'intérieur des terres vers les montagnes d'où ils pourraient voir poindre l'ennemi et se protéger.

Les terribles ennemis venaient de plus en plus souvent dans la région. À la fin de chaque été, de petits groupes de guerriers quittaient les rives du grand lac, remontaient la rivière que les Français appelaient rivière des Iroquois et s'attaquaient aux populations dispersées, qui passaient l'été le long du fleuve. Ces ennemis farouches pratiquaient la petite guerre, c'est-à-dire l'escarmouche, l'embuscade, l'accrochage, les rapts soudains et éclairs. Ils faisaient des prisonniers : des hommes qu'ils torturaient jusqu'à la mort, des femmes dont ils faisaient des esclaves, des enfants qu'ils intégraient au clan. Parfois, un captif était adopté par un membre du groupe pour remplacer un combattant abattu, une épouse morte en couche ou un bébé mort-né. L'obligation de maintenir la tribu dans toute sa vitalité imposait ces choix.

Eux aussi voulaient des haches de fer, des couteaux et des pointes de flèches en métal. À défaut d'avoir accès aux Français, ils attaquaient les populations, pillaient les villages.

Les chefs discutèrent des actions à prendre. Puis chacun rejoignit son groupe. Les Innus de la côte nord ne fermèrent pas leurs tentes, mais se préparèrent au voyage. Leurs territoires étaient loin en bas sur le fleuve et ils avaient la force du courant pour les ramener chez eux.

Les Attikamekws s'organisèrent à la hâte. S'ils partaient maintenant par le chemin habituel, ils arriveraient face à face avec l'ennemi. Ils décidèrent plutôt de laisser une douzaine de valeureux guerriers pour protéger leurs arrières tandis que les autres remonteraient le Saguenay, puis à travers le grand lac, les cours d'eau et les portages, ils gagneraient la source de la rivière de Fouez où ils se sépareraient pour retrouver leurs clans, leurs territoires et passer l'hiver dans la forêt. Tous se mirent au travail. Les femmes démontèrent les tipis et préparèrent des rations. Les jeunes guerriers regroupaient les marchandises et les effets de la tribu, fermaient des ballots qu'ils attachaient et apportaient sur la grève. Les hommes examinaient les embarcations et leurs armes. Les aînés regroupèrent les enfants sur la grève. En peu de temps, le groupe lança ses canots sur le fleuve. Ils contournèrent le cap et, longeant la rive, disparurent rapidement sur le Saguenay.

Les Etchemins, les Waban-aki, les Anishinabés et les Innus demeurèrent sur place. Ils feraient face et se battraient ensemble. Le campement quitta le rivage et fut installé plus haut sur un plateau. Une vigie fut postée sur le cap rocheux d'une colline de l'autre côté au-dessus de la plage des Français. De là-haut, leur regard portait sur le fleuve en amont. Deux guerriers furent envoyés à l'île aux Lièvres, face aux eaux descendantes. Ils prirent quelques provisions, car ils ne pourraient ni chasser ni faire de feu. Ils reviendraient à la moindre alerte.

***

Cet après-midi de novembre, Jehanne et Simon se présentèrent à la réunion à l'hôtel de ville sur la Damrak. Jehanne eut du mal à gravir l'étroit escalier qui menait à la salle, lieu de rencontre des marchands. À son arrivée, une dizaine d'hommes, jeunes et vieux, discutaient. Ils portaient tous l'habit noir, la collerette de dentelle blanche sur laquelle s'épanouissait, pour la plupart, une barbe grisonnante soignée. Certains avaient conservé leur chapeau mou à large rebord sous lequel brillait un regard vif. Les conversations cessèrent, les regards se tournèrent vers elle. Elle serra les poings, leva la tête et entra dans la salle. La réprobation de certains tenait-elle au fait qu'elle était femme, étrangère, à celui d'être lourde d'un enfant ou à sa réputation ? Mais l'argent faisait loi et la présence du Juif derrière elle parlait.

Tentant de masquer sa grossesse, elle avait revêtu une épaisse cotte noire sur laquelle elle avait enfilé un doublet de laine foncée, vêtement passé de mode. Une large mante de même couleur flottait sur ses épaules. Elle prit place dans la deuxième rangée autour de la table. Ne maîtrisant pas parfaitement la langue du lieu, il lui fallait être attentive. Le hasard la mit face à l'explorateur Cornelis Van Houtman, animateur de la réunion, qui la salua gracieusement, ce qui la dédouana au regard de plusieurs. Van Houtman, un homme avenant à la chevelure aussi rousse qu'un lever de soleil, au front aussi large que l'océan, était en quête de financement pour défrayer les coûts d'une mission au Portugal où il voulait recueillir des informations (espionner, aurait-on dû dire) sur les meilleurs lieux de commerce des épices dans le Pacifique et, surtout, les routes pour y parvenir. Les marchands qui financeraient cette mission recevraient l'information recueillie et pourraient devenir actionnaires de la compagnie qui exploiterait ces connaissances.

La réunion débuta sur une ennuyeuse présentation du président de la guilde des marchands le sieur Van Ryck qui, une fois toutes les mises en garde faites et répétées, passa la parole à l'orateur principal. Malgré la valeur intrinsèque du projet et la passion dont Van Houtman faisait preuve, la réunion progressait lentement, les interrogations étant systématiques et nombreuses.

L'inconfort gagnait Jehanne. Elle arrivait au terme de sa grossesse et la venue de l'enfant était prévue pour les prochaines semaines, peut-être même les prochains jours. La sage-femme, appointée par Saint-Hippolyte, lui avait intimé de rester étendue à la maison. Toutefois, l'insistance de Simon, la participation à cette confrérie restreinte de marchands, les épices, l'Asie et la perspective de bonnes affaires illuminaient ses rêves et lui interdisaient de manquer ce rendez-vous, prélude à son fabuleux destin.

La réunion traînait et la jeune femme peinait de plus en plus sur l'étroite chaise de bois dur. Quelques marchands discutaient ferme sur les coûts ou proposaient toutes sortes de formules visant à retarder le moment de sortir l'argent de leur poche. Avec patience, Van Houtman réitérait les mêmes explications, répétait les mêmes arguments, insistait sur les mêmes conditions. À plusieurs reprises, Jehanne fit signe à son compagnon qu'elle devait partir.

— Participez au financement, souffla Simon à son oreille. Vous y gagnerez beaucoup et rapidement.

— Je n'en peux plus. Je dois sortir, murmura-t-elle.

Elle maîtrisait de moins en moins les tressaillements et la douleur qui secouaient le bas de son ventre, jusqu'au bas du dos.

— Partez. Faites-moi confiance. Je vous représenterai.

Elle ne répondit pas, se leva pendant que Simon débitait quelques explications pour justifier le départ précipité de Jehanne et pour assurer l'assistance qu'il veillerait à ses intérêts.

Elle sortit en trombe, poussée par des douleurs plus intenses, plus rapprochées. Un crachin ennuyait la ville, faisant luire les pierres de la chaussée qui fuyaient sous ses pas. Elle réalisa combien sa maison était loin et elle dut, à quelques reprises, s'appuyer à une rambarde le temps de reprendre son souffle et retrouver un filet d'énergie. Elle contourna le temple Saint-Jacob et parvint aux nouveaux murs de la ville du côté ouest. La distance la séparant de sa maison se mesurait en canaux et en ponts à franchir. Elle n'osa point compter, tant ils lui apparaissaient nombreux. Elle pataugeait dans la boue, se heurtait aux passants, s'agrippait le plus possible aux garde-fous, chaque pont traversé rendant le suivant encore plus difficile à franchir. Elle s'appuya au mur d'un magasin d'étoffe et leva la tête. Il lui restait encore deux canaux, deux ponts à traverser avant de tourner le long du Prinsengracht, leur maison se trouvant dans la première rue, presque à l'angle.

À chaque moment, les contractions lui coupaient les jambes, elle titubait, elle n'arrivait plus à respirer profondément, transpirant, souffrant sous sa lourde vêture. Le chemin se perdait dans les larmes, mais l'enfant qui cherchait à naître la poussait devant. Elle vit le dernier ponceau et posa la main sur la borne de pierre qui marquait le début de la rue. Un déchirement plus violent lui perça le ventre. Un liquide chaud coula entre ses jambes. Elle prit peur et posa un genou au sol. Elle peinait, rage et douleurs mêlées, la paralysant sur place. Elle devait se relever et poursuivre. Il le fallait. Quelques passants s'arrêtèrent. L'élan qu'elle se donna pour se relever pesa sur son ventre. Elle allait tomber face contre terre. Elle ne pensa qu'à l'enfant et cria.

Deux bras vigoureux la saisirent, la levèrent et la transportèrent. Guillaume marchait vite, elle volait sur sa douleur. Il poussa la porte du magasin, fit rouler du pied quelques tonneaux vides, lança son manteau par terre, et le referma sur elle. Il appela. Annette et d'autres femmes accoururent, s'affairèrent auprès d'elle. Elle n'était que cris et hurlements, douleurs et pleurs.

Il laissa les femmes à leur besogne, monta au salon et pria le Seigneur pour son épouse et l'enfant. Le temps passa, les cris cessèrent. Plus tard, la sage-femme apparut à la porte, avec dans les bras un petit paquet enrobé dans un tissu blanc.

— C'était une fille, dit-elle d'une voix faible. Prions le Seigneur pour que la mère vive.

Guillaume redescendit dans le magasin. Il s'approcha, mit un genou à terre et, tandis qu'Annette épongeait le front de Jehanne, il implora la miséricorde en chantant des psaumes. Après quoi, il traversa la ville et se dirigea la maison de Simon, celui-là même qu'il tenait responsable de la catastrophe. Le trouvant chez lui, le pasteur se perdit en insultes et en menaces, l'accusant de porter malheur, comme tous ceux de sa race qui empoisonnaient les puits, mangeaient les enfants et répandaient la peste. Il le somma de ne plus jamais mettre les pieds dans sa demeure.

Meurtrie et tourmentée par la mort du bébé, Jehanne s'activa à chasser de son esprit le triste épisode. Le lendemain, même titubante, elle se remit au travail, préoccupée à la pensée que plus jamais elle ne serait mère. Les perspectives du marché des épices lui laissaient un goût cruel.

***

Le ciel de décembre n'apportait jamais que grisaille et pluie froide. Comme souvent le soir, Saint-Hippolyte se pencha au-dessus du lit de son fils Geoffroy. L'enfant dormait paisiblement tandis qu'Annette sommeillait tout près sur une chaise adossée à la fenêtre. Il frôla la main du garçonnet, demeura à le regarder, rare moment durant lequel il se sentait près de lui. Il ne l'avait pas vu naître et il réalisait que l'enfant grandissait sans lui.

Les femmes qui survivaient à un bébé mort-né perdaient la capacité d'enfanter à nouveau. Ainsi Guillaume ne pouvait ignorer le message du ciel : Geoffroy, son fils, catholique d'un père protestant, serait le seul enfant du couple. Il payait d'avoir conçu un enfant illégitime. Cette situation ne se serait point produite en France, se convainquait-il et il y trouvait une motivation nouvelle à son rêve d'y retourner. Une France qu'il offrirait en cadeau à cet enfant, même si l'absence de perspective pour ce retour l'enfonçait dans un abîme de tristesse. Il s'ennuyait.

Saint-Hippolyte gagna son bureau. Il relisait une lettre reçue de Paris lorsque des cris à la porte sollicitèrent son attention. Sachant Jehanne seule dans le magasin au rez-de-chaussée, il se précipita dans l'escalier.

Un inconnu tirait fermement sur la poignée tandis que le son guttural de sa voix transperçait la porte. Qui donc venait à cette heure ? Comment l'étranger avait-il échappé à la brigade qui quadrillait le quartier dès la nuit tombée ?

— Mal mer, ouvrez ! cria l'intrus. Ce n'est pas à moi que l'on refusera de voir la fille de mon ami de Grangeneuve.

Jehanne sortit de l'entrepôt au moment où Saint-Hippolyte sautait de la dernière marche.

— Qui est là ? cria le pasteur à travers la porte.

— Mal mer, je viens de le dire, êtes-vous sourdingue ? Je suis le sieur François Gravé du Pont de Saint-Malo, fidèle ami de Geoffroy Fleuriot de Grangeneuve. Je cherche sa fille bien-aimée.

Une flambée d'émotion chauffa le cœur de Jehanne. Elle pressa son époux de déverrouiller.

— Ah ! Voilà, enfin ! s'exclama le visiteur, poussant un pied dans l'ouverture de la porte.

Jehanne reconnut l'homme aperçu jadis en compagnie de son père, celui-là même qui avait rendu visite, de nuit, à Dreux en prison pour discuter de l'expédition en Canada.

Le regard de l'homme s'illumina en la voyant.

— Voilà le trésor perdu de mon ami. Ah, jeune dame, vous faites souffrir ce valeureux Fleuriot. Il n'y a pas de rencontre entre nous sans qu'il ne révèle sa peine de vous savoir au loin. Ignorez-vous que vous êtes la bougie qui mettrait un peu de lumière sur ses vieux jours ?

Jehanne sourit.

— Entrez, monsieur, chuchota Saint-Hippolyte. Je vous en prie, cessez ces cris, un enfant dort à l'étage. Venez prendre place au salon.

Pont-Gravé toisa le pasteur du regard. Ce dernier retourna à l'homme un regard hautain. Le marchand-marin portait son costume de travail : une tunique de laine doublée bleu ciel de tempête sur des chausses et une cape élimée par le vent et les intempéries et qui avait déjà été de couleur marine. Il portait un simple bonnet de feutre et exhalait les parfums indélicats d'un long voyage.

Le Malouin posa sa grosse main sur le bras de Jehanne et l'accompagna jusqu'à la cuisine. Il était là pour elle, pour elle et son ami Fleuriot, auquel il avait promis de rapporter des nouvelles. Il trouva place dans une chaise droite adossée à la fenêtre, dont le cadre enfermait son large visage comme dans un tableau de Cornelis. À peine assis, il reprit d'un ton insistant :

— Belle mer, monsieur, le vin ne doit pas faire défaut dans cette maison. J'en prendrai un bon cruchon, la course à travers la ville m'a donné soif, dit-il d'autorité.

En vérité, le marin n'avait pas besoin de marcher longtemps pour avoir soif. Il buvait sec et longtemps sans rouler sous la table.

Jehanne s'informa du motif de sa présence dans la ville.

— Livrer une cargaison de morue blanche. Le sachant, votre père a insisté pour que je vous visite et que je m'enquière de votre santé et de votre commerce. Ce faux prêtre vous traite-t-il bien ? demanda-t-il en pointant Saint-Hippolyte.

— Je suis pasteur, monsieur, répondit l'autre, choqué de l'insolence.

— C'est du pareil au même, rétorqua l'autre, qui reprit son interrogatoire. Il posa question sur question comme s'il craignait que Jehanne disparaisse avec la nuit. Il s'informa du nom du bébé.

— Geoffroy, très bon choix. Votre père doit en être honoré. Vous faites dans le commerce, m'a-t-il confié. Comment sont les affaires ici ?

— J'aimerais en faire davantage. Les occasions de négoce avec la France, sauf avec mon père, ne sont pas nombreuses et me semblent risquées. Je ne peux me permettre de déconvenue, dit-elle, ayant de la tradition familiale retenu l'humilité.

Saint-Hippolyte, le reproche alerte, raconta la prise d'assaut de l'auberge de Rondeau. Il eût mieux valu qu'il se taise, car le visiteur s'étouffa de rire.

— Belle mer, ma jeune amie ! C'est de vous que votre père aurait besoin. Revenez au pays. Votre incapable de frère, pardonnez la vérité crue, n'est que tourments pour lui. Il ne commerce que nuages et vents. Difficile d'y gagner autre chose que des orages. Je contiens mes paroles, car il y aurait bien plus à dire, croyez-moi.

Il but une longue gorgée et demanda à être resservi.

— Votre père se fait bien du tracas pour vous et le négoce de la famille. Et je vous dirais qu'il a passé l'âge de telles inquiétudes.

— Est-il souffrant ? s'inquiéta Jehanne.

— Belle mer, comme tous les mortels, il vieillit. Récemment, je l'ai trouvé amaigri et abattu, mais il faut dire que la situation à Saint-Malo ne fait sourire personne. Les denrées sont rares, le prix des grains exorbitant. La misère et la famine même veillent aux portes de la ville. Tout le monde se guette et s'espionne. Même votre père a délaissé son costume noir pour ne pas être soupçonné de ferveur protestante et d'appui au roi.

Il fit une pause, but encore.

— De plus, il y a ce du Mas et certaines vieilles affaires aux Terres-Neuves ne se sont pas arrangées.

— Que voulez-vous dire ? demanda Jehanne.

— Peut-être vous rappellerez-vous les trois navires de Jacques Noël incendiés dans le golfe du grand fleuve. Personne n'a vu l'ombre des indemnisations promises. Pour plusieurs, y compris votre père, ce fut une perte financière importante. Les coupables n'ayant jamais été identifiés et châtiés, la concurrence sauvage s'épanouit sans cesse. Cela a eu pour effet de réduire les ardeurs de plusieurs marchands pour les aventures outre-mer.

Lui, toutefois, maintenait son engagement. Il raconta ses voyages, décrivant avec énergie et enflure ses contacts avec les Sauvages, les grands espaces, les richesses à cueillir, cette terre vierge à défricher et à ensemencer, un passage pour la Chine. Il était intarissable.

— Un jour, dit-il, nous y verrons naître une France nouvelle. Et je compte bien en être.

Il cala son verre comme pour faire le plein d'espoir.

— Hélas, nous sommes trop peu à y croire, dit-il comme pour lui-même.

Pont-Gravé ramenait Saint-Malo au centre de leur vie. Jehanne posa des questions sur son père et les activités commerciales. Mais les réponses n'apportaient aucun réconfort. Le visiteur perçut le chagrin grandissant de la jeune femme et, peu porté à l'épanchement, il se leva pour regagner son bateau.

— J'ai à faire demain, argua-t-il.

Saint-Hippolyte insista pour le reconduire au port, craignant, pour un étranger, la brigade de nuit. Jehanne s'enquit du moment prévu de son départ et promit de lui rendre visite sur le port le lendemain.

***

Jehanne eut peine à trouver le sommeil, le marchand malouin ayant réveillé une foule d'interrogations. Elle se débrouillait assez bien à Amsterdam, mais ce négoce de vin ne portait aucunement la saveur d'une réussite à Saint-Malo ou d'une ouverture sur le monde, projet qu'entretenait Simon auprès d'elle. Dans la perspective de posséder un bateau, le sieur Gravé du Pont constituait un allié de taille. Ces propos s'ouvraient sur l'Amérique, un tout autre théâtre, un tout autre projet, avec lequel elle était très peu familière. Avait-elle une place dans cette grande aventure ?

Elle fut debout aux aurores et elle entendit Saint-Hippolyte revenir. Elle descendit pour lui parler, mais il s'enferma dans ses pensées. La visite du marchand de Saint-Malo ramenait les époux sur le terrain inconfortable de leurs rêves brisés. Jehanne distribua ses instructions aux domestiques, berça quelques instants son fils qui la réclamait, le remit à Annette et quitta la maison. Elle invita Simon à se joindre à elle. En débouchant sur le quai, ils aperçurent le visiteur sur le pont de son navire, vociférant des ordres à la douzaine d'hommes qui s'affairaient à les comprendre. Le Malouin les salua et leur donna rendez-vous à la buvette du coin de la rue.

À peine la porte franchie, il se commanda un pichet de bière et en avala la moitié d'une seule lampée.

— Belle mer, quelle merveille ! Ma chère enfant, voilà un produit que vous devriez rendre disponible dans notre belle ville. Je vous garantis ma clientèle éternelle.

Jehanne présenta le prêteur banquier à l'ami de son père.

— Un Juif, ronchonna-t-il.

— Surtout un ami, rétorqua-t-elle d'un ton sec.

— Prenez garde à ces amis, surtout s'ils veulent votre bien, généralement, ils l'obtiennent.

La jeune femme ne répondit pas. Elle connaissait l'opinion générale. Toutefois, si son propre père, pour une raison qu'elle ignorait, entretenait des liens d'affaires avec ceux-ci, elle pouvait se permettre d'en faire autant. De toute façon, Simon représentait pour elle plus qu'un prêteur ou un changeur. Ce dernier, d'ailleurs, ne baissa pas la tête.

Pont-Gravé fut le seul à boire et Jehanne lança la discussion.

— Monsieur Pinto s'intéresse au commerce des épices. Ce négoce a beaucoup d'attrait, me semble-t-il.

— Comme la beauté des étoiles, mon enfant, rétorqua le Malouin. Encore faut-il aller les chercher. Plus on regarde loin, moins bien on y voit. C'est une loi de la nature, grommela le marchand.

Il se tourna vers le jeune homme, le regard haut.

— Avez-vous une idée de la route pour accéder à ces merveilles ? demanda-t-il d'un ton condescendant.

— Pour l'instant, la seule bien connue passe au large du cap de Bonne-Espérance, répondit Simon, sûr de lui. Par ce trajet, le voyage pour s'y rendre nécessite six mois. Il n'est pas facile.

— C'est la route des Portugais et ces gredins la protègent âprement !

— La mer est vaste, monsieur de Saint-Malo, répondit Simon.

— Elle se fait petite pour les canailles, les coquins et les pirates, répliqua le Français.

Simon fit une pause, regarda le marchand et ajouta d'un ton amical :

— Vous avez raison et il n'y a pas que les pirates et la distance. Il faut prévoir le ravitaillement, la maladie, bien sûr, la taille des bateaux, les hommes et denrées à payer à l'avance. Les Portugais ont eu la sagesse d'égrener tout le long de la côte, une suite de point de ravitaillement. De plus, ajouta-t-il, l'argent est rare et cher.

De fait, les prêteurs, comme lui, exigeaient jusqu'à quarante pour cent d'intérêt sur le financement d'un voyage de pêche et de traite. Pour l'Asie, il fallait sûrement compter cinquante, même soixante pour cent.

— Les Hollandais se regroupent en compagnie pour financer l'exploration, n'est-ce pas ? Qu'en pensez-vous, jeune homme si bien informé ? interrogea le Malouin.

— Je crois ceux-ci fort avisés. D'ici quelques années, ils contrôleront le commerce des épices pour toute l'Europe.

Simon louangea le savoir-faire et le dynamisme des navigateurs-marchands flamands. Il admirait leur esprit d'entreprise qui les amenait à regrouper leurs capitaux, consacrant des moyens importants à l'aventure et minimisant les risques pour chacun. D'autres travaillaient à la conception d'un nouveau navire mieux adapté aux longs voyages océaniques. Il parla de l'expédition de Cornelis Van Houtman au Portugal et de l'espoir que celle-ci avait fait naître.

Jehanne mentionna qu'elle avait songé investir dans cette mission, mais qu'un contretemps…

Simon l'interrompit.

— Madame mon amie, vous avez investi dans cette mission au Portugal, dit-il.

— Ah, vraiment ? Et combien ai-je investi ? demanda Jehanne, étonnée.

— Je vous le dirai plus tard, répondit-il.

— Mais dites-moi, monsieur le navigateur français, n'y a-t-il pas aussi par les Terres-Neuves un passage à l'ouest vers l'Asie ?

Pont-Gravé se cabra sur sa chaise. Que pouvait bien savoir ce jeune homme de l'exploration de la côte américaine réalisée par l'italien Verrazzano pour le compte de François Ier ou des voyages de Cartier ? Il répondit en termes vagues, faisant état des terres découvertes, de la remontée du grand fleuve jusqu'à des rapides infranchissables. Au-delà, selon les Sauvages, le fleuve se perdait dans le continent. Il ne pouvait dire si les eaux menaient vers l'ouest à l'océan et à la Chine. Toutefois, même le sachant, il se serait gardé de révéler pareille information au premier venu.

— Belle mer ! Il s'agit d'un immense continent encore à explorer, jeune homme.

— Cette exploration vous intéresse-t-elle, monsieur ? demanda le jeune homme.

Le Français faillit s'étouffer dans son verre.

— Mal mer de blanc-bec ! À qui croyez-vous parler ? Je regarde plus loin que la proue de mon navire. Ce n'est pas parce que ce passage n'a pas encore été trouvé qu'il n'existe pas.

— Les résultats tardent, le nargua le compagnon de Jehanne.

— Vous êtes mal informé, monsieur. Si vous voulez vraiment causer, faites vos devoirs, rétorqua le marin, tentant une diversion.

Le Malouin frimait, car il n'ignorait pas que les Français, tout occupés à leurs guerres et à se trouver un roi, demeuraient absents des grandes explorations dont l'Asie constituait l'ultime destination. Le Portugal, l'Espagne et même l'Angleterre comptaient des bateaux d'avance et des positions sur les lointaines contrées déjà établies. Découvrir une nouvelle route, plus courte et plus directe, constituait pour la France la seule issue pour combler son retard. Depuis l'échec de Roberval et de Cartier, la présence française en Atlantique Nord se limitait à la pêche et au commerce avec les Sauvages. Pont-Gravé se garda de le mentionner, mais la confusion engendrée par l'absence d'un roi ne permettait pas la mise en œuvre d'une politique d'exploration et de colonisation disposant de moyens financiers conséquents. Il ne fallait pas compter sur le trésor royal, depuis trop longtemps épuisé par les guerres. La seule possibilité demeurait l'attribution d'un monopole à des personnes motivées qui prendraient en charge l'installation d'un établissement permanent. Toutefois, dans le contexte actuel, partout sur la côte de France, les marchands n'avaient d'ambition que pour le court terme : tirer le maximum du moindre risque.

— Mal mer, je vous le concède, Cartier n'a pas ramené des barils chargés d'or, mais il ne faut pas s'arrêter. Se marie-t-on au premier sourire ? Il faut tâter de la promise, dit-il, sourire en coin, poser pieds sur cette terre, se lier d'amitié avec les Sauvages, être de bon commerce avec eux, explorer rivière par rivière et fouiller le pays à la hache et à la charrue.

Réalisant qu'il s'était laissé emporter par la discussion, il se leva brusquement et remit son galure. Jehanne sursauta à ce mouvement précipité. Elle avait bu ses paroles et demeurait sur sa soif.

— Un dernier mot, ma chère enfant, avant de regagner mon bord. Cette France nouvelle sera, j'en suis persuadé, une histoire de marchands ou ne sera pas. Je crois autant aux richesses de cette nouvelle terre et à une route pour la Chine à travers le continent qu'au soleil qui se lève chaque jour. Pensez-y, vous la commerçante !

Il rajouta :

— Je ne manquerai pas de bonnes nouvelles à offrir à votre père. Vous êtes en bonne vie et l'enfant au berceau ajoutera sûrement de l'argent dans ses cheveux, mais de l'or dans son cœur. Un autre Fleuriot pour tenir le commerce. Je l'entends déjà roucouler de plaisir.

Il prit ensuite un ton sérieux.

— Votre paternel vous requiert, Saint-Malo vous attend. Vous serez un rayon de soleil dans notre grisaille sans fin.

Jehanne, émue, tenta d'éviter le regard du marin. Elle balbutia :

— Vous n'ignorez pas que j'ai abandonné le couvent.

— Laissez couler. Les gens oublient. Ils n'auront de souvenirs que votre grandeur d'âme et votre bravoure.

— Merci, monsieur, de ces bonnes paroles. Croyez-vous Saint-Malo prête à accueillir une commerçante ?

— Mal mer ! Vous avez de ces questions, jeune dame ! Tout commerçant doit lutter pour prendre sa place. Il n'est pas homme à jabot et habits colorés attendant la fortune de Dieu et du roi. Il n'y a pas de places de commerce assignées. Madame, elles sont à prendre, c'est tout.

Les deux se turent quelques instants. Jehanne brisa le silence :

— Reviendrez-vous ? Nous aurions plaisir à vous entendre et à partager avec vous. N'y a-t-il pas quelque affaire à réaliser maintenant, ensemble, suggéra-t-elle pour ne point laisser passer la chance.

— Je ne reviendrai pas de sitôt. Peut-être même jamais.

La jeune femme sursauta, l'interrogea du regard. Il parla fort comme s'il avait voulu être entendu jusqu'en France.

— Nul homme vaillant, nul homme d'honneur et de cœur ne peut demeurer immobile pendant que la France piétine, souffre et s'enlise. Belle mer ! Je ne suis pas un roseau, moi, pour attendre une accalmie du vent pour me redresser, dit-il, bombant le torse.

Cherchant une fenêtre pour laisser son regard contempler l'horizon, il reprit :

— Dès mon retour à Saint-Malo, je rejoindrai l'armée du roi. Je participerai à la reconquête de la Normandie, de la Bretagne et, si Dieu le veut, j'entrerai à Paris avec Henri le quatrième, roi de France.

— Vous, le catholique, vous risquez votre vie pour un roi protestant !

— Mon enfant, l'heure de l'action a sonné. Je choisis mon camp. Henri est mon roi, notre roi. J'ai confiance en lui, laissons-lui le trône de France. N'oubliez pas, déclara-t-il sur un ton solennel, que le soir au pied du lit, lui et moi prions le même Dieu, et ce Dieu l'a fait naître pour régner sur la France.

Elle le fixa. Elle avait déjà l'homme en haute estime et, à ce moment même, elle admira son authenticité et son courage. Elle réprima ses émotions et c'est les yeux humides qu'elle l'accompagna jusqu'à la sortie.

— Monsieur, saluez mon père que j'aime tant et revenez vite, la porte de ma maison vous est toujours ouverte.

— N'oubliez pas de me bâcler des tonneaux de cette bonne bière du pays. J'ai déjà la gorge sèche !

Il sortit, mais elle le suivit. Une dernière question lui brûlait les lèvres :

— Est-ce que le prisonnier Dreux est véritablement mort ?

Il sursauta, se retourna, regarda la jeune femme, cherchant une réponse.

— De cette histoire, je connais très peu.

C'était déjà une vieille histoire dont plus personne ne parlait. Pourquoi touillait-elle cette soupe à nouveau ? Il respira profondément, bombant le torse comme si l'air lui apporterait une quelconque réponse.

— À vrai dire, dit-il, je n'en ai aucune idée. Interrogez votre père !

Il hâta le pas vers la gabarre, comptant débouquer avec la marée du soir. Dans un mélange de français et de flamand, il hurla des ordres aux portefaix qui attendaient sur le quai.

***

Jehanne retrouva Simon et ils partirent en silence, portés par les rêves de voilure, de traversées d'océans, de barils d'épices roulant sur les quais.

Elle marcha un long moment, absorbée à mettre un peu d'ordre dans ses pensées. Elle écrirait à son père, préparerait son retour. Mais ce dernier n'avait-il pas d'autres soucis ? Elle s'étonna et regretta que son frère ne fût pas à la hauteur des attentes. Que pouvait-elle faire pour suivre la tradition familiale et remettre le flambeau à la génération suivante ? Le labeur des lignées de marins-marchands ne méritait pas de choir, de s'effondrer et disparaître ainsi, dans le silence. Que resterait-il au bout de sa vie à elle, pour son fils, si ce n'est que de lui offrir ce que ceux d'avant avaient préparé pour elle. C'est maintenant qu'elle devait se battre.

Ses pensées l'amenèrent à s'imaginer, un jour prochain, travailler avec son frère, lui l'aîné, qui avait navigué au Levant. La combinaison de leurs talents et la propriété d'un bateau offraient une perspective gagnante. Une fois installée dans le négoce des épices, Saint-Malo et la France en particulier constitueraient des marchés importants. Par les rares commentaires du marin et aussi son silence, elle comprenait qu'une voie pour l'Asie par le grand fleuve Canada était possible. Une fabuleuse et prometteuse aventure, vers les richesses de la Chine, s'offrait à elle. Comment s'y prendre, par où commencer ? Elle avait quelques économies, mais si peu. Elle revint sur terre et interpella Simon à son côté.

— Cher ami, vous m'avez caché le montant de cet investissement pour la mission au Portugal. Dites-moi, combien avez-vous consenti pour moi ?

— Mille ducats.

Jehanne faillit s'affaisser au sol.

— Quoi ? Mille pièces d'or ! Mais vous êtes fou ! Je n'ai pas cette fortune. Je ne pourrai jamais vous payer...

Une autre année disparaissait. Il ne lui resterait plus rien et pour longtemps. Des dix années de malheur, combien encore à subir ?

1593

Elle regagna la maison après une autre journée froide de février, épuisée de visites d'auberges et de gargotes. Guillaume était absent et n'apparut qu'en début de soirée, au moment où Annette et elle préparaient son fils pour la nuit. Il avait les yeux cernés, une mine de cimetière, portant depuis quelques jours les mêmes vêtements défraîchis. Partait-il à nouveau à la dérive, plus sombre que jamais, plus enfermé en lui-même ? Ce n'était pas sa première défilade, mais elle inquiéta davantage Jehanne, car cette crise survenait peu après la visite de Pont-Gravé. Qu'avait-il appris ? Que comprenait-il de la situation en France ? Que ruminait-il ?

— Monsieur, je m'inquiétais, dit-elle, sans colère, sans reproche.

Depuis leur fille mort-née, le couple s'enlisait dans le terreau fangeux de l'éloignement, de la froideur et du silence. Il demeura au milieu de la pièce, comme étranger à cette voix, presque absent à lui-même.

Elle chercha l'homme devant elle, le chanoine, maître du couvent, son confesseur, son guide. Elle admirait toujours son intelligence. L'habit ne fait pas le moine, disait-on. Toutefois, en laissant celui de chanoine, il s'était mis l'âme à nu et, privé de statut, il apparaissait sans ressources.

Jehanne ne savait que faire du malaise qui se tissait entre eux. Elle prit l'enfant des bras d'Annette et lui ordonna de quitter la pièce. Elle se retourna vers son époux.

— Monsieur, voici votre fils. Il a passé sa deuxième année, rendons grâce à Dieu.

Jehanne s'approcha de lui et, dans un moment de tendresse spontané, posa sa main blanche sur son bras. Il n'eut de choix, sans un mot, sans un sourire, que de le recevoir.

— Regardez comme il est magnifique. Voyez ce que nous avons fait de merveilleux ensemble, murmura-t-elle. Mon cher époux, existe-t-il toujours dans votre cœur une place pour lui et pour moi ? Sommes-nous la cause de votre malheur ?

Saint-Hippolyte la regarda, peinant à sortir de son tourment. Jehanne reprit.

— Parlez, monsieur. Votre silence nous écrase.

Il approcha l'enfant près de son corps, marcha vers l'âtre. Le bébé ne souriait pas. Il réalisa que ce petit être qu'il prenait dans ses bras pour une rare fois, déjà lourd, massif, vivant, portait ses traits. Seul le léger duvet blond fuyant de son bonnet rappelait la belle chevelure de sa mère. Tout le reste était de lui.

Le regard de Saint-Hippolyte voguait de l'enfant à Jehanne. Il chuchota :

— Jehanne, je vous aime et j'aime le fils… que vous m'avez donné. Comprenez-moi…

Elle lui coupa la parole. Pourquoi devrait-elle sans cesse comprendre ? Pourquoi serait-elle la seule à lutter chaque jour pour vivre, pour oublier Saint-Malo, pour s'établir dans le commerce, pour nourrir sa famille ?

Son avenir, plombé de la lourde dette contractée en son nom par Simon Pinto, n'avait rien de radieux. La catastrophe financière devenait inévitable si le banquier en exigeait le paiement. Van Houtman était revenu. La place s'animait des histoires de fonctionnaires soudoyés pour obtenir l'information sur les routes pour l'Asie. Le marin poussait son projet : une compagnie serait créée et l'expédition en Asie suivrait sans délai. Elle n'avait aucun moyen de participer à celle-ci. Pour elle, l'aventure des épices perdait toute saveur.

Pourtant, elle avait fait sienne la parole du Christ à l'homme malade de Béthesda : « Prends ton grabat et marche. » Ainsi, chaque jour s'activait-elle et n'acceptait pas qu'il ne fît pas de même. Elle était fatiguée des absences de ce mari, de cette humeur mortifère, épuisée d'avoir toujours à comprendre, exténuée de porter seule la survie matérielle du foyer. Elle était pourtant prête à oublier, en autant qu'il y mette du sien.

— Ne vous appartient-il pas de faire l'effort de vous comprendre vous-même ? Monsieur, votre fils et moi méritons mieux qu'un père et un époux maussade et chagrin. N'avez-vous fait ce long chemin que pour venir vous enfoncer ici ? Cessez de ruminer votre passé, vivez aujourd'hui !

Le bébé geignait, dans ses bras sans tendresse. Saint-Hippolyte avait peine à respirer. Il articula d'une voix à peine audible :

— Mais que dois-je faire ?

Elle reprit l'enfant et le berça doucement. Elle porta vers lui ses yeux bleus chargés d'amour.

— Faites ce que le véritable Guillaume de Saint-Hippolyte eût fait.

Il regagna son officine au dernier étage de la maison.

Jehanne savait qu'il rêvait d'une revanche sur l'Église catholique qui avait refusé d'entendre sa voix. Privé de l'avenir auquel il s'était préparé depuis l'enfance, tout lui était douleur, tout lui était souffrance. Il tournait en rond dans une cage sans barreaux. La nécessité de l'action, même à tout prix, le hantait de plus en plus. Il en oubliait sa famille.

L'hiver, froid et humide, s'installa. Le port sommeillait, les bateaux étrangers quittèrent la ville. Sans commerce, Amsterdam dormait.

***

— Je vous croyais parti pour l'au-delà, susurra l'évêque Pierre Quimart en levant les yeux vers Baptiste Ragnier qui entrait dans son bureau.

— Oh, monseigneur, il s'en fallut de peu. Vos protégés, si je peux me le permettre, requièrent de plus en plus d'attention.

— Épargnez-moi les détails. Avez-vous fait le travail ?

— Dieu…

L'ecclésiastique l'interrompit. Il ne voulait surtout pas mêler Dieu à ce commerce de vie humaine. En ce début d'année, d'importantes préoccupations minaient son esprit. Dans le royaume, une grande confusion régnait. Pour sortir de l'impasse engendrée par le refus de reconnaître Henri de Navarre roi de France, les chefs de la Ligue avaient convoqué en conférence les États généraux. Ils entendaient trouver un roi pour la France. Plusieurs brandissaient leur arbre généalogique revendiquant le trône. Les rameaux royaux s'entrecoupaient, mais tous s'avéraient bas perchés et ténus. L'Espagne et le pape manœuvraient en coulisse, rajoutant davantage à l'épreuve. Les nobles catholiques, ralliés au parti d'Henri de Navarre, refusaient de participer à cette assemblée qu'ils qualifiaient d'illégitime. Ils organisaient leur propre réunion, à laquelle ils convièrent les représentants de la Ligue. Chacun campait sur ses positions. Seul compromis du moment, les parties conclurent une trêve militaire, ce qui n'était tout de même pas rien.

Ragnier rassura le représentant du pape.

— Absolument, monseigneur. Mais la chose ne fut point facile, l'homme étant d'une méfiance tenace, voyageant toujours en groupe. Heureusement, tout le monde, un jour ou l'autre, fait une erreur. Nous étions là.

— Très bien, vous pouvez partir. Je vous contacterai prochainement.

— C'est que, monseigneur, les services coûtent.

Le prélat soupira lourdement, il agita ses doigts dans le tiroir de sa table de travail, ouvrit un coffret et fit rouler quelques écus sur la table. L'autre compta du regard, attendit. Quimart ajouta encore. L'autre s'approcha, ramassa, salua et sortit à reculons.

Quimart s'inquiétait non sans raison. La rumeur concernant l'intention d'Henri IV de se convertir à la religion catholique courait, galopait avec insistance. Il avait croisé récemment ce Jacques Davy du Perron, évêque d'Évreux, nommé par Henri IV lui-même et que l'on disait engagé dans sa conversion. Le passage du roi à l'Église catholique représenterait une lourde défaite pour lui qui avait promis au pape l'accession au trône de France d'un représentant de la famille de Guise, tout acquise à l'Église et intraitable sur l'extermination des protestants de France.

En mai, malgré le travail d'arrière-garde d'une partie du haut clergé, le tonnerre divin éclata sur la France. L'archevêque de Bourges annonça la conversion du protestant Henri IV à la religion catholique. Ainsi serait-il roi de France et catholique, comme le prescrivait une tradition. Les secousses se firent ressentir jusqu'à Amsterdam.

La surprise fut totale. De tous côtés, les passions se déchaînèrent, les uns criant à la trahison, les autres à la mascarade. Dans cette France à genoux, où tous les coups semblaient bas, peu y reconnurent la nécessaire raison d'État.

La nouvelle ébranla les communautés calvinistes de l'exil. L'annonce arracha le pasteur Guillaume SH de Noailles à l'écriture de ses sombres méditations.

— Voilà la sixième fois qu'il change de religion, maugréa-t-il, impuissant devant une situation qui le terrifiait.

Il en devint obsédé au point de ne point voir le ciel bleu que cette éclaircie annonçait. Se mettrait-il à massacrer ceux avec lesquels hier encore il ferraillait et priait ?

Pour certains, le malheur demeure le plus fidèle compagnon.

Ce 6 juin 1593, Jehanne trouva sur sa table de travail cette note : « Adieu, mon épouse. Mon cœur demeure avec vous. Mon devoir m'oblige, il a pour nom : ma religion et la France. »

***

Informé par Annette du départ de Saint-Hippolyte, Simon Pinto chercha à rencontrer Jehanne lors d'une sortie en ville. Il l'imagina très affectée et la trouva encore pire.

— Je ne désire en rien vous parler, monsieur. Vous n'imaginez point le désastre que me cause le départ de mon époux et l'engagement de mon argent sans mon consentement.

Comment survivre dans ce milieu de requins ?

— Je regrette de ne pouvoir vous payer pour l'instant, reprit-elle, sans le laisser placer un mot, mais sachez que j'ai pris des dispositions auprès de mon père pour recevoir plus de produits à meilleur prix. J'ai également convenu d'en retarder les paiements. Si Dieu me vient en aide, je nettoierai cette ardoise, quoi qu'il m'en coûte.

Simon s'accrocha, suivant la jeune femme qui hâtait son pas.

— Jehanne, vous vous méprenez, je n'exige pas le remboursement. J'ai avancé cet argent pour vous, sur mes propres économies. Je ne vous chargerai ni intérêt ni annuité fixe. Je suis très heureux d'être associé, avec vous, au voyage de Van Houtman. Comprenez, c'est l'histoire de ma famille.

Il ajouta qu'il croyait fermement à la capacité des Pays-Bas de prendre une position dominante sur le marché des épices et des produits précieux comme le thé, la soie ou les pierres précieuses. Ce pays ne disposait-il pas déjà de la plus importante flotte marchande d'Europe ? Avec l'approbation de son oncle, il avait choisi de participer à travers elle, par son nom. N'y avait-il pas convergence de leurs projets respectifs ? Ne pouvaient-ils pas rêver ensemble ? N'y avait-il entre eux deux que le commerce et des écus ?

Jehanne craignait d'être prise pour une bourrique, incapable de penser et d'agir par elle-même. Elle aussi croyait au potentiel de ce marché, y voyait peut-être un avenir, mais voulait y réussir par elle-même. Il y avait aussi cette France d'outre-mer qui, de Saint-Malo, lui paraissait à sa portée.

— Vous l'aurez, votre argent, jusqu'au dernier sou, finit-elle par lui dire. Pour autant, je préfère ne plus vous revoir, monsieur.

***

Guillaume était parti sans prendre Jehanne dans ses bras, la rassurer, lui offrir un peu de tendresse avant cette absence qu'il imaginait longue. Il n'avait pas non plus béni son fils, comme tout père devait faire. Mais de noirs sentiments, de lourdes prémonitions le forçaient à agir. Il ruminait son plan, en justifiait la fin, sans autre considération. L'esprit enfermé dans la prison de sa revanche, sans aucun recul pour en sortir, il attendait son ultime récompense au paradis.

Lorsque, l'après-midi du 16 juin, Guillaume SH de Noailles vit se profiler au loin la silhouette de La Rochelle avec sa nouvelle enceinte, baptisée trop hâtivement Henri IV, que ce dernier avait à nouveau trahi, abusé, il ne put réprimer une poussée d'angoisse : il était bien seul pour un si grand dessein.

Il mit pied sur la terre ferme, trouva sans peine un collègue pasteur qui l'hébergea. Il s'informa de la position des armées du roi, reçut peu d'indication. La conversion prochaine d'Henri jetait partout consternation, rancœur et hostilité, incompréhension générale. Les habitants de La Rochelle craignaient une nouvelle guerre qui embraserait le royaume et emporterait leur ville. Suivant le conseil de plusieurs, il se procura un braquemart et, à l'intérieur de son pourpoint, fit coudre un étui, y cacha une courte dague. Pour la première fois de sa vie, il portait des armes. L'habit de moine l'avait, jusque-là, protégé. C'était chose du passé. Il acheta aussi un cheval.

Le troisième jour de son arrivée, il joignit, par mesure de sécurité, un convoi en partance pour Le Mans, région ralliée à Henri IV depuis 1590. Là-bas, il serait à même, espérait-il, de retracer son cousin François Clarion de Mériac. S'il était vivant, François serait sûrement dans l'entourage de l'aspirant souverain.

Saint-Hippolyte chemina seul, et aux personnes qui s'enquirent des motifs de son voyage, il se dit à la recherche de gens de sa parentèle. Le convoi traversa le marais poitevin et entra dans Fontenay-le-Comte après une harassante équipée de près de douze heures.

Depuis toujours convertie au protestantisme, la ville de Fontenay-le-Comte avait été attaquée huit fois au cours des quarante dernières années. À peine quelques maisons avaient été réparées et la ville, craignant toujours une agression, ne comptait aucune nouvelle construction. Plusieurs familles occupaient les ruines, n'ayant tout simplement plus les ressources pour reconstruire et vivre décemment. Grâce à l'hospitalité et à l'intérêt pécuniaire des habitants, tous les voyageurs trouvèrent à se loger humblement. Le soir même, Saint-Hippolyte organisa une cérémonie du culte, durant laquelle il fit, peut-être pour raffermir son propre courage et confirmer son projet, une prédication inspirée des cantiques des degrés :

Ceux qui se confient en l'Éternel sont comme la montagne de Sion : elle ne chancelle point, elle est affermie pour toujours.

Des montagnes entourent Jérusalem ; ainsi l'Éternel entoure son peuple, dès maintenant et à jamais...

Le lendemain, le convoi partit tôt. Au long du chemin, la campagne ressemblait à la plaie gangrenée d'un pays malade. Le pasteur sentait la douleur des blessures, renforçait sa détermination. Il fallut trois jours pour atteindre Bressuire, la seconde étape. Dans cette ville, jadis prospère, ne vivaient plus que quelques centaines de personnes. Les ruines s'amoncelaient partout et Saint-Hippolyte se remémora ses périples, quelques années plus tôt, à travers la Bretagne et la Normandie ravagées par la guerre.

Ils atteignirent enfin La Flèche, terrain connu pour le pasteur. C'était dans cette ville qu'il avait, quatre ans auparavant, percé le mystère de l'injustice qui condamnait Dreux à la prison. Il revenait sur ses pas, se persuadait de la justesse de sa nouvelle cause et, à chaque fois qu'il croisait un noble en uniforme, il ramenait les mêmes questions au sujet de son cousin. Tous ceux pour qui le nom François Clarion de Mériac était familier le poussaient plus en avant, vers Paris.

Au Mans, il laissa le convoi et poursuivit par Saint-Maixent vers Chartres, qu'il atteignit le 10 juillet. Il décida de s'y accorder quelque repos. Bien qu'encore loin de Paris, il s'en approchait. Désolation et confusion étaient immenses.

C'est là qu'il entendit la nouvelle pour la première fois.

***

Simon ne perdit pas son calme. Il laissa passer l'orage et dans les jours qui suivirent, il frappa chez Jehanne à plusieurs reprises. Il lui en coûta, tant sa solitude était grande, mais elle refusa de le recevoir. Un matin, il se présenta à la porte des cuisines, en compagnie de son oncle, Isaac Pinheiro. Jehanne se tint droite. Elle n'avait pas l'argent qu'ils venaient chercher.

Le vieil homme s'avança vers elle, lui serra les mains avec chaleur. Puis il s'approcha de l'enfant qui marcha solidement vers lui, retira son vieux chapeau et murmura en hébreu ce que Jehanne prit pour une prière. Il se redressa et adressa quelques paroles à son neveu.

— Mon oncle dit que vous avez un beau garçon. Dieu s'est penché sur lui et l'a béni. Il sera un bon fils, dont les pas marqueront de nombreux chemins, parfois difficiles. Il fera de grandes choses. Des choses justes.

Jehanne le remercia et, hésitante, les invita à passer dans son officine. Le vieillard prit place sur le banc qui bordait son espace de travail. La lumière qui tombait des fenêtres n'atteignait pas le fond de la pièce. Elle fit allumer une bougie. Bien qu'il eût toujours le pied solide et le regard clair, monsieur Pinheiro avait vieilli. Son corps fatigué flottait dans son habit gris de *worsted* élimé. Il s'excusa d'avoir forcé sa porte et la remercia de le recevoir. Il l'assura du fait qu'ils n'avaient pas été suivis dans la rue ni vus entrer dans sa maison.

— Madame Jehanne, chère fille de mon ami Geoffroy de Grangeneuve, murmura-t-il, vous savez que le soleil ne brille pas également sur tous les habitants de cette ville. Je ne m'en plains pas. Nous sommes Juifs, Dieu nous aime dans l'ombre. Pour vivre, pour répondre aux lois de notre religion, nous devons souffrir, prospérer et en faire profiter notre communauté.

Il fit une longue pause et profita du moment pour éponger la sueur perlant sur son front. Il replaça son chapeau, releva la tête.

— Madame, reprit-il, rares sont les occasions comme la Chine et le commerce des épices. Vous êtes intelligente, vous avez compris. Je considère votre père comme mon ami. Votre père vous aime et il m'a fait le privilège de vous confier à moi. Nous avons confiance l'un en l'autre et nous avons fait ensemble de bonnes affaires. Ce qui implique la confiance, mais aussi s'entraider, se rendre service, gagner ensemble. C'est mon devoir, mon obligation et mon plaisir de vous aider.

Il la considéra longuement de ce regard que le passage des ans et l'expérience de la vie rendaient tendre et empreint de considération. Jehanne fut prise d'émotion. Elle se sentit aimée, protégée, privilégiée. Comme pour lui confier un secret, il se pencha vers elle et murmura :

— Nous n'exigeons pas la somme investie pour le voyage de Van Houtman. Ni aujourd'hui ni demain. Vous avez la parole d'Isaac Pinheiro. En retour, je vous demande de partager avec nous les informations que vous obtiendrez. Pour l'argent, lorsque vous en gagnerez avec ce commerce, nous en reparlerons.

Il fit une pause, épongea à nouveau son front.

— C'est tout ce que je voulais vous dire, madame. Je suis patient, le bon argent trouve toujours le chemin du retour. D'ici là, je ne vous en reparlerai pas.

Il se leva et rajouta :

— Une dernière chose : je vous en prie, gardons cette entente entre nous. La discrétion vaut de l'or.

Il murmura avant de sortir : « Pensez à ma proposition et mon neveu recevra votre réponse. Que Dieu vous bénisse, vous, votre enfant, ceux que Dieu vous apportera encore et les enfants de vos enfants. »

Avant de sortir, Simon lui annonça que le commandant Van Houtman convoquait une rencontre pour le lendemain. Il se proposa pour l'accompagner.

Elle hésita, à la fois abasourdie par cette visite inattendue, mais réconfortée par cette annonce qui la libérait d'un fardeau énorme. S'emballait-elle trop rapidement encore une fois ?

Elle accepta. Le sourire lui revint, avec l'espoir de voir son projet reprendre forme. Elle pouvait se considérer encore partie prenante de la recherche d'une route vers le monde des épices et des richesses. Elle voulait croire que son expérience la ramènerait à Saint-Malo et qu'elle ouvrirait la voie à une route française à travers le nord de l'Amérique. Tel était le projet, un peu confus, qui animait ses rêves depuis la visite de Pont-Gravé.

Le lendemain, Jehanne et Simon prirent place, à nouveau, à la dernière rangée de la grande salle du nouvel édifice de l'Association des marchands. Une immense toile couvrait maintenant un mur entier de la pièce. Elle représentait une quinzaine d'hommes, de fortunes diverses, discutant entre eux par petits groupes de deux ou trois, qui sous le commandement du marchand-drapier Van Speijk, effectuaient une ronde, la nuit, dans un quartier du port. Ils avaient tous le sourire franc et sincère, heureux de participer au bien-être de leur communauté, à la sécurité de la ville. Ces marchands vêtus de pourpoints noirs à collet blanc immaculé, protecteurs de l'ordre et de la prospérité, témoignaient de la cohésion de la société, de cette recherche du bien commun. Derrière eux, le port accueillant d'innombrables bateaux. « Les Pays-Bas en marche », pensa-t-elle.

Les hommes sur la toile auraient pu être ceux parmi lesquels Van Houtman circulait, serrant des mains et distribuant les bons mots. Un homme plus âgé invita les participants à prendre place et sans préambule, le marin présenta les résultats de sa mission au Portugal et particulièrement ses conclusions sur la meilleure route pour atteindre l'Asie. Un autre commandant, Jan Huygen Van Lischoten, de retour d'un voyage aux Indes, donna quantité de précieuses informations corroborant les dires de Van Houtman.

Selon les deux navigateurs, la seule route fiable impliquait de longer la côte africaine, de contourner le cap de Bonne-Espérance et de remonter l'océan Indien. Les explorateurs proposaient comme destination Bantung, sur l'île de Java. L'endroit était accessible, les épices et les soieries abondantes et à bonne distance des installations portugaises. Les perspectives qu'il énonça firent sourire les plus taciturnes.

Van Houtman, bien qu'optimiste, mentionna à plusieurs reprises que le défi était de taille, considérant, entre autres, la présence des Portugais et des Espagnols dans la région, la menace constante de pirates le long des côtes et la durée de l'expédition. Celle-ci exigerait au moins une année de navigation pour aller et en revenir. Il fallait donc prévoir six mois de provisions, six mois d'eau douce, six mois de patience, de discipline, d'autorité sur l'équipage, et... une année de vents favorables. Le défi, admit-il, s'annonçait gigantesque.

Au terme de la présentation, quelques marchands déçus quittèrent la salle, plusieurs y demeurèrent, déclarèrent leur intérêt pour l'affaire et souhaitèrent lancer une expédition le plus tôt possible. Ils décidèrent de fonder une compagnie pour financer le voyage. Au retour, les produits seraient répartis entre les actionnaires de l'entreprise.

Enthousiaste, Jehanne caressa l'espoir de consacrer quelques ressources dans l'aventure. Elle convaincrait monsieur Pinheiro de lui consentir une avance sur les prochaines livraisons.

Simon et Jehanne quittèrent la réunion ensemble. La nuit tombait, les rues se vidaient, sous les étoiles, la ville respirait. Il s'approcha et glissa son bras sous le sien. Elle sentit la chaleur de sa main et celle-ci la réconforta. Ils marchèrent lentement dans le soir, empruntant de petites rues sombres, parlant un peu de commerce, d'affaires, de voyage, d'espoir de richesse.

Elle l'invita à entrer dans son entrepôt se reposer quelques instants avant de retourner chez lui. Arrivée devant le bureau, elle se retourna, cherchant sur une table une bougie et le briquet. Simon s'approcha et, dans la noirceur ambiante, il la prit dans ses bras, la serra contre lui. Elle se perdit dans l'étreinte, laissant retomber son front sur la poitrine de l'homme, étouffant un murmure de bonheur aux accents de désespoir. Son cœur battait violemment, l'esprit en déroute, elle fondait lentement, ses jambes ne la portant presque plus.

— Je suis avec vous, Jehanne. Mon ciel n'a qu'une étoile, c'est vous. Tout en moi respire, bouge, ne pense qu'à vous. Vous êtes ce qu'il y a de mieux dans ma vie.

Son corps chaud l'apaisa. Sa voix caressante et les mots simples qu'il employa l'émurent. Pareille tendresse lui était bien étrangère et elle souhaita que ce moment dure un siècle.

Le bruit du gardien, tout près, roulant sur sa couche la ramena à la réalité.

— Simon, balbutia-t-elle essoufflée par l'émotion, pas ici, pas maintenant. Vous me comblez d'un bonheur auquel je n'ai pas droit.

— Que vous méritez pleinement, souffla-t-il, plongeant ses yeux dans les siens.

Elle sanglota, la tête sur sa poitrine, puis s'écarta. Il l'accompagna jusqu'à la porte de la maison et déposa un baiser sur son front. Il repartit par l'entrepôt.

Le lendemain, Jehanne, rongée par les remords, courut à l'église confier son tourment à Dieu. Que faire de ce bonheur lesté de contraintes ?

***

À Chartres, l'auberge où Saint-Hippolyte descendit grouillait de voyageurs. Les rumeurs les plus folles couraient. À force d'être répétées, enjolivées ou grossies, elles devenaient vérité. Guillaume comprit que la conversion officielle et le baptême d'Henri auraient lieu le dimanche suivant, 25 juillet. Il ne disposait plus que d'une semaine pour exécuter son plan. En après-midi, il s'enquit de son cousin au chef de la garnison, un certain capitaine du Laurens. Ce dernier suggéra au pasteur de voir du côté de Poissy, ville occupée par les troupes royales, et par où passait régulièrement le roi de Navarre pour se rendre à Mantes.

Le lendemain, il tenta de gagner Poissy mais fut retenu au bac traversant la Seine. Il occupa sa journée à regarder la foule, glaner des nouvelles et ce n'est qu'en soirée, cherchant un lit pour la nuit, qu'il rencontra un jeune écuyer de fort belle allure. Il était, comme lui, calviniste, et aspirait à devenir pasteur, lui confia-t-il.

Ce jeune homme, avoua-t-il candidement, avait longuement circulé d'un côté ou de l'autre des murs de Paris, y recueillant des informations qu'il transmettait au chef de la sécurité du roi. Il s'était vu confronté à l'acharnement et à la violence des ligueurs à Paris, ce qui lui avait fait craindre le pire. Il connaissait, bien sûr, François de Clarion de Mériac, l'ayant aperçu maintes fois au plus près du futur souverain.

Le jeune écuyer fut ravi d'apprendre que Saint-Hippolyte et Clarion étaient parents, élevés ensemble en Picardie, étant même, dans l'âme, plus frères que cousins. Le pasteur prétendit être détenteur d'une lettre importante de monsieur son oncle, père de François, et contraint de la lui remettre en mains propres, dans l'urgence.

Le jeune noble lui promit son assistance, l'aida à trouver un lit pour la nuit et lui donna rendez-vous le lendemain matin à la porte de l'auberge. Saint-Hippolyte se coucha comblé.

Il fut réveillé tôt et très mal. Deux hommes firent irruption dans sa chambre et le jetèrent hors du lit. Sous la menace, ils le contraignirent à les suivre, ignorant les questions et objections qu'il hurlait. Arrivés dans la rue, ils lui relevèrent la tête. Le jeune écuyer de la veille acquiesça et se fondit lestement dans la foule du matin. Les deux soldats lui ligotèrent les mains, l'encadrèrent de près et traversèrent la ville. Ses cris n'attirèrent nullement la pitié et les secours des badauds et il fut conduit à l'arrière d'une grande maison privée. On lui délia les mains puis il fut jeté dans un petit bâtiment. Ses yeux se firent à l'obscurité et il constata que la pièce était totalement dépouillée.

L'attente fut longue, le soleil descendit et l'obscurité gagna le réduit. Plus tard, la clef roula dans la serrure, la porte s'ouvrit, un homme entra, suivi d'un second. Dans la pénombre, il ne put distinguer les visages.

— Est-ce bien toi, Guillaume ? déclara François Clarion de Mériac.

Saint-Hippolyte se leva et s'avança vers la silhouette qu'il voyait à contre-jour. Le cousin reprit :

— Que viens-tu faire dans ce pays enfiévré, cousin adoré ? Je te croyais dans ces Pays-Bas, à l'abri du tumulte.

Les deux hommes s'embrassèrent.

— Je viens voir mon roi, répondit Guillaume, secoué par l'émotion des retrouvailles. Et te voir, toi aussi. Mon Dieu que je suis content de te retrouver vivant ! Pourquoi m'a-t-on emprisonné ?

— Sortons, je te raconterai. Tu dois mourir de faim, mon cousin. Allons à la marmite.

Ils traversèrent la cour, sortirent dans la rue et contournèrent la maison. Un garde marchait devant. Il s'arrêta devant la porte d'une imposante demeure et frappa. On ouvrit. François tira son cousin à l'intérieur. Ils s'engagèrent dans un couloir qui les mena à une grande cuisine. Deux ou trois personnes s'affairaient au puits et à l'âtre. Des militaires sortaient par la porte arrière. Une longue table patinée occupait l'espace. Ils prirent place au bout, face à face. François donna quelques instructions et une jeune femme déposa sur la table une jarre d'eau fraîche, un pichet de vin et du pain. Quelques instants plus tard, une pièce de viande rôtie fumait devant eux.

— Dis-moi, François, comment m'as-tu trouvé ?

— Nous sommes dans un pays en guerre, Guillaume, et je fais partie de la garde rapprochée du roi Henri. Avec d'autres, je vois à sa sécurité. Nous avons des espions partout. Nous portons une attention particulière aux clercs, catholiques ou protestants, surtout ceux qui veulent voir le roi. Aurais-tu oublié l'assassinat d'Henri III ?

Saint-Hippolyte but et se servit un gros morceau de viande qu'il déposa sur un quignon de pain blanc. Le militaire reprit :

— Alors, cher Guillaume, qu'est-ce qui t'amène dans ce four ?

Le pasteur répondit sans hésiter :

— Je viens parler au roi.

— Tu as fait un bien long chemin, mon cousin, fort inutilement.

Le pasteur n'écoutait pas. Il insista :

— Je veux comprendre. Depuis 1517, une partie du peuple de Dieu cherche une autre lumière, lui rend grâce comme prescrit par les Saintes Écritures, quête son salut d'une main différente. Cela ne nous a valu que persécutions, massacres, spoliation et exil. Au moment où Henri, un des nôtres, approche du trône de France, au moment où il peut imposer la paix, il tourne le dos à cette religion, à ceux qui l'ont suivi, à ceux qui l'ont porté.

Il poursuivit, intarissable, évoquant Wassy, le château d'Amboise, la Saint-Barthélemy, l'exil de Calvin à Genève. Dans la bouche du pasteur, la litanie des tourments s'étirait sans fin. Son cousin l'interrompit.

— Le malheur ne frappe pas qu'une maison, Guillaume. Pour tous les événements que tu évoques, je peux rétorquer par de semblables souffrances. Les catholiques n'ont pas l'exclusivité de l'horreur, loin de là.

Il s'accorda une longue pause.

— Humblement, Guillaume, qui suis-je pour connaître les pensées ou les sentiments qui animent Sa Majesté ? Toutefois, je crois que notre roi Henri se convertit par devoir, pour la France, pour son peuple pour lequel il ne souhaite que la paix et la prospérité. Je comprends que cela soit difficile à accepter pour toi et les tiens, mais il a déjà pris des mesures en faveur des réformés. Et lorsqu'il gouvernera de plein droit, je suis persuadé qu'il rétablira l'équilibre nécessaire à une paix durable.

— Je veux le voir. Je veux le lui demander, s'obstina le pasteur.

— C'est impossible. Il poursuit mille occupations et fuit mille chagrins. On chuchote que les discussions autour de sa conversion sont ardues. Certains évêques confesseurs exigeraient même de lui, dit-on, de reconnaître plus que ce que sa conscience ne peut accepter. C'est à croire que certains le prennent pour le dernier païen, ignorant des choses de Dieu.

Guillaume n'avait pas fait tout ce chemin pour se buter à un refus. Il se redressa et regarda son cousin dans les yeux.

— Je dois le voir, François. Fais-moi entrer dans la cathédrale, implora-t-il.

— Encore une fois, cousin, c'est impossible. La cathédrale de Saint-Denis sera pleine à craquer. Neuf cents gentilshommes assisteront à la cérémonie. Cinquante ecclésiastiques occuperont le chœur. Qui plus est, le roi Henri a exigé que l'on permette à la population de s'avancer au plus près du parvis. Cette cérémonie, il la lui dédie. Il veut faire de l'événement une grande fête, un rassemblement, un mouvement de cohésion de la nation autour de son roi.

Le pasteur insista encore, François ne répondit plus.

***

— Vous ne saviez pas ? lui répondit le jeune vicaire de son fort accent flamand. Il est parti dimanche dernier.

Jehanne était venue dans l'espoir de se confesser auprès du vieux curé, celui-là même qui l'avait accueillie, elle la fille-mère, avec considération, respect et bienveillance.

— Vous ne suivez pas très bien la vie de votre église, reprit-il. Qu'êtes-vous venue chercher dans la maison du Seigneur : faire une offrande, communier, vous confesser ?

Sans attendre la réponse, il traversa le chœur, se signa devant l'autel et se dirigea vers le confessionnal. Il avait décidé qu'une confession, remède universel de l'âme, s'imposait.

Il ouvrit la porte, écarta la lourde draperie écarlate, prit place sur le banc. Jehanne se glissa à gauche, s'agenouilla et ferma les yeux. Qu'allait-elle dire ? Quelle faute devait-elle avouer ?

— Je vous écoute, mon enfant.

Devait-elle tout dire : le départ de son époux, l'existence loin de son pays, de sa famille, sa marche forcée de commerçante à contre-courant de la société ? N'y avait-il pas de place, légitime, dans sa vie pour un petit coin de jardin fleuri que Simon arroserait et entretiendrait avec soin ? Lui fallait-il voir une faute, un péché, une offense à Dieu dans cette quête d'un bonheur innocent ?

Aimait-elle Simon ou aimait-elle être aimée par lui ? Pourquoi devrait-elle se confesser pour l'amour qu'elle recevait, pour le maigre soleil qu'il mettait dans sa vie ?

Le prêtre soupira, marquant son impatience. Il n'était pas là que pour recueillir les péchés du monde. Surtout pas les fautes de cette femme qu'il suspectait nombreuses et lourdes. Elle leva la tête vers lui, cherchant un peu de compréhension et d'indulgence. Elle ne vit que de l'impatience et les portes du purgatoire. Elle avançait en âge et devait s'expliquer devant une personne qui avait de la vie une expérience limitée. Avait-il déjà donné de sa personne ? Avait-il déjà aimé ?

Comme s'il avait compris les mouvements d'âme de Jehanne, le prêtre souffla :

« Je crois en un seul Dieu, le Père tout-puissant, créateur du ciel et de la terre,

De l'univers visible et invisible. Je crois en un seul Seigneur, Jésus-Christ, le Fils unique de Dieu... »

Jehanne joignit sa voix à celle de l'autre. Pourquoi l'acte de foi ? Passait-il ainsi le temps ou voulait-il questionner la sienne ? Pourquoi ne pas avoir choisi le « Notre Père », celui qui pardonne les offenses « comme nous pardonnons à ceux qui nous ont offensés » ?

Elle était venue chercher paix et réconfort de l'âme. Elle trouvait un pharisien, prompt à lancer la première pierre, à voir le péché chez l'autre, à faire de la culpabilité son fonds de commerce. Elle recula, sortit du confessionnal, fit une rapide génuflexion et courut vers la sortie. Son trouble intérieur, ses sentiments envers Simon ne demandaient pas qu'elle se mette l'âme à nue devant un homme incapable de la comprendre.

***

François Clarion de Mériac, le jour du lendemain n'étant point levé, vint, en tenue d'apparat, tirer son cousin du lit.

— Habille-toi et suis-moi.

Les deux hommes partirent à cheval et en moins d'une heure ils furent en vue de Saint-Denis.

Malgré les menaces d'excommunication des prédicateurs de la ville, une foule compacte, venue de Paris, se pressait déjà autour du parvis de la cathédrale. Plus bas sur l'avenue, tout le petit peuple, celui qui souffrait depuis des années, courait à l'événement.

Ils contournèrent la foule et se présentèrent à un poste de contrôle derrière, à l'entrée du cloître. François confia les chevaux à un page et présenta les deux sauf-conduits. L'officier de faction les vérifia avec attention puis, satisfait, fit signe de passer.

— Avant d'aller plus loin, je dois te fouiller, martela le cousin.

— Mais François…

Il n'eut pas le temps de poursuivre que, déjà, le cousin promenait ses mains expertes sur le corps du pasteur. Il sursauta, glissa une main à l'intérieur du pourpoint et en retira le couteau. En reculant, il posa sur son cousin des yeux aussi menaçants qu'une lame d'épée.

— Dis-moi que tu as oublié… Sinon, je te ferai arrêter.

Saint-Hippolyte de Noailles supporta le regard de l'autre. Sur le chemin de sa vindicte, il avait gravi quelques marches et il ne comptait pas reculer. De longues secondes s'écoulèrent.

— Un oubli, bredouilla-t-il. C'était pour ma sécurité durant le voyage.

— Dois-je te croire ? Que comptais-tu faire, Guillaume ? Que caches-tu d'autre ?

Le pasteur prit peur. Il ne pouvait échouer si près du but.

— Rien. Je te le jure, affirma-t-il. Cousin, j'ai vraiment omis de le retirer ce matin.

François glissa le poignard dans sa botte et, d'un geste brusque, entraîna Guillaume vers la cathédrale. Un deuxième officier exigea de voir les sauf-conduits. Enfin, ils pénétrèrent par la porte des Valois, longèrent la rotonde, entrèrent dans le transept nord. François dirigea son cousin de l'autre côté du chœur vers la chapelle de Saint-Jean-Baptiste. Il le poussa vers le mur du fond.

— Dois-je craindre pour le roi de quelque action de ta part, Guillaume ?

— Tu n'as rien à craindre, François. Je te l'assure.

L'officier fit un signe de tête puis, sans mot dire, retourna à son poste à l'entrée du narthex. Le pasteur se fraya un chemin à travers les gens déjà installés dans la chapelle.

Autour, les dignitaires prenaient place, se pavoisaient dans leurs costumes aux couleurs éclatantes, leurs chapeaux à plumes, plusieurs blanches. Quelques femmes portaient des robes extravagantes, chargées de mantelets de dentelle couvrant difficilement des poitrines hautes, comme prêtes à bondir d'enthousiasme du corsage trop serré. Ces gens de la noblesse, habitués de la cour, se saluaient, s'interpellaient ici et là, de l'air détaché de ceux qui sont l'événement. Dans cet océan de couleurs vives, de rares personnes vêtues de noir affirmaient autant leur appartenance que leur opposition au sacrilège que s'apprêtait à commettre leur roi.

Malgré les sourires et les joies de circonstance, régnait dans l'enceinte religieuse une atmosphère de veille d'orage. Le temps s'étirait sous les murmures impatients. L'attente s'éternisait. La même question brouillait les esprits : et s'il changeait d'idée ?

C'était la première fois depuis son départ de Saint-Malo que Guillaume posait les pieds dans un temple catholique. La profusion des souvenirs et les excès du décor le perturbaient tant qu'il n'arrivait pas à prier. « La parole de Dieu ne requiert pas l'extravagance de ce lieu », se dit-il.

Il comprit que le roi entrerait par la porte occidentale de la cathédrale, remonterait l'allée principale et s'agenouillerait devant le maître autel. Il prononcerait alors son serment de conversion et entendrait la messe. Guillaume décida de se déplacer plus avant, cherchant un meilleur point de vue sur la scène. Il lui fallut jouer des coudes et des épaules. Tout un chacun regimbait et protégeait farouchement le coin de parquet sur lequel il incrustait ses pieds. Il finit par gagner la colonne avant de la chapelle de Saint-Michel, à quelques pas de la nef, en ligne directe avec l'allée centrale. Il s'accrocha à sa nouvelle position, supporta toutes les bousculades.

Sur le coup de dix heures, la cathédrale débordait déjà et, même à l'intérieur, parvenait le grondement de la foule contenue sur la place devant l'église. À onze heures, à l'arrière, la populace s'agitait, parcourue d'un murmure : « Sa Majesté arrive. »

L'ancien chanoine ferma les yeux et se concentra sur le moment et la raison de sa présence. Il tremblait de peur.

Une multitude de dignitaires religieux envahirent alors le chœur. Le déambulatoire grouillait de prêtres, d'aumôniers, de moines attachés à l'un ou l'autre des prélats. Un détachement de soldats entrés dans la cathédrale prit place de chaque côté de l'allée. Puis de jeunes chevaliers, parmi lesquels il reconnut son cousin, remontèrent l'allée principale d'un pas lent et cadencé. Derrière eux avançait le roi, digne et grave, le regard fixe, vêtu d'un pourpoint blanc et de chausses assorties. Il portait, malgré la chaleur, un vaste manteau noir, un chapeau de même couleur, coiffé d'un panache également noir. Le message était clair, se dit Guillaume, et il s'adressait à tous, blancs et noirs. Saint-Hippolyte fut à deux respirations de renoncer à son projet.

Arrivé au tiers du parcours, le roi s'arrêta. L'escorte poursuivit et prit place de chaque côté du chœur, face à la foule. Saint-Hippolyte de Noailles voyait le roi pour la première fois. Il admira ce dont tous parlaient : sa prestance, son autorité naturelle, son élégance malgré un physique ordinaire. Il ne pouvait nier que le trône lui revenait.

Dans le chœur, alignée devant l'autel, figurait une muraille d'évêques aux chasubles colorées, parmi lesquels on pouvait reconnaître Philippe de Bec, prélat de Nantes, mais surtout Jacques Davy du Perron, d'Évreux, que tous surnommaient le « convertisseur du roi ». Les deux montaient la garde de part et d'autre d'un grand fauteuil de damas blanc sur lequel prendrait place Renaud de Beaune, archevêque de Bourges et grand aumônier, père de l'Église de France, celui qui devait entendre le roi proclamer sa foi catholique.

À distance du chœur, le roi s'arrêta et porta son regard vers ces hommes qui l'attendaient au haut des marches. Il ne laissa rien percevoir des sentiments qui l'animaient. S'il reconnaissait quelques mérites à la plupart de ceux devant lui, il avait peu de sympathie pour ce qu'ils représentaient. Il concevait qu'au soir de sa vie, il lui faudrait se prosterner humblement devant Dieu, son seul juge, mais de son vivant, lui roi de France et de Navarre, abhorrait devoir s'agenouiller. Il l'eût fait plus facilement devant le peuple, devant ceux qui, comme lui, avaient l'intérêt de la France gravé au cœur.

Il hésita à reprendre la marche lorsque Saint-Hippolyte bondit hors du recoin, enjamba la balustrade et surgit dans l'allée face au roi, à peine vingt pas devant lui. Frappés de surprise et de stupeur, les militaires se figèrent. Une clameur s'éleva de la foule. Prenant peur, Guillaume recula de deux pas, se jeta à genoux, ouvrit sa poitrine les bras en croix. La garde s'agita derrière lui.

— Majesté, Sire mon roi, déclara-t-il d'une voix forte, ravagée par l'émotion. Si vous entendez lever votre épée contre ceux qui, hier encore, étaient vos frères, faites le privilège à votre humble serviteur de recevoir le premier coup.

Un souffle d'horreur parcourut l'assistance. Des militaires se ruèrent dans l'allée, au bruit des épées tirées des fourreaux, scintillantes dans l'air. Le roi fit signe aux hommes d'arrêter. Il s'avança sans crainte.

— Qui êtes-vous, monsieur ? demanda-t-il, pendant que François fendait les rangs, tremblant de colère.

— Il s'agit de mon cousin, Sire. Celui dont je vous ai parlé.

— Ah ! François, mon brave. Celui-là, chanoine de Saint-Malo, devenu pasteur au refuge d'Amsterdam ?

— Oui, Votre Majesté. J'implore votre pardon.

Le roi lui toucha le bras en signe de considération, s'approcha du pénitent et posa une main sur son épaule.

— Vous avez fait une bien longue route, monsieur, pour honorer votre roi.

Puis il se retourna, promena sur la foule silencieuse un regard ferme, mais bienveillant. D'une voix puissante, il clama, pour que tous l'entendent :

— Monsieur le pasteur et tous les vôtres, vous tous dont hier j'étais encore. Je vous demande de m'aimer, car moi, je vous aimerai. Je me souviendrai de vous et je ne permettrai jamais que tort ou violence vous soient faits à vous et à votre religion.

Le pasteur pencha la tête, ne contenant plus les larmes qui roulaient sur ses joues. Le roi ajouta :

— J'aurai besoin de vous, fidèles d'entre les fidèles. Notre combat n'est point affaire d'église ou de temple. Il est pour le peuple, pour la prospérité et le rayonnement de la France.

Il s'approcha sans peur du pasteur prostré dans l'allée et posa une main sur son épaule.

— Monsieur, revenez me voir. J'aurai mission pour vous.

Au fond du chœur, Pierre Quimart ne se contenait plus, tremblait de rage. Il avait payé cher pour que l'homme, qui ramenait ce matin même son hérésie dans une cathédrale catholique et qui plus est, parlait au roi, fût mort. Viendrait l'heure des comptes à rendre.

***

Gravé du Pont revenait d'une nouvelle expédition à Terre-Neuve. Il se présenta en vue de Saint-Malo vers la fin du jour. Il s'aligna sur la tour Solidor par le côté ouest de Cézembre. Il fit abattre et affaler les voiles, préférant attendre le lever du jour avant d'entrer dans le port. Dès l'atterrage, les fourrures seraient transbordées sur une barge et acheminées à Rouen. Il évitait de montrer à la ronde le fruit de son labeur.

Comme à l'habitude, il revenait sale, amaigri et assoiffé. Même avec le temps, il ne pouvait se faire au régime alimentaire que la navigation imposait. Par discipline, il s'astreignait à la même ration de cidre que ses marins. C'était lui le commandant, il conservait toute sa tête et, par conscience, donnait l'exemple. Durant la traversée, il mangeait les mêmes bouillies d'avoine, le lard salé ou les galettes de farine, même celles prises d'assaut par les vermisseaux. Parfois, le coq lui préparait un plat d'œufs, de volaille ou de bœuf. Cela lorsque les conditions le permettaient. Une mer turbulente signifiait l'interdiction de feu. Il fallait se rabattre sur les biscuits de mer trempés dans du cidre. Après quelques semaines, l'eau de boisson n'avait plus rien de doux. Il souffrait de boire au marécage.

En mettant le pied sur le quai, ses instructions distribuées, il prenait le chemin de sa résidence, non sans faire quelques arrêts Rue de-la-soif. Il buvait sec, riait fort, écoutait peu et rentrait chez lui lorsqu'il affichait plein. S'il trouvait un bon public, il lui arrivait de monter sur une table, d'entonner quelques chansons que tous reprenaient en chœur. Il était marin et Malouin, race qui avait tout son respect.

De Grangeneuve et Pourcin du Mas s'étaient montrés satisfaits des résultats de l'expédition de l'année précédente. Aussi lui avaient-ils renouvelé leur confiance et mis à sa disposition le bateau. Pont-Gravé expliqua qu'il avait quitté tôt en début de saison et qu'il avait trouvé en Anadabijou, non seulement un partenaire d'affaires, mais aussi un ami. Il soutint la conviction qu'il en était de même pour le Sauvage.

— Belle mer ! Il y a dans le regard de ce brave une certitude qui ne trompe jamais, dit-il à ses amis.

Il regretta de ne pouvoir retourner aux Terres-Neuves la saison suivante et enjoignit à son ami Pourcin du Mas de s'y rendre à sa place. L'autre entendait plutôt se diriger vers la mer du Nord afin d'acheter du bois et de la fonte. Avec la conversion du roi, l'avocat croyait la paix intérieure imminente d'où s'ensuivrait, arguait-il, la reconstruction des maisons et des citadelles ravagées.

— Prenez des barils de morues et, chemin faisant, rendez-vous à Amsterdam y voir ma fille. Elle les vendra pour vous, suggéra de Grangeneuve.

— Très bonne idée, appuya Pont-Gravé. Lorsque la paix reviendra et que le roi sera bien assis sur le trône, nous devrons être prêts avant tous les autres. Cette jeune personne possède une bonne tête de commerce, comme monsieur son père, confia-t-il à du Mas au sortir de la rencontre. Elle serait notre avitailleuse que nos affaires se porteraient feu roulant.

— Je comprends votre amitié pour son père, et je ne doute pas que celui-ci souhaite la revoir en sa ville. Cependant, je vois un obstacle de taille.

Gravé du Pont recula. Aurait-il manqué quelque chose ? Son ami connaissait-il une vérité qui lui fut étrangère ?

— Mal mer, partenaire, qu'est-ce donc ? Un obstacle si gros que je ne l'ai point vu ?

— Vous connaissant, je m'en étonne également, monsieur. N'est-elle pas femme ?

* * *

Le matin, Jehanne parcourait la ville, et l'après-midi, elle demeurait en son office à faire ses comptes. Après plus de deux ans, ses affaires roulaient. Chaque mois, elle recevait une bonne vingtaine de pipes de vin qu'elle revendait rapidement, ayant la réputation d'offrir le meilleur vin de la ville. Elle exhortait son père à accroître les livraisons. Parfois, elle dénichait, à bon prix, des tissus de Leyde ou du drap noir d'Utrecht qu'elle expédiait à Saint-Malo. Les premiers avaient la cote, mais l'approvisionnement s'avérait difficile, car la production était destinée avant tout aux riches marchés du Levant. Elle n'osait s'ouvrir à son père sur un possible retour.

Elle avait fait aménager son bureau à même l'entrepôt. Elle était ainsi au centre du mouvement des marchandises qui entraient et sortaient. Sa pièce faisait dix pieds sur douze. Elle comportait la grande table de travail de bois foncé, aux pattes ouvragées, sur laquelle s'alignaient, bien ordonnés, plumes, encriers et cahiers. Au bout de la table sur le mur extérieur, deux armoires accueillaient livrets et registres. Quatre chaises complétaient le mobilier. Le mur face à la table de travail comportait une grande ouverture permettant d'avoir une vue sur le matériel entreposé.

Le bureau de travail de Jehanne reproduisait presque celui de son père où, entre autres, s'alignaient des générations de recueils de commerce.

Simon entra sans même frapper.

— Venez ! J'ai quelque chose à vous montrer, dit-il, essoufflé.

— Maintenant ? Où ?

Il lui prit la main et la tira vers la rue.

Jehanne prévint Annette et rejoignit Simon. Ils longèrent le Prinsengracht. En cette saison et à cette heure du jour, barges, chaloupes et yoles se croisaient, pleines de marchandises, ou s'amarraient, pressées de rendre les produits qu'elles contenaient pendant que marins et passants s'interpellaient joyeusement.

Ils tournèrent dans Herenstraat, puis Simon la guida dans une petite ruelle sombre et humide. La jeune commerçante ne s'était jamais aventurée dans ce coin de ville. Ils marchèrent à peine dix pas ; Simon s'arrêta devant la façade d'un commerce parée d'une toute petite affiche.

Vanderlinden drukkerij

Le jeune homme poussa la porte et fit signe à Jehanne d'entrer. L'odeur âcre de la térébenthine la saisit au nez. La pièce était sans lumière, sale. De derrière le comptoir montait un bruit assourdissant de pièces métalliques s'entrechoquant avec obstination. Simon s'avança et cria. Un jeune homme s'approcha. Il portait un long tablier de cuir tacheté de noir, un chapeau noir qui lui couvrait le front, une barbe blonde juvénile. Simon le salua et échangea brièvement. L'autre repartit vers la salle bruyante.

— C'est une nouvelle imprimerie, très moderne, souffla-t-il à Jehanne.

Il revint avec une grande feuille qu'il déposa sur le comptoir.

— La projection de Mercator, murmura-t-il, respectueux.

Jehanne s'approcha. Elle avait entendu parler de cette carte du monde réalisée par le géographe flamand, mais ne l'avait jamais eue sous les yeux. La première présentation datait de 1569, mais l'œuvre avait mis quelques années avant de s'imposer, la croyance au sujet d'une terre plate soutenue par des colonnes perdurant encore. Mais pour tous les marins et navigateurs, la terre était ronde et l'œuvre de Mercator constituait la représentation la plus avancée, la plus précise de l'époque.

Elle n'avait jamais imaginé le monde dans son entièreté. Elle habitait Amsterdam, connaissait un peu du pays autour, la route maritime pour retourner chez elle en France, et bien peu du reste de ce que l'on appelait la Terre. On disait de celle-ci qu'elle était ronde et que des marins audacieux en avaient fait le tour. Mais la voir ainsi déroulée et aplatie avait quelque chose de profondément émouvant. Tout ce que l'homme avait exploré s'y trouvait accessible d'un coup d'œil, étalé sur une feuille de papier.

— C'est… c'est magnifique, balbutia-t-elle.

Elle chercha à refaire, du bout du doigt, le voyage de Bartolomeu Dias.

— Qu'en pensez-vous ? demanda Simon en s'approchant d'elle au point de la frôler.

Jehanne ne répondit pas, absorbée à trouver ce qu'elle cherchait. Elle suivit la route le long de la côte africaine, contournant le cap de Bonne-Espérance, remontant au large de l'immense île de Madagascar et piquant droit devant vers les Indes. Puis elle refit le parcours de Christophe Colomb et de Verrazano qui tous les deux, vers l'Ouest, s'étaient buté aux Amériques. Elle vit, avec émotion, ce coin de l'Amérique du

Nord dénommé *Nova Franca*, suivit du doigt le fleuve que le cartographe nommait Saint-Laurent, poussant vers l'intérieur du continent. Toutefois, il n'y avait pas au bout de celui-ci la succession de plans d'eau dont parlaient les Sauvages. Des inscriptions en latin occupaient le centre de ce continent aux contours encore mal définis.

— Pourquoi Mercator a-t-il placé cet encadré au beau milieu du continent ? demanda Jehanne.

— Peut-être ignore-t-il ce qui s'y trouve, réfléchit Simon à voix haute. Des terres à explorer pour vous et votre ami le sieur Gravé du Pont.

L'employé interrompit la discussion. Prenait-il la carte ? Auquel cas, il faudrait payer. Les curieux ne manquaient pas. Simon répondit par une question. L'autre grogna, disparut dans l'atelier et revint, portant un long cylindre de cuir. Il en tira une seconde feuille qu'il étala sur le comptoir. Il s'agissait de la même carte, mais d'une édition spéciale, enjolivée de couleurs vives, aux pourtours des continents délimités de traits noirs, aux océans teintés de bleu.

Les deux hommes discutèrent encore. Simon sortit sa bourse et déposa plusieurs pièces dans la main du jeune homme. L'autre les remit sur le comptoir, exigea plus. Simon discuta, l'autre leva le ton et Simon laissa quelques piécettes de plus, prit la feuille, la roula précieusement et la tendit à Jehanne.

— C'est à vous, pour nourrir vos projets.

— Pour moi ? Oh, non ! Je ne peux accepter.

Ils sortirent. Il avait payé le prix fort pour cet ouvrage. Mais ce n'était pas qu'une carte. C'était là où dorénavant se projetteraient leurs rêves et leurs espoirs. Elle servirait de pendillon sur lequel ils broderaient, au jour le jour, leurs conversations d'affaires, discuteraient des rumeurs et ragots des quais et de l'inépuisable sujet de la route pour atteindre l'Asie. Ils pourraient y tracer le parcours du voyage d'Houtman.

Quelle était la meilleure route pour atteindre la Chine ? Ils compareraient les distances, soit par la route des Portugais ou par une nouvelle à travers le grand fleuve et l'Amérique du Nord. Simon était d'avis que la route à travers le nouveau continent constituait la voie la plus sûre et propre à l'approvisionnement des navires. Une partie importante du trajet serait réalisée sur des plans d'eau douce, disait-il, à l'intérieur du continent, à l'abri des grandes tempêtes océanes et des pirates.

Ils marchèrent en silence.

— Vous n'auriez pas dû faire cette dépense, reprit Jehanne de retour à la maison.

Il ne répondit pas. Cette carte, et la jeune femme le réalisait, constituait un pacte entre eux, une déclaration d'amour, l'anneau qui les unissait à jamais. Il aimait Jehanne et il croyait qu'elle appréciait sa présence. Depuis le départ de Saint-Hippolyte, il se savait le seul homme dans son entourage, hormis clients ou fournisseurs. Ceux-ci ne la privaient pas d'avances ou de propositions pour lesquelles elle devait constamment renouveler ses défenses. Simon, lui, cultivait pour elle mille égards, maniait le compliment et jouait de l'ironie. Dans les yeux de celui-ci, Jehanne se refaisait une beauté, celle du cœur et du corps, qu'elle n'avait jamais perdue, mais que personne d'autre, fors lui, ne remarquait plus.

Dans l'entrepôt, Simon installa la carte au mur et tous deux l'admirèrent, éblouis de voir ainsi le monde devant eux. Il n'y avait plus de frontières, de limites à la course de l'homme. Ce qui n'était pas encore exploré le serait demain.

— Il me faudrait mon propre navire, déclara Jehanne. Le lancer sur les mers, faire négoce et exploration, comme le sieur Gravé du Pont essaie de le faire. Peut-être avec lui, avec les profits de l'expédition de Van Houtman ?

Il prit sa main dans la sienne.

— Je vous aiderai.

Elle sentit une bouffée de chaleur l'envahir. Une masse ardente fondit dans son ventre. Elle fut troublée, car elle aimait être femme et elle souffrait de la sécheresse de ses nuits. Elle s'enchanta de ce geste de tendresse et ne montra aucun empressement à retirer sa main. Il pencha sa tête vers elle, touchant de son front ses cheveux. La présence d'un homme à son côté lui manquait. La fleur qu'elle était poussait mal dans le désert. Sa tête lui disait de se retenir, tout son corps s'ouvrait pour lui.

Elle posa son front sur son épaule et lentement, elle retira sa main. Il laissa ces instants s'envoler avant qu'ils ne reviennent tous deux sur terre. Il reprit la conversation.

— N'est-ce point, ce jour, l'anniversaire de votre fils ? s'informa-t-il.

— Oui. Trois années, déjà. Rendons grâce à Dieu, il est vivant et en très bonne santé. Monsieur, souhaiteriez-vous le voir ?

Elle courut dans le couloir, appela Annette. Elle prit son fils dans ses bras avec fierté.

— C'est un bel enfant, il vous ressemble beaucoup, dit-il poliment.

En réalité, à part pour ses cheveux blonds, il était tout le portrait de son père, avec ses immenses yeux bruns et son front dégagé. Annette reprit le garçon, entra dans la maison, laissant derrière elle un silence embarrassant. Simon se pencha à nouveau vers Jehanne.

— Il manque à votre fils un père. Déplorez-vous l'absence d'un mari ?

Elle soupira. Elle disait non pour la deuxième fois. Devait-elle entendre le coq chanter encore une fois ?

1594

En janvier, Jehanne battit les quais vides d'animation et couverts de verglas. Seules quelques lougres et des barcasses circulaient autour du port, le long de la côte et dans les canaux à moitié gelés. Elle n'avait pas reçu de livraison de vin en décembre et s'était vue contrainte d'acheter à fort prix quelques barils à d'autres marchands pour assumer ses obligations auprès de ses meilleurs clients. Ces achats grugeaient ses marges. Ses réserves étaient minces en regard de ses ambitieux projets.

Ruminant sa déception, elle entendait prendre à nouveau la plume pour solliciter le concours de son père. Si sa propre famille ne pouvait s'engager à l'approvisionner avec régularité, elle se tournerait vers d'autres sources, se disait-elle avec dépit.

Alors qu'elle retournait à la maison, un homme l'aborda, en français :

— Je viens de la part de monsieur François Gravé du Pont, dit-il pour seule introduction.

Elle reconnut le sieur Michel Pourcin du Mas.

— Et que me veut ce sieur ? répondit-elle, encore portée par le ressentiment.

— Que du bien, madame, du moins pour ce dont je peux témoigner, précisa l'avocat, de nature sur ses gardes.

Elle le fixa.

— Existe-t-il un endroit autre que la rue pour discuter ? demanda-t-il.

Ils gagnèrent sa résidence à quelques pas de là.

— Je connais également très bien votre père, dit-il. J'ai le privilège d'être son avocat et son associé. Il m'a, bien sûr, prié de vous saluer et de prendre de vos nouvelles.

— Vous tombez bien, monsieur, car elles sont mauvaises. Voilà près de deux mois que je n'ai reçu aucune livraison, exagéra-t-elle. Mes clients manquent de vin. Cette situation m'afflige et me torture au plus haut point.

— Je sens très bien votre aigreur, madame, murmura-t-il, faussement empathique.

Du Mas grelottait, se mouchait et toussait abondamment. Il souffrait d'être à Amsterdam, entre autres de par le peu d'intérêt qu'il ressentait envers la mission que lui avait confiée Pont-Gravé. Il afficha sa contrariété et son impatience, que la jeune femme encaissa. Elle remisa sa mauvaise humeur et ils s'installèrent dans le bureau de la commerçante. Du Mas déclina l'invitation à retirer son chapeau et sa cape. Il se plaignit du froid. Le temps gris et humide l'accablait. « J'ai froid aux os », dit-il. Il reprit à sa manière, c'est-à-dire en faisant très peu dans la dentelle.

— Je ne crois pas, madame, que votre situation s'améliorera prochainement. Je vous incite à la patience ou à changer de métier. Sachez qu'au-dessus de votre famille et de la ville de Saint-Malo, les nuages sont lourds. Vous me voyez désolé de déballer de si maigres perspectives au sujet desquelles d'autres que moi eussent mieux valu vous prévenir.

Jehanne accusa le coup. Elle recula sur sa chaise et invita de la main l'homme à poursuivre. Il demanda à boire, attendit d'être servi et, une fois désaltéré, il se mit à raconter. Ce que Jehanne entendit de sa famille la blessa profondément. La santé de son père se dégradait rapidement. Il souffrait de plus en plus de maux qui, très souvent, l'empêchaient de se mouvoir, même de marcher. Il demeurait alors des jours entiers étendu sur son lit, refusant de recevoir ni assistance ni visite. Dans ces moments, ajouta-t-il, seul le jeune Jacou pouvait l'approcher et lui être utile pour les nécessités de la vie.

— Les médecins consultés recommandent la saignée dans le dos et derrière les jambes. Votre père s'y refuse, arguant que le mal est plus supportable que la torture de ces charlatans, disait-il.

Du Mas hésita à poursuivre, semblant chercher les mots appropriés.

— Je crois que vous devriez…

La jeune dame l'interrompit.

— Qu'en est-il de la conduite du commerce ?

— Votre frère, madame, votre frère !

Il mijota dans ses pensées. Il reprit du vin et la regarda à nouveau.

— Je me demande si la santé de votre père ne souffre pas des activités de votre frère. Peut-être ignorez-vous que ce dernier, madame, a pris fait et cause pour le conseil des conservateurs. Il en est même l'un des membres les plus empressés, des plus radicaux, au grand désarroi de monsieur votre père.

Il fit une pause.

— J'ajoute, madame, que votre père et votre frère sont brouillés. Ils occupent la même maison mais y vivent en étrangers. La méfiance est totale, du fait que votre frère contrôle une partie de l'armée secrète d'informateurs et d'espions qui grenouillent dans la ville. Hélas, lorsque ces gens ne découvrent rien d'anormal, ils en inventent.

Il mentionna de nombreux bons bourgeois ou de bons marchands, certains que Jehanne connaissait, qui avaient été obligés, sans aucun préavis, de quitter la ville.

— L'implication de votre frère dans ces basses œuvres répugne à votre père. Il n'a pas manqué de s'en plaindre. Depuis, il craint constamment que le glaive ne se retourne contre lui.

Il fit état des conditions de vie de la population de Saint-Malo, qui devait craindre à la fois Henri de Navarre, la Ligue, Mercœur et les Espagnols qui campaient en Normandie et en Bretagne.

— Par quelque bonheur divin, ajouta-t-il, le commerce maritime demeure actif, bien que toujours menacé par les Anglais.

Jehanne l'écoutait, frappée de stupéfaction. Au cours des derniers mois, elle avait été peu informée et s'était rendue peu attentive à la situation de Saint-Malo. L'actualité la rattrapait, la frappant de plein fouet, d'autant plus qu'elle affectait sa propre famille.

Elle reprit :

— Henri ne s'est-il pas converti ? La ville peut se rassurer. Ne sera-t-il pas roi bientôt ?

— Oui bien sûr, en février. Tout esprit sensé en penserait ainsi. Henri IV promet la paix et la tolérance à ceux qui déposent les armes et se rangent derrière lui. Pour réjouir les catholiques, il n'a fait qu'une mince ouverture aux protestants. Ces derniers peuvent, tout au plus et de façon discrète, organiser leur culte. Henri est catholique, héritier du trône, et futur roi de France. Hélas, cela ne suffit pas pour les conservateurs de la république de Saint-Malo. Ils prétendent conserver tous les pouvoirs et privilèges d'une ville indépendante à l'intérieur d'une France unie et pacifiée.

Du Mas parlait avec détachement. Pourtant, certains à Saint-Malo l'accusaient de soutenir les conservateurs, et même d'avoir stocké des grains, créant une rareté qui avait entraîné une augmentation des prix et des gains importants pour lui et quelques autres profiteurs.

Jehanne ramena la conversation à ses tourments.

— Et pourquoi ne reçois-je plus de produits ?

— Pardonnez à l'avance ma réponse, madame. Votre frère Guillaume prétend que votre décision de fuir avec le chanoine fut aussi bonne à ses affaires que la grêle aux récoltes. Chercherait-il à vous punir ?

Elle encaissa le coup. N'était-elle pas déjà punie du fait de vivre loin de chez elle, en terre inconnue ? La punition infligée par ce frère, la privant de produits à vendre, la menait tout droit à la faillite. Était-ce vraiment ce qu'il voulait ? De quel droit pouvait-il juger de sa conduite à elle ? Elle regrettait amèrement de ne pouvoir le rencontrer, lui expliquer et le convaincre. Il y avait certainement un malentendu qu'elle saurait clarifier. Elle demeura perdue dans ses pensées et du Mas comprit qu'il valait mieux se retirer. Il se leva pour s'excuser. Jehanne le retint.

— Vous aviez d'autres choses à me dire, dit-elle en tremblant. Je vous écoute.

— Cela peut attendre, madame. Je reviendrai demain.

Elle insista.

La suite du message de l'envoyé de Pont-Gravé était d'un ordre plus gratifiant pour elle, malgré le peu d'enthousiasme manifesté par le messager. Il réitérait l'invitation du sieur Gravé du Pont de rentrer à Saint-Malo et de s'associer à lui pour reprendre l'exploration et la colonisation de la France d'outre-mer. Bien sûr, cela n'était pas pour le lendemain, l'assura-t-il. Mais une fois la paix établie, les portes s'ouvriraient à nouveau.

La jeune femme promit d'y réfléchir et avant qu'il ne sorte de la maison, elle lui demanda :

— Croyez-vous qu'on puisse trouver, à travers l'Amérique, un passage pour l'Asie ?

— Madame, dit-il sèchement, s'il y avait une réponse à votre question, je me garderais bien de vous la révéler.

***

Saint-Hippolyte gagna l'auberge où il avait pris gîte et couvert depuis la cérémonie de conversion d'Henri, maintenant roi de France. Son séjour en France était terminé. Il partirait le lendemain vers La Rochelle, y trouver un bateau à destination d'Amsterdam. Il rentrait à la maison.

Le pasteur rayonnait d'une énergie nouvelle. Au cours des derniers mois, il s'était vraiment senti utile, discutant et débattant des questions du royaume et de la nation. Il avait monté quelques marches dans sa quête d'ascension et brûlait de raconter à Jehanne tout ce qu'il avait vécu.

Au lendemain de la cérémonie de Saint-Denis, Henri avait invité plusieurs notables protestants à colliger les doléances de leurs coreligionnaires et à les lui présenter. Guillaume de Saint-Hippolyte fut nommé rapporteur auprès du roi. Les récriminations des réformés étaient nombreuses, plusieurs se plaignant amèrement des avantages consentis aux nobles catholiques qui se ralliaient, tandis que ceux qui avaient souffert pour le défendre se retrouvaient les mains vides. Dépités, plusieurs des soutiens les plus actifs fuyaient son entourage et ses armées.

La préparation d'un cahier de doléances demanda quatre mois de longues discussions et de laborieuses palabres, souvent stériles. Lors de sa présentation, le souverain y porta une attention… distraite. Dans les jours suivants, il remit en vigueur un édit vieux de vingt ans, qui apportait bien peu de liberté de culte aux réformés. Sa Majesté avait, au bout de l'épée, d'autres priorités, dont celles d'entrer dans la capitale et de conquérir le cœur des Parisiens, de défaire militairement la Ligue et de chasser les Espagnols de France.

Lors d'une rencontre publique, Henri IV attira à part Guillaume et son cousin pour leur confier une mission importante. Cette mission devait demeurer secrète et les deux hommes avaient convenu de se retrouver dès le mois de septembre à Dieppe. Saint-Hippolyte prenait la route, gonflé d'une importance inédite.

***

François Gravé du Pont se joignit au régiment du sieur de Drubec, lieutenant des armées de monsieur de Montpensier, gouverneur de Normandie, aux environs de Honfleur. Il avait troqué ses habits de marin pour une brigandine. Cette armure protégeait la poitrine, offrant aux membres plus de souplesse. De nature, il souffrait d'être contenu.

Récemment, le roi était entré à Paris sous les acclamations du peuple. Depuis cette entrée récente et triomphale, plusieurs villes de la région s'étaient ralliées, mais Honfleur s'y refusait. Les troupes du commandant de Grillon, qui l'occupaient, multipliaient les exactions sur les populations de la ville et des alentours. Ses troupes arraisonnaient et pillaient les bateaux dans l'estuaire de la Seine, nuisant considérablement à l'approvisionnement de Paris. Les habitants de la capitale avaient tant souffert au cours des années de siège, frôlant souvent la famine, que Sa Majesté ne pouvait laisser perdurer pareille situation.

Honfleur constituait une des plus importantes cités portuaires de la côte normande. Elle fournissait nombre d'excellents pilotes pour la navigation océanique. La ville s'articulait autour du Havre-du-dedans, bassin fermé qui assurait la sécurité, l'avitaillement des navires et leur réparation. Une imposante tour de guet, l'échauguette, montait la garde à l'angle sud-ouest du bassin du côté de la rue Haute. La ville disposait du côté terre de murailles importantes dont une imposante tour, réputée imprenable.

Une fois l'armée d'Henri massée aux portes de la ville, Drubec accepta de rencontrer Grillon à six reprises pour négocier la reddition de la garnison et le départ de la ville des insurgés. Les deux parties convinrent même d'un accord prévoyant la cession de la ville, assurant ainsi paix et quiétude. Toutefois, de Grillon manigançait. Il n'entendait aucunement baisser pavillon. Il fit mettre le feu à des maisons, lança le pillage de tous les faubourgs, et attaqua même les bonnes gens qui essayaient d'éteindre l'incendie de leur logis.

Informé des dérives de l'occupant, et désireux d'en finir, monsieur de Montpensier arriva à Honfleur accompagné de nombreux nobles de la région, plusieurs compagnies de fantassins bien armés, en plus des canons qui venaient de partout aux alentours. Il venait pour prendre la ville, à tout prix. L'artillerie prit position et se mit à tonner, visant la grosse tour et la muraille dans l'espoir d'y ouvrir une brèche. Le bombardement fut constant. Les ouvrages résistaient.

Après quelques jours de canonnade infructueuse, Pont-Gravé se présenta au commandant et se porta volontaire pour prendre la ville à rebours. Il avait pour cible l'échauguette, à l'entrée du port intérieur. Une fois au sommet, il y ferait flotter le drapeau du roi. Le plan fut précisé et mis en œuvre dès le lendemain.

Accompagné d'une vingtaine d'hommes, il contourna la ville, passa près du sanctuaire de Notre-Dame-de-Grâce, descendit vers l'océan à travers les terres. Le littoral n'étant point défendu, la petite brigade put se glisser dans la ville au bout de la rue Haute et se porter à l'assaut de la tour. Les occupants avaient la partie belle tirant de là-haut sur tout ce qui bougeait dans les rues autour. Pont-Gravé récupéra une vieille charrette, y jeta un monceau de bois sec, y fit mettre le feu et la poussa contre la porte de la tour. Celle-ci se transforma en cheminée, fumant et asphyxiant les opposants. Tous les occupants qui se ruèrent à l'extérieur furent écrasés comme des mouches. Pont-Gravé monta au sommet de la tour et accrocha le drapeau de la victoire.

Le coup porta et de Grillon, affaibli de tous bords, fit parader un jeune tambour sur la muraille, annonçant la reddition. Pont-Gravé demeura à l'intérieur des murs et fut le premier représentant du roi à accueillir les dignitaires et les troupes. Son coup d'éclat fut salué par tous. Monsieur de Montpensier l'invita à sa table.

Deux jours plus tard, la ville fut réveillée par la rumeur de la visite du roi. Le souverain arriva en fin d'après-midi. Les soldats dressèrent une haie d'honneur. Tous les combattants furent invités à un festin, mais les provisions étaient bien maigres. Dans la soirée, le roi circula en tenue de combat. Ce chef d'armée savait apprécier la valeur de ceux qui luttaient pour lui. Il avait pour tous un bon mot, un remerciement, parfois une louange. Il atteignit finalement l'arrière, là où Pont-Gravé bivouaquait avec sa brigade. À la vue de leur souverain, ils se mirent au garde à vous. Le commandant Drubec, qui accompagnait le roi, le guida vers le Malouin.

— Sire, voici notre héros. Celui qui a porté notre feu à l'intérieur de la ville et forcé le Grillon à déposer les armes.

Le roi s'avança :

— Mon brave, quel est votre nom et d'où êtes-vous ?

— Sire, je m'appelle François Gravé du Pont de Saint-Malo, catholique, marchand et explorateur à votre service.

— Le roi reconnaît votre bravoure. Il vous remercie et il se souviendra de vous, monsieur. Nous avons quelques combats à venir, puisse le roi compter sur votre courage.

— Majesté, mon honneur est de vous servir.

Le roi posa sa main sur l'épaule du marchand, le salua et poursuivit son chemin.

Pont-Gravé profita des jours suivants pour visiter la ville, en apprendre la géographie et bien évaluer les capacités portuaires et commerciales de celle-ci. Sous l'armure, le marchand et explorateur ne sommeillait point, ayant toujours ses projets de Nouvelle-France près du cœur et de l'esprit.

À la demande du gouverneur de Bretagne, Pont-Gravé se dirigea vers la forteresse de Crozon, près de la ville de Brest. L'ouvrage construit et défendu par les Espagnols empêchait le ravitaillement par mer de la ville et constituait une véritable épine dans la souveraineté française.

L'attaque fut lancée et après de longues semaines d'effort et d'intenses batailles, le marchand de Saint-Malo fut parmi les premiers à pénétrer dans l'enceinte du fort par une brèche ouverte par l'artillerie et ainsi assister à la reddition de la poignée de combattants espagnols.

— Cette bataille ne fut point vaine. Le roi saura reconnaître votre bravoure, déclara le maréchal d'Aumont, en brochant un ruban à son uniforme sale et déchiré.

Gravé du Pont revint à Saint-Malo, convaincu d'avoir fait son devoir pour la France et le roi. Il ne rêvait sur l'heure que d'une chose : reprendre la mer, retourner aux Terres-Neuves, renouer contact avec Anadabijou, commercer et poursuivre l'exploration du grand fleuve. Il se proposait d'apporter un présent particulier au chef de ceux que les Français appelaient les Montagnais. Il prévoyait tenir plus de biens à échanger, ce qui lui rapporterait plus de fourrures. En réunissant son équipage sans délai, il partirait tôt et connaîtrait une bonne saison de traite et de pêche.

Il tomba de haut en apprenant que Pourcin du Mas avait confié le bateau, celui dont il était en partie propriétaire, à un autre commandant pour une mission en Méditerranée. Il eut beau pester, jurer, traiter Pourcin de tous les noms et le menacer de tous les maux, il ne fit point revenir le bateau. Les terres neuves s'éloignaient.

***

Jehanne revenait à petits pas de l'église. Le jeune prêtre n'y officiait plus et le nouveau curé semblait plein de bonnes dispositions. Il comprenait et acceptait le statut précaire de son église et le besoin conséquent d'une forte cohésion de la communauté. Il avait su ramener Jehanne au bercail et celle-ci supportait son église autant que ses moyens, limités pour l'instant, lui permettaient.

Saint-Hippolyte revint de France en ce dimanche matin et trouva Jehanne à son bureau dans l'entrepôt. La jeune commerçante organisait les livraisons de la semaine à venir. En l'apercevant, elle lui battit la porte de son bureau au nez et refusa de l'écouter.

— Monsieur, répondit-elle à ses requêtes, pendant tout ce temps passé au loin, avez-vous eu ne serait-ce qu'une seule pensée pour votre fils et votre épouse ? Sans nouvelles, je vous ai cru mort. Permettez à mon cœur de demi-veuve de retrouver quelque bonheur à vous savoir vivant. Pour l'heure, laissez-moi.

Saint-Hippolyte dut remballer son bonheur et son enthousiasme. Plus tard, il ne put taire la kyrielle de nouvelles du royaume qu'il ramenait : la France avait un vrai roi, dûment sacré dans la cathédrale de Chartres et ceux de la nouvelle religion seraient protégés. Il parla du roi, pour le complimenter, vantant sa sagesse, sa droiture, sa probité. Henri ne portait plus l'opprobre du converti mais bien le courage de celui qui se sent capable de grandes décisions dans l'intérêt de tous. Il parla de lui, dans la tourmente mais surtout dans ses échanges avec le roi, se gardant bien toutefois de mentionner son esclandre dans la cathédrale et les résultats, fort limités, de son travail de scribe. Mais comme il mijotait un nouveau coup – la nouvelle mission que le souverain lui avait assignée –, il s'oublia un peu et il fut discret sur le rôle éminent qu'il s'imaginait jouer dans la France en émergence. Il projeta leur avenir sur un ciel bleu français, sans nuage.

— Je vous l'assure, claironnait-il, nous retournerons en France très prochainement.

« Parlez toujours, monsieur mon époux », pensa Jehanne. Elle avait d'autres marmites au feu, ce feu à entretenir, sans oublier cette flamme qu'elle savait briller pour elle.

Ces jours-là, elle reçut une bonne cargaison de vin de France, laissa son époux au bonheur de sa revanche et reprit sa course des quais aux auberges. Abandonnant les travaux sur le livre de méditations, Saint-Hippolyte se montra présent auprès de

Jehanne. Il s'offrit même, à la surprise de la commerçante, de l'accompagner en ville à quelques occasions.

Il ne critiquait plus ses activités, réalisant que Jehanne apportait plus que le pain sur la table. Il renoua avec sa charge de pasteur, acceptant humblement, sans récriminations, les reproches de ses coreligionnaires au sujet de sa longue absence. Autrement, il passa le temps, comme un soldat en permission, marchant le long des canaux ou consacrant quelques moments à Geoffroy, lorsqu'il pouvait l'arracher aux bras ou à la vigilance d'Annette. Il le prenait sur ses genoux, récitant psaumes et cantiques. Le gamin n'y trouvait aucun confort.

La paix succéda à la trêve et le couple reforgea peu à peu une complicité peu présente dans le passé. Pour la première fois en près de quatre ans, Jehanne eut l'impression que naissait une vie normale. Elle baissa la garde, ouvrit son cœur.

Après quelques semaines de ce beau printemps des cœurs, Saint-Hippolyte se referma. Jehanne mit quelque temps à percevoir les signaux avant-coureurs. Une journée, elle le vit sur le port, discutant avec un capitaine. Ébranlée, elle exigea une réponse.

— Apprendrai-je encore une fois votre départ par un billet sur le coin de ma table de travail ? dit-elle pour le provoquer.

Il la regarda et s'approcha d'elle.

— Je devrai partir.

Elle s'éloigna de lui. Son bonheur n'avait-il été qu'une brève éclaircie, qu'une saison ensoleillée présageant un nouvel hiver de solitude ? Il la suivit.

— Tel est mon devoir, affirma-t-il, les yeux perdus dans le lointain.

Pourquoi ne pouvait-il trouver ici auprès d'elle et de son fils l'essence de sa vie ? se demanda-t-elle. Ne faisait-elle pas tout ce qu'elle pouvait pour le rendre heureux ?

— Je dois partir, répéta-t-il avec fermeté. Le roi m'a confié une mission. Il me faut honorer la France et mon roi.

— Et quelle est donc cette royale mission qui vous fait abandonner femme, enfant et fidèles ?

— Je ne peux en parler.

Jehanne se fit coq, grimpa dans sa colère.

— Monsieur, je suis votre épouse. Vous me devez une réponse, j'exige la vérité.

Il eût souhaité taire son projet, car son inspiration était bien peu lumineuse. Il hésita longuement puis, tendant la main vers elle, une main qu'elle refusa, il avoua :

— Je dois me rendre à Saint-Malo.

Elle crut s'écrouler.

— Vous êtes fou ! Vous êtes un homme mort ! s'écria-t-elle.

**

Le départ de Saint-Hippolyte poussa Jehanne sur les pourtours du gouffre. Elle passa de longs moments, abattue, parfois en prières et en méditation, à lutter pour ne point y glisser. Elle savait trop combien la pente pour remonter était abrupte.

Malgré que les ventes et revenus soient au rendez-vous, elle courait, à la petite semaine, astreinte à de constants allers-retours dans les établissements qui pour la grande majorité ne servaient qu'un peuple pauvre, vulgaire à son endroit et celui de toutes les femmes.

Elle qui rêvait de bateau, de découvertes et d'espoir, de route vers la Chine, d'espace et de bons négoces ! Elle était bien partie de l'exploration d'une route hollandaise pour les épices, mais à crédit. Elle pensa à Gravé du Pont, à Pourcin du Mas et du passage vers les richesses d'Orient à travers la France nouvelle. Elle aurait tant voulu être de cette aventure comme Simon l'encourageait à faire. Mais elle n'en avait pas les moyens. Les revenus de la vente de vin ne lui permettaient pas d'envisager autre chose. Le rêve d'un bateau ? Elle aurait peine à affréter une chaloupe. Elle broyait du noir.

Elle chavira lorsque les premiers signes d'un nouveau fardeau à porter se manifestèrent. Encore une fois, elle s'était fait prendre. Elle mit des jours à imaginer une solution, mais la seule qui la hantait lui paraissait trop risquée, même si elle ne pouvait donner un sens au cadeau que Saint-Hippolyte lui avait laissé et que Dieu la forçait à accepter.

Pressée par l'urgence d'en parler, elle courut chez Simon, se remémorant combien l'épaule de cet homme lui était douce, combien il savait l'accueillir, l'écouter, l'encourager, la conseiller parfois, lui permettre d'être elle-même toujours. Il la regardait pour ce qu'elle était : une belle personne, ambitieuse, intense, désireuse d'aimer et d'être aimée.

Elle ne put retenir ses larmes en lui annonçant le départ de son époux. Simon prit le temps de l'écouter raconter son désespoir. Il trouva les mots qu'elle souhaitait entendre, et cela mit un léger baume sur sa tristesse.

Le soir tombait.

— Je vous raccompagne, suggéra-t-il lorsqu'elle eut recouvré une certaine paix intérieure.

— Peut-être pourriez-vous partager mon dîner ? osa-t-elle.

Parfois, il était resté, toutefois sans manger. Sans douleur ni sacrifice, il observait les préceptes de sa religion, et ce qui ornait la table de Jehanne ne convenait pas.

— Pourquoi ne pas manger ici ? proposa le jeune homme.

— Que dirait votre oncle ? Une étrangère à table…

— Il est absent. Nous serons seuls.

Elle baissa la tête, hésitante. Autant elle avait la répartie facile en matière de négoce autant elle peinait à ouvrir la porte de son cœur, à lever le voile sur sa condition de femme. À l'instant, la chaîne par laquelle la nature l'attachait à nouveau la fit souffrir. Elle dut parler.

— J'attends un enfant, gémit-elle.

Le silence tomba. Les deux échangèrent un long regard, submergés par l'émotion, deux continents d'amour qu'une faille allait séparer.

Dieu et Yahvé imposaient une décision crève-cœur. Il ne leur restait plus qu'à s'enfermer dans le deuil. La route de leur cœur se terminait-elle ce soir-là ? Contraint au silence, Simon offrit à nouveau de la raccompagner.

Jehanne prit son repas seule. Aux bruits dans la cuisine, Annette descendit et trouva la jeune femme en sanglots. Jehanne lui raconta tout.

— Ils sont comme ça, madame. Ils allument des feux qu'ils se gardent bien d'entretenir. Ne vous chagrinez pas, le meilleur est en vous. Et ce trésor n'appartient qu'à vous.

Annette aida sa patronne à monter à l'étage. Elle l'assista pour se dévêtir, prit place à côté d'elle, lui massa le dos. Jehanne se détendit et s'endormit. La vie se refermait sur elle.

Quelques jours plus tard, la jeune femme convoqua un charpentier. Elle ne serait plus une épouse d'occasion.

***

Il poussa l'informateur dans une impasse derrière la halle aux viandes. Un chat lui frôla la jambe. Il sursauta. Plus loin, deux chiens se disputaient un bout d'os.

— Qu'as-tu à me dire ? interrogea Guillaume Fleuriot, le frère de Jehanne. Fais vite, j'ai à faire.

Il terminait la ronde de la ville qu'il effectuait assidûment en début de soirée. Ses informateurs le rejoignaient sur le parcours pour lui rapporter toute activité suspecte. Guillaume s'appuya au chambranle d'une porte. L'odeur de sang séché et de viande pourrie lui coupait le souffle, lui asséchait la bouche. Il avait soif d'une bonne bolée de cidre. Le cafard releva son chapeau à large rebord, découvrit ses yeux vitreux et chuchota :

— Deux marchands normands en provenance de Dieppe sont descendus hier à la Licorne.

— Que cherchent-ils ? Qui ont-ils contacté ?

Le badaud ne sut répondre.

— Garde-les bien en vue et reviens m'en informer demain soir.

Il fouilla sa poche et tendit une piécette. La fidélité se payait… comptant.

Ils sortirent du cul-de-sac. Le quidam regagna la rue des Cordiers, Guillaume Fleuriot prit la direction de la demeure familiale derrière la rue de la Vieille-Boucherie.

« Si le vieux peut mourir, cette propriété sera à moi », se redit-il en approchant. Il contourna la porte principale, longea le côté de la maison, entra par celle de l'atelier et pénétra dans la cuisine.

Il gagna l'ancien salon où sa mère aimait recevoir. Il avait vendu tous les beaux meubles de bois exotiques, peints d'arabesques et de fioritures, que la défunte avait collectionnés tout au long de sa vie. Il fallait être de son temps, croyait-il, et l'époque n'était pas à l'exubérance. Il n'osait avouer que ses échecs commerciaux minaient les ressources financières de la famille, autrefois très solides.

La pièce comptait une table qui lui servait de bureau et deux chaises dépareillées. Il prit place au bureau et, tirant à lui un cruchon de cidre, il but au goulot. Il tenta de reprendre l'écriture des mouvements de marchandises du jour. Trop rares, d'ailleurs. Il ne descendait plus que rarement sur les quais, la sécurité de la ville lui prenant tout son temps.

Quatre ans auparavant, Guillaume Fleuriot avait participé à la prise d'assaut du château. Aujourd'hui, à trente ans, le physique ingrat, il tirait orgueil d'être un des plus jeunes membres du conseil des conservateurs. Au sein de celui-ci, il se chargeait des basses œuvres, insinuait-on. Il avait été très actif dans la campagne pour démettre le connétable Jean de la Chouë de la Ville-ès-Auffray, à qui on reprochait une trop grande tolérance envers les partisans du roi, les réformés et autres ennemis de la République de la ville. La Chouë avait été remplacée par Guillaume Jonchée du Fougeray, membre du conseil des conservateurs et procureur-syndic de la ville. Lui-même se voyait en lice pour le remplacer.

Guillaume Fleuriot considérait qu'il avait terminé son apprentissage de navigateur-marchand et que les rênes du commerce familial lui revenaient de droit. Il poussait son père à abandonner les affaires et manœuvrait pour lui retirer la gouverne de l'entreprise. Ce dernier ne conservait d'ailleurs que quelques activités, dont la pêche et le commerce à Terre-Neuve avec ses amis Pont-Gravé et Pourcin du Mas, et la vente de vin à sa fille. Guillaume réprouvait cet engagement et manifestait une vive opposition, réussissant parfois même à détourner les livraisons.

Réalisant qu'il n'avait pas noté le nom des deux marchands normands, il sortit de son bureau et appela Jacou.

— Rends-toi à la Licorne et rapporte les noms des deux marchands normands qui sont descendus à l'auberge hier. Cherche à connaître la raison de leur présence.

— Oui, monsieur.

Feignant un urgent service à rendre à monsieur de Grangeneuve, Jacou grimpa à l'étage et le prévint de sa sortie.

— Nom de Dieu, encore ! Sois prudent, mon petit, répondit le patriarche.

Le garçon se faufila derrière des édifices, traversa les cours arrière et déboucha dans celle de l'auberge. Il préférait entrer par la porte de service et ainsi passer inaperçu.

La situation engendrée par le ralliement de nombreuses villes à Henri IV était source de vive inquiétude pour le conseil des conservateurs. La ville craignait pour ses privilèges de commerce et plusieurs appréhendaient le siège de la ville par le roi ou Mercoeur.

Par bonheur, une première délégation auprès du représentant du roi pour la Bretagne avait permis de convenir d'une trêve et d'ouvrir des négociations entre les parties.

Arrivés à Saint-Malo le 17 juillet, Saint-Hippolyte et son cousin de Mériac avaient pour mission de jauger l'état d'esprit de la population à l'égard du roi, les intentions du conseil des conservateurs et les moyens de défense de la ville. Ils se faisaient passer pour des marchands normands à la recherche de bateaux à affréter. La mascarade n'imposait rien d'extravagant au cousin, inconnu dans la ville, mais Saint-Hippolyte dut non seulement troquer son costume de pasteur, mais aussi tailler ses cheveux et se laisser pousser une barbiche. Il portait constamment un chapeau à large rebord, parlait peu et feignait un accent normand qui n'eût pu tromper une oreille attentive.

À l'arrivée, ils se présentèrent à la Grand'Porte, en même temps qu'une foule compacte venue pour le marché quittait la ville. L'officier de garde vérifia les sauf-conduits dûment signés par le gouverneur de Dieppe, posa quelques questions et laissa entrer les deux hommes qui se présentèrent à l'auberge, y prirent une chambre et se coulèrent dans le rythme de la vie de Saint-Malo en cette saison d'intense commerce maritime.

En entrant dans l'auberge, Jacou se dirigea vers le comptoir à l'entrée de la salle et fit demander le propriétaire, Gautrain Waultier. Occupé dans l'arrière-boutique, l'homme mit quelque temps à se présenter.

Dans la querelle entre le père et le fils, Jacou, avec la connivence du premier, avait paru adopter le parti du second, lui rendant service à l'occasion. Mais son cœur et sa loyauté demeuraient attachés à celui qui l'avait tiré de la rue, et qui lui fournissait plus que l'ordinaire pour vivre. Monsieur le père trouvait avantages dans la fausse duplicité du garçon, confiant à celui-ci des tâches desservant ses intérêts.

— Deux marchands normands, murmura Jacou à l'aubergiste.

L'homme pointa le menton vers le fond de la salle. Deux hommes y prenaient leur repas. Jacou tendit une pièce de papier.

— Écrivez les noms.

Waultier s'exécuta. Il savait où résidait son intérêt. L'information était une denrée recherchée ; elle avait son prix, celui du maintien en opération de son établissement et des services qu'il y offrait.

Jacou reprit le morceau de papier, le glissa dans sa chemise et sortit par la porte donnant sur la place. Il traversa celle-ci et se posta sous un arbre près de la douve à droite de l'entrée principale du château.

Saint-Hippolyte et de Mériac avaient passé la fin de la journée au port à discuter avec les marchands ou en conversation avec les habitants de la ville. Ils disposaient de peu de temps pour la réalisation de leur mission, car une délégation devait se rendre à Paris en août pour entamer les discussions de paix.

En ce début de soirée, chacun partit de son côté. François retournerait sur le port tandis que l'autre se promènerait en ville. Saint-Hippolyte prenait plaisir à se retrouver en ces lieux. Des étoiles de souvenirs s'allumaient dans le ciel de sa mémoire. Il retrouvait l'odeur saline qu'il respirait avec bonheur jadis lors de ses promenades sur les remparts. Il contourna l'auberge, emprunta la rue des Cordiers. Jacou le pista.

Le pas est aussi personnel que le sourire. Dans cette foulée, le garçon reconnut l'homme. Que faisait-il à Saint-Malo ? Il le suivit et le vit se diriger vers la Grand'Porte puis monter la rue de la Poissonnerie. Jacou courut, monta quelques enjambées plus haut dans la rue et revint brusquement face à l'homme. Il feignit de ne pas le voir et le heurta solidement à l'abdomen. Il se retrouvait bien face au chanoine de Saint-Hippolyte – du moins celui qu'il avait jadis connu sous ce nom. Il murmura :

— Ne restez pas ici. Suivez-moi.

Il prit par la rue de la Vielle-Boucherie, se dirigea vers les remparts. Il s'arrêta souvent pour s'assurer que personne ne marchait dans leurs pas. Lorsque Saint-Hippolyte passa à ses côtés, il le fit continuer et tourner plus loin sur sa gauche. Il le rejoignit.

— Monseigneur, que faites-vous ici ? Cette ville est pleine d'espions. Tous les étrangers sont suspects.

— Comment m'as-tu retrouvé ?

— Qu'importe, vous avez été repéré. Demain, vous serez suivi et certainement arrêté. Quittez cette ville au plus vite.

Jacou partit en courant à travers les pistes de terre qui tenaient lieu de rues dans cette partie encore peu construite de la ville. De retour à la maison de monsieur de Grangeneuve, il s'assura que le fils était endormi et monta à l'étage prévenir le père.

— C'est terrible, Jacou. Quel malheur si mon fils apprend sa présence !

Grangeneuve prit la circonstance très au sérieux. Non seulement il avait toujours apprécié l'ancien chanoine mais, surtout, celui-ci était le mari de sa fille et le père de ses petits-enfants, car Jehanne l'avait déjà prévenu qu'elle portait à nouveau.

— Je dois le voir et lui faire quitter la ville le plus tôt possible. Quel est l'endroit le plus sûr pour une rencontre ?

Jacou mit quelques instants avant de répondre.

— À la cathédrale pendant l'office du matin.

— Tu as raison. Préviens-le, j'y serai.

À la première heure, Geoffroy de Grangeneuve, que les ennuis de santé handicapaient, s'arracha du lit, traversa la cuisine et prévint la domestique qu'il mangerait après la messe.

La veille, Jacou n'avait pas revu Saint-Hippolyte. Il avait donc surveillé le retour de l'autre faux marchand normand. « Soyez à la cathédrale pour l'office de sept heures », lui avait-il dit en le bousculant. De Mériac avait acquiescé d'un signe de tête.

La ville s'éveillait à peine lorsque monsieur de Grangeneuve gagna la cathédrale. Jacou marchait derrière, par précaution, même s'ils avaient peu à craindre. Le marchand prit place au milieu de la nef, près de l'allée centrale.

Peu de temps après, les deux hommes s'installèrent devant Grangeneuve. Ce dernier attendit l'entrée de l'officiant puis s'agenouilla tandis que les autres demeuraient assis.

— Que faites-vous ici ? marmonna Grangeneuve, plein de colère.

— Je suis en mission pour le roi afin de préparer les termes de la Réduction de la ville.

— Pourquoi vous ?

— Le roi n'ignore point que j'ai vécu ici.

— Monsieur, l'animosité à votre égard est encore féroce. Pour une partie de la population, vous avez protégé un huguenot et trahi votre propre religion. Je ne donne pas cher de vous si vous êtes capturé.

— Et pourquoi le serais-je ?

— Ne soyez pas arrogant. Cette ville a des yeux partout, dit-il en levant le ton. Et puis, monsieur, vous ai-je confié ma fille pour que vous l'abandonniez par la suite ? N'avez-vous point une famille, un nouvel enfant à naître ?

— Que dites-vous ? Un nouvel enfant ?

— Passez chez moi à la nuit tombée, je vous dirai ce que vous voulez savoir. Puis vous partirez, déclara-t-il, courroucé.

Grangeneuve feignit de suivre l'office avec dévotion. Après quoi, il se dirigea vers le chœur et s'agenouilla à la balustrade, laissant le temps aux deux autres de sortir.

Toute la journée, François de Mériac parcourut la ville, mémorisa l'organisation des défenses et la position des pièces d'artillerie. Saint-Hippolyte regagna l'auberge, remué par les paroles de son beau-père. L'inquiétude de celui-ci autant que la nouvelle de sa paternité le troublaient. Il est vrai qu'il avait peu pensé à Jehanne et à son fils depuis son départ. Il les avait laissés derrière, abandonnés. Ce sursaut de conscience l'ébranla au point de demeurer cloîtré.

En fin d'après-midi, Mériac entra brusquement dans la chambre.

— Je suis suivi, dit-il. Nous partons.

— C'est impossible. Nous avons rendez-vous ce soir.

L'officier de l'armée du roi s'approcha de la fenêtre.

— Regarde sur la place les deux hommes qui discutent. Le plus grand était à l'auberge hier soir. Il est dans mes pas depuis plus de deux heures. J'ai tout fait pour le semer. Cousin, je n'ai aucune intention de faire connaissance des prisons de cette ville. Fais ton bagage, nous filons, ordonna le militaire.

Saint-Hippolyte se pencha à la fenêtre. L'autre homme était Guillaume Fleuriot, le frère de Jehanne. Il eut peur. Avaient-ils encore le temps de fuir ? Ils ramassèrent leurs affaires et descendirent payer l'aubergiste.

— Vous partez déjà ? susurra le Wauthier. Avez-vous fait de bonnes affaires ? Ne souhaitez-vous pas prendre un repas avant la route ?

Mériac l'assura d'un retour prochain et prétexta une longue chevauchée avant la nuit. Ils s'esquivèrent par la porte arrière. Le soldat du roi avait vu ce qu'il avait à voir en ville. Quant à Saint-Hippolyte, il souffrait de partir. Il ramenait si peu, gagnait si peu en regard. Ils sortirent de la ville sans embûche et le chemin du retour ne fut qu'une longue réflexion sur sa vie et sur lui-même. Il songea que cette mission du roi n'était peut-être pour lui qu'un prétexte, une façon d'assouvir sa colère à l'égard de Saint-Malo, de se venger d'avoir été rejeté, d'avoir vu son combat repoussé ?

Quelques jours plus tard à Paris, il présenta au roi le maigre butin d'informations recueillies. Le roi s'en montra pourtant satisfait, le remercia et lui fit remettre une bourse bien remplie. Avant de se mettre en route, il se procura une nouvelle bible et s'y réfugia. Il trouva dans l'Ecclésiaste ce qu'il cherchait :

Vanités des vanités, dit Qohéleth, vanités des vanités, tout est vanité.

Quel profit y a-t-il pour l'homme de tout le travail qu'il fait sous le soleil ?

Un âge s'en va et un autre vient, et la terre subsiste toujours.

Le soleil se lève et le soleil se couche, il aspire à ce lieu d'où il se lève.

Le vent va vers le midi et tourne vers le nord, le vent tourne, tourne et s'en va.

Tous les torrents vont vers la mer, et la mer n'est pas remplie ; vers le lieu où vont les torrents, là-bas, ils s'en vont de nouveau.

Tous les mots sont usés, on ne peut plus les dire, l'œil ne se contente pas de ce qu'il voit, et l'oreille ne se remplit pas de ce qu'elle entend.

Ce qui a été, c'est ce qui sera, ce qui s'est fait, c'est ce qui sera : rien de nouveau sous le soleil.

Faisait-il fausse route, manquait-il l'essentiel, emprisonné dans son esprit de revanche ?

Il décida de faire le chemin du retour par la route et, au passage, s'arrêter en Picardie. Après six années d'absence, il entreprenait un retour sur les lieux de son enfance, un pèlerinage à l'origine de sa vie. Il cacha ses habits austères, se vêtit comme un noble et quitta Paris.

La perspective de revoir son père, son frère, sa parentèle et les employés du château, auxquels il était encore très attaché, l'anima. Au nord de Paris, les dernières armées de la Ligue se désintégraient, rendant la route hasardeuse. Manœuvrant avec circonspection tout au long du parcours, il gagna Noailles en quelques jours. Trois surprises l'accablèrent : son frère était mort à la guerre, les gens du château se méfièrent du pasteur qu'il était devenu et surtout, son père, son propre père refusa de le recevoir, l'empêcha de rentrer dans le logis principal.

Il fut contraint de dormir dans une dépendance. Jour après jour, il insista, sans succès, pour le voir. À bout d'arguments, il lui fit tenir un billet. Pour toute réponse, il reçut une courte lettre qui, sans ambages, lui ordonnait, entre autres, de quitter les lieux. Voilà que son père le rejetait à nouveau et sans appel. Au retour à la maison, Jehanne était grosse comme une tour. Elle le repoussa.

1595

« Tu enfanteras dans la douleur », proclame la Genèse. Jehanne n'attendit pas l'accouchement pour souffrir. Dès janvier, elle peinait à marcher, à se mouvoir, à se déplacer et elle dut réduire ses activités tellement elle était grosse de ventre, immense même, toujours à bout de souffle, toujours épuisée. Elle n'était pas enceinte, disait-elle. Elle portait l'humanité.

Après un bon arrivage en fin d'année, son commerce souffrait, faute de vin à vendre. Elle n'avait plus la force d'interpeller son père, de courir la ville. Elle en oublia ses rêves de bateau et de Chine.

Saint-Hippolyte était revenu depuis plusieurs semaines. Elle lui tenait rigueur de cette dernière absence, évitait de le voir, refusait de l'écouter et lui interdisait l'entrée de sa chambre. Il se voyait confiné à la pièce que Jehanne avait fait aménager lors de son départ. Les nouvelles qu'il avait rapportées de Saint-Malo ne touchaient en rien sa famille, son commerce ou les gens qu'elle connaissait. Pourquoi n'avait-il pas parlé à son père ou à son frère ? lui reprochait-elle.

Il taisait la vérité.

Jehanne n'avait pu trouver une accoucheuse catholique. Au début de mars, une dame Anke, protestante, référée à son époux par un membre du consistoire de la communauté, se présenta.

— Madame, je mets au monde les créatures de Dieu. Les prières qu'ils choisiront par la suite, ou celles de leurs parents, ne relèvent pas de mes services, lui avait déclaré la sage-femme.

Jehanne ravala ses appréhensions et accepta la présence de la protestante dans la maison. Elle ne fut pas longue à s'en réjouir. Chaque jour, dame Anke lui apportait des élixirs pour lui redonner vigueur, des boissons épicées pour raffermir son ventre, des potions pour la faire dormir ou pour soulager ses douleurs. Souvent, elle lui massait le ventre et les cuisses avec un onguent de sa composition, l'enjoignait de boire beaucoup et, bien que protestante, elle déposa autour de son lit médailles et images pieuses, de nature, disait-elle d'expérience, à faciliter la délivrance chez une catholique. Devant l'état de santé de la maîtresse de maison, le personnel domestique commérait, s'inquiétait, imaginant les pires scénarios. Dame Anke accepta de s'installer dans la chambre près de Jehanne. Saint-Hippolyte dut déménager au boudoir.

La sage-femme disposait, par ailleurs, d'une méthode infaillible pour prédire le sexe de l'enfant : si le bébé s'agitait à gauche, c'était un garçon ; à droite, une fille. Elle s'était gardée de le dire, mais elle préférait, par expérience, accoucher les filles, celles-ci étant plus faciles à faire descendre dans ce bas monde, affirmait-elle. Cette fois, elle avait eu beau scruter, tâter, questionner le ventre de Jehanne, elle ne pouvait rien affirmer. Le bébé de Jehanne se promenait, tantôt à droite, tantôt à gauche, comme une barque sur l'eau mouvementée, avait-elle confié à la future nourrice, déjà présente. Cette impossibilité de prévoir constituait une insulte à ses années de valeureux services.

Les contractions débutèrent à l'aube d'un jour sans lueur. Le ciel, d'un gris lourd enfermait la ville. La sage-femme accourut, une lampe à la main, le bonnet de nuit enfoncé sur la tête. Elle reconnut les signes et distribua les tâches. Saint-Hippolyte alluma le feu dans la cheminée de la chambre. Une jeune fille courut prévenir le curé, les domestiques montèrent une montagne de tissus blancs et des baquets d'eau qui s'alignèrent près du foyer. Elle demanda que l'on apporte la chaise percée qui patientait à l'entrepôt, l'installa près des flammes, le premier impératif étant qu'au seuil de l'accouchement, la femme devait avoir chaud.

Jehanne était écrasée de douleurs et de moins en moins présente à l'agitation autour d'elle. Dans un moment de lucidité, elle appela son fils, qu'elle étreignit et embrassa compulsivement. Le curé accourut, repoussa le garçon, fit sortir le père, refoula les femmes près de la porte et se pencha au chevet de Jehanne. Comme toujours, il fut doux et attentif à cette généreuse paroissienne.

Le garçonnet et son père gagnèrent la cuisine où mijotait déjà un bouillon gras et viandeux. Le prêtre catholique, une fois les péchés pardonnés, mal à l'aise en présence du mari-pasteur, préféra se réfugier à l'entrée de la maison. Un jeune diacre l'y rejoignit à la hâte, apportant l'eucharistie et les saintes huiles.

Les hurlements de la jeune femme emplirent la maison et même au-delà, tant et si bien que des voisines alertées par les cris apparurent, chacune portant victuailles, bouillons ou pour d'autres, leurs simples prières. Elles avaient toutes traversé ce tunnel noir de la condition de femme. Selon la coutume, elles venaient partager leur chance, à elles, d'en être sorties et, par leurs prières, tenter de tirer Jehanne du côté des vivantes.

La pauvre suait comme en plein soleil, un jour de juillet, les cheveux collés à son visage écarlate. Dame Anke se pencha au-dessus d'elle et introduisit sa main entre ses jambes. D'un remuement de sourcils assurés, elle fit reculer les femmes installées trop près du lit. L'assistance comprit que le bébé approchait. Les fronts se froissèrent, les prières redoublèrent. La sage-femme prit un bocal de grès, en tira une huile dorée, visqueuse et tapissa l'ouverture de la parturiente. Puis, assistée de la future nourrice, femme aux forts attributs, elle souleva Jehanne du lit et l'installa sur le siège. Elle ordonna à Annette de se placer derrière pour masser le dos et, au besoin, soulever la mère. L'officiante se pencha à nouveau, toucha et sourit à l'arrivée imminente du bébé. Elle releva la chemise blanche en coton que Jehanne portait sous une camisole de lin, lui écarta davantage les jambes et l'exhorta à crier avec vigueur et à libérer l'enfant. Poussées par une même compassion, les femmes s'approchèrent et formèrent un cercle autour du siège et de son occupante. Elles auraient volontiers crié, elles aussi, mais dame Anke l'interdisait pendant qu'elle murmurait ses instructions à une Jehanne de moins en moins capable de les entendre.

Le moment arrivait et l'accoucheuse se signa en s'agenouillant, écartant les cuisses tremblotantes, ouvrant ses larges mains prêtes à cueillir l'enfant. Le silence tomba. Dame Anke toucha la tête du bébé et accompagna le petit corps, glissant tel un mot d'amour sur un parchemin. La vue du petit être gluant, aux reflets roses et violacés, spectacle perpétuel de l'humanité vagissante, de celle qui n'a pas demandé à naître, tira de l'assistance ici un soupir d'admiration, là un sanglot d'émotion étouffée. La pièce chavirait. Toutes allongeaient le cou, cherchant à voir le sexe de l'enfant. La sage-femme se releva, retourna l'enfant et lui tapa doucement le dos, jusqu'aux pleurs. Une déception générale accueillit la petite fille.

Épuisée, agrippée à sa chaise, Jehanne forçait toujours, étrangère à la délivrance qu'elle venait d'accomplir. La sage-femme, le nouveau-né posé sur un coussin, l'observait du coin de l'œil, tout en mesurant une longueur de quatre doigts sur le cordon, qu'elle coupa d'un coup sec. Elle posa un genou au sol devant une bassine d'eau, se pencha pour laver le poupon. Les cris de Jehanne l'affolèrent. Confiant le bébé à la nourrice, dame Anke posa une main près de l'orifice. Elle échappa un cri. Malheur ! Elle glissa sa main à l'intérieur et d'un geste délicat, palpa. Sous les lamentations des autres femmes, elle tira et reçut un deuxième bébé.

Jehanne avait porté deux enfants.

Les femmes se mirent à genoux et se signèrent. Des jumeaux représentaient un puissant signe du ciel, souvent mauvais.

Dame Anke s'affaira aux mêmes gestes et l'enfant marqua son entrée dans le monde en hurlant. Cette fois, comme il s'agissait d'un garçon et pour préserver la virilité de celui-ci, elle coupa le cordon sur cinq doigts de longueur. Elle l'emmaillota, le confia à d'autres bras et se remit à genoux devant la mère qui soufflait toujours avec force. Pouvait-il y en avoir un autre ? Elle glissa à nouveau une main à l'entrée, recueillit une masse gluante qui tomba sur le plancher. Toute la vie des neuf derniers mois était rendue.

La sage-femme s'épongea le front et posa un long regard sur les deux enfants. Elle se signa et entama un Pater Noster, repris en chœur par les femmes présentes.

Affalée sur la chaise, Jehanne reprenait ses esprits. Dans l'orage de douleurs qui se dissipait, elle voyait double, percevait deux voix, distinguant à peine dans le brouillard deux femmes berçant des bébés. Deux voisines la portèrent jusqu'au lit ; la sage-femme s'approcha et la rassura : les deux bébés, une fille et un garçon, étaient bien formés, vivants, en bonne santé. Souhaitait-elle les prendre ?

— Deux ? sanglota-t-elle.

Jehanne comprit la rumeur affligée autour d'elle. Ce n'était point tant la charge de deux qui affolait. La maisonnée présente baissa les yeux en pensant à cette jeune femme catholique qui donnait naissance à un enfant de pasteur et à un enfant de... Comment réagirait l'époux ?

***

François Gravé du Pont besognait à préparer une nouvelle expédition. Il avait manqué la saison de pêche et de traite l'année précédente, occupé qu'il était à servir le roi et la France. À son retour, il s'était activé à rassembler objets de traite et provisions, mais n'avait pu convaincre Pourcin du Mas d'utiliser son navire. L'autre éludait, inventait mille raisons qui n'éveillaient que suspicion. Le commandant ne possédait pas le tempérament pour s'interroger sur les obstacles inutiles que son partenaire installait entre eux. Il regrettait de ne pas disposer de son propre navire et se promit, à nouveau, de remédier à la situation.

Depuis son retour à Saint-Malo, un vent d'opposition soufflait constamment sur ses projets. Les commentaires et remarques caustiques au sujet de son engagement dans l'armée d'Henri IV étaient fréquents. Bien qu'il eût montré un comportement héroïque et que l'heure fût à la réconciliation, nombreux étaient ceux qui refusaient à Henri de Navarre l'honneur d'être roi et qui préféraient maintenir Saint-Malo en cité indépendante, dirigée par un gouvernement autonome qui, dans la confusion ambiante, ne rendrait de compte qu'aux seuls marchands. Tout effort pour renforcer la position du souverain s'apparentait, pour plusieurs, à une trahison.

Pont-Gravé affrontait sans crainte la controverse et le conflit. Il bravait l'adversité sur mer et sur terre, n'hésitait jamais à défendre sa position. Il était Malouin, certes, mais aussi Breton et Français. Son devoir, clamait-il, consistait à œuvrer pour la paix en soutenant le seul roi légitime.

Toutefois, il y avait plus dans l'antagonisme de certains à l'égard de Pont-Gravé que son soutien au roi. Tous connaissaient sa volonté de poursuivre le rêve de Cartier d'établir une colonie sur les terres qu'il avait découvertes. Depuis que Jacques Noël avait perdu son monopole et réduit ses activités outre-mer, Pont-Gravé apparaissait comme le marchand le plus motivé et le plus déterminé à porter à nouveau le flambeau du célèbre explorateur.

Or les marchands de Saint-Malo s'opposaient au monopole et à l'idée même d'une colonie outre-mer. Ils multipliaient les représentations auprès du parlement régional et auprès des conseillers du roi. Ils n'entendaient rien d'autre que libre commerce, sans obligation, sans concession. Les marchands de Brouage, de La Rochelle, de Saint-Jean-de-Luz affrétaient chaque année des centaines de navires à la pêche et, pour plusieurs, au commerce des fourrures. L'octroi d'un monopole signifiait la perte de cette activité très lucrative ou l'obligation de paiements de droits au détenteur du privilège. L'opposition grondait et même son partenaire, Michel Pourcin du Mas, affichait sur la question une position désolante. Il était contre le monopole à moins qu'il ne fût pour lui et, en cela, il n'était pas le seul.

Par contre, Pont-Gravé affirmait la sienne, claire et sans compromis : un monopole de traite des fourrures avec les Sauvages pour financer, établir et faire rayonner une nouvelle province de France et trouver un passage pour la Chine. Tels étaient son emblème et son intérêt de marchand, qu'il affichait contre vents et marées.

Il réussit toutefois à s'organiser, dénicha un petit bateau, s'entendit avec un autre pilote, reforma un équipage et s'activa à la préparation du voyage. Il fit le plein d'objets d'échange et,

198

comme il partait tard, il entendait voguer directement vers Tadoussac dans l'espoir d'être parmi les premiers à y rencontrer les Sauvages et à traiter avec eux.

À la levée du jour, profitant de la marée, son bateau sortit du port. Il fut accueilli par un vent nord-est qui le poussa rapidement au large. Il mit le cap sur le nord de la grande île de Terre-Neuve, une route moins encombrée, et, toujours porté par des vents favorables, après quatre semaines de navigation, les côtes rocheuses du Labrador émergèrent des brumes. Cette courte traversée constituait aux yeux du marchand une bénédiction du ciel.

***

Depuis l'accouchement, Saint-Hippolyte se butait à la porte de la chambre de son épouse. Il désirait vivement voir Jehanne et l'enfant dont il avait, même de loin, perçu les premiers vagissements. Mais on lui interdisait l'accès à la chambre et, à voir l'agitation du personnel de la maison, à entendre les conversations feutrées, à suivre les glissements pressés des sabots sur le plancher de pierre, il réalisait qu'un drame se vivait dans cette chambre. À plusieurs reprises, il était monté à l'étage, y avait perçu des pleurs, beaucoup de pleurs, des pleurs changeants…

Ce matin-là, il frappa à la porte. Annette ouvrit et, faisant écran, lui refusa l'entrée. C'en était assez ! N'était-il point le père et le maître de la maison ? Il la bouscula et surgit dans la pièce.

Il fit face au champ de bataille : la chambre, sans feu, puait l'humidité, la tragédie, la souffrance humaine. Sur le lit, Jehanne flottait dans les mêmes vêtements que lors de l'accouchement. Ses cheveux gras, ébouriffés, roulaient en cascades désordonnées sur son visage jaunâtre dans lequel s'évanouissaient ses yeux creux et rougis. La mère tira vivement le drap autour d'elle. Il s'avança, souleva la couverture. La vue des deux enfants le précipita dans une stupeur, que lui, le pasteur, l'ancien chanoine, le prêtre vertueux, l'enfant surdoué, n'avait jamais connue. Ses yeux sautaient de l'un à l'autre, n'arrivant point à trouver des mots, admirant trop de beauté dans le doux visage des enfants endormis. Il trouvait ainsi réponse à l'inconfort qui paralysait la maison depuis l'autre matin. Ne quittant pas les bébés des yeux, il chercha le regard de son épouse.

— Madame, ils sont magnifiques.

Elle leva ses yeux ravagés d'appréhension, balbutia et répéta, comme une comptine, entre sourires et larmes :

— Monsieur, ils sont de vous.

Le mari recula au pied du lit et se mit à marcher de long en large dans la pièce.

Tous savaient que deux enfants, nés en même temps de la même mère, avaient été conçus par des pères différents. L'existence de cette certitude populaire et la présence réelle des enfants dans sa maison frappèrent l'homme d'église en pleine tête, en plein cœur. Toute sa vie, il avait été étranger et peu présent au travers du genre humain. Il n'avait jamais officié de baptême de jumeaux. Lui revinrent alors les rumeurs d'enfants tués, délaissés, cachés chez des parents ou abandonnés au couvent. Aujourd'hui, sans détour, Dieu frappait sa propre maison. N'avait-il pas péché beaucoup pour encourir pareille colère divine ?

***

Geoffroy Fleuriot de Grangeneuve convoqua Pourcin du Mas qui, avait-il entendu, partait pour la mer du Nord. Le père eut grande peine à se tirer du lit. Il avait beaucoup maigri, il flottait dans des vêtements sans éclat mais tenait à être présent.

Il le reçut dans son bureau, délaissé, poussiéreux. L'âme du lieu se mourait lentement.

— Vous m'obligeriez cher ami, si vous pouviez arrêter à Amsterdam y déposer un message auprès de ma fille, lui confia le père, souffrant.

— J'en serais ravi, mais je ne comptais pas cette escale sur ma route, répondit l'avocat.

— La démarche est importante, reprit le père. Comme vous pouvez le constater, je ne suis pas au mieux. Je compte m'en remettre, mentit-il, mais qui sait, seule la divine providence…

Pourcin du Mas cacha mal son embarras. Il arrivait de Rouen où il avait pris attache avec certains marchands du lieu. Il cherchait à louer ses services pour le commerce des fourrures. Il s'était habilement vanté du voyage d'exploration effectué des années auparavant et de sa connaissance des tribus de Sauvages avec lesquelles il se faisait fort de traiter. En réalité, il voguait sur la réputation grandissante de Pont-Gravé, ne connaissant rien de plus que ce que ce dernier avait pu lui dire.

Puis il s'était rendu à Rennes rencontrer Troilus de Mesgouez, éminent courtisan, pour l'heure détenu dans la prison du duc de Mercœur. Mesgouez avait un avantage unique sur tous les commandants, affréteurs, propriétaires de bateaux en matière d'exploration outre-Atlantique : il s'était vu accorder, du temps d'Henri III, la propriété de toutes les terres neuves ainsi que le monopole du commerce et des pêcheries Un jour, cet homme serait libre et du Mas se croyait bien aviser de prendre attache avec lui dès maintenant. « Si le roi renouvelle le monopole du sieur, j'aurai une marmite de plus au feu », se disait-il.

— Je me fais devoir de vous rendre service, ne sommes-nous point amis et partenaires ? certifia l'avocat. Je comprends la situation et je suis honoré de la confiance que vous me témoignez.

Rien de plus faux que le dicton selon lequel l'argent n'a point d'odeur. Le sieur du Mas avait du nez.

— Vous connaissez toutefois, comme moi, qu'un tel déplacement coûte. Loin de moi de solliciter quelque faveur. Nous parlons entre amis. Il me faudrait trouver une cargaison à transporter. Laissez-moi voir, sur le port peut-être trouverais-je ?

— Accepteriez-vous une cargaison de vin pour ma fille ? Je récompenserai votre peine.

— Oh ! Cher ami, dans ces conditions… susurra l'autre, trop heureux d'une aussi rapide solution.

— J'aurai aussi une lettre pour elle.

Il toussa fortement, chercha son souffle et reprit :

— Je lui demande de revenir à Saint-Malo. Les jours me sont comptés. Mon dernier bonheur serait de l'avoir auprès de moi.

Les préparatifs ne traînèrent point et du Mas prit la mer avec une cargaison de tonneaux de vin payés par le père, d'une cinquantaine de barils de morue blanche et toutes les mauvaises intentions du monde.

***

Simon se présenta pour prendre des nouvelles. Le pasteur l'injuria et faillit même se ruer sur lui. Le jeune Juif, plus petit et malingre, retraita.

Depuis des jours, Saint-Hippolyte ratissait les recoins de sa mémoire. Il pourchassait un coupable qui le dégagerait d'un tribut trop lourd à porter. Ses pensées convergeaient vers un seul homme. Cet homme, ce Juif, lui déplaisait, le désobligeait, le déshonorait. Après le Christ, c'était lui maintenant que ce zélote, ce sicaire menait au pilori. Simon était coupable.

Peut-être non sans raison, devait-il reconnaître, car l'homme apportait à Jehanne de simples joies dont lui la privait : une présence, une joie de vivre, une aisance de l'être et de l'intérêt pour son négoce.

Ce constat lui revenait comme l'écho au cœur des montagnes. À son malheur soudain, il accrocha son désir maladif de vengeance, la colère de monsieur de Grangeneuve, le rejet paternel, l'exode forcé de Saint-Malo. C'est dans ce contexte que la citation de l'Ecclésiaste, qu'il relisait à l'occasion, prenait son sens.

Il avait abandonné l'Église catholique, mais n'avait jamais questionné l'homme qu'il était devenu. Il avait repoussé un lieu de pouvoir pour en rechercher avidement un autre. Il avait abandonné son habit de moine, mais l'âme et le cœur dessous demeuraient pareils. Il entretenait ses rêves de grandeur, de retour triomphal en France et l'ancien personnage craquait peut-être, mais tenait bon, malgré de rares efforts pour assumer ses responsabilités de père et d'époux.

Parmi ses initiatives heureuses – à vrai dire sous l'impulsion de quelques membres de la communauté –, il avait fondé et dirigeait une école pour garçons de bonne famille. Il y enseignait les langues anciennes, l'histoire du protestantisme et la doctrine de Calvin. Il offrirait éventuellement des cours de mathématiques, discipline qu'il connaissait peu mais pour laquelle il découvrait une utilité et même un agrément. Peut-être un jour trouverait-il un savant marin pour enseigner l'art de la navigation ?

La société autour de lui s'ouvrait aux nouvelles connaissances et à la relecture des auteurs anciens. Les valeurs protestantes germaient lentement dans les mentalités et Saint-

Hippolyte tirait fierté à participer à ce mouvement. Il avait redécouvert Érasme, moine de Saint-Augustin, comme lui jadis. Non point le catholique militant qui avait refusé de suivre Luther, mais bien l'humaniste, celui dont la quête de sens, la responsabilité individuelle et la recherche de la vérité constituaient la base de son enseignement. Ces réflexions, réalisa-t-il, le nourrissaient.

À l'occasion, il prenait avec lui son fils Geoffroy. Le garçon assistait aux enseignements, s'endormant souvent dans un coin de la salle sous la protection attentionnée des autres élèves. Jumelée à son ministère, cette activité apportait une nouvelle lumière dans sa vie, un début d'équilibre même s'il n'oubliait pas la France ni Saint-Malo. Le rêve de retour brûlait ainsi avec moins d'intensité.

Mais voilà, la présence de deux bébés constituait la confirmation indéniable du fossé que ses absences avaient creusé. Que dirait-on partout du pasteur partageant sa femme ? De la femme aux deux maris ? Avec un Juif, en plus ! Devait-il la répudier ? La renvoyer au couvent ? La maintenir recluse dans sa maison ? Donner la fille en adoption ?

L'âme tourmentée, il se retira et s'enferma dans la lecture des Saintes Écritures, cherchant un précepte qui lui apporterait quelque guidance, lumière ou soulagement. Dieu le lui refusa, comme pour le renvoyer à sa propre conscience ou à son propre tourment. Il n'arrivait pas à s'élever au-delà de sa condition d'homme pour embrasser celle d'époux et de père, bien qu'il n'éprouvât nul courroux envers Jehanne. Il l'aimait toujours et il croyait se reconnaître dans au moins la moitié de son œuvre.

***

L'avocat du Mas se présenta à Amsterdam, trouva preneur pour ses poissons et se rendit chez Jehanne, avec l'idée de lui vendre la cargaison de vin. Il tomba sur une porte presque placardée, une maison sans lumière qui suintait le malheur. Il apprit d'une servante le drame qui s'y jouait et qu'il ne pourrait voir madame cette journée, peut-être même jamais. Il revint fureter autour de la maison un jour ou deux, tel un renard flairant une piste.

Comme il nourrissait sans scrupule son commerce de la misère des autres et croyant en sa chance, il vendit le vin à son profit et le bateau sortant du port, il lança la lettre de monsieur Grangeneuve à sa fille à l'eau. De toute façon, il est déjà mort, se disait-il.

***

Durant plusieurs nuits, Guillaume de Saint-Hippolyte arpenta le territoire embrumé de sa propre conscience. Il retournait la situation ; le temps fuyait sans apporter de réponse ; sans lui indiquer une voie à suivre. Un matin, le corps ravagé par l'insomnie, il se présenta à la porte de la chambre, frappa et entra. Les deux enfants tétaient goulûment dans les bras de leur nourrice ; la vie, dans cette alcôve recluse, s'enracinait.

Qui était-il ? Le père, l'époux compatissant recevant, tel l'humble fidèle, le cadeau de Dieu, ou était-il ce cavalier de l'apocalypse brandissant l'anathème ? La maison retenait son souffle.

Il se coula auprès de son épouse et lui offrit sa main.

— Madame mon épouse, affirmez-vous, en votre âme et conscience, devant Dieu, notre Seigneur et juge suprême, que ces deux enfantelets ne sont que de ma chair et de ma lignée ?

Elle leva la tête, plongea ses yeux dans les siens. La catastrophe la dépassait et elle cherchait, désespérée, la bouée qui lui permettrait d'émerger, de vivre à nouveau, de faire vivre son monde. Elle avait toujours été droite, et elle pourrait, au miroir, faire face à sa conscience.

— Monsieur mon époux, devant Dieu et la Vierge Marie, mère immaculée de notre Seigneur Jésus-Christ, je vous jure qu'ils ne sont de personne d'autre que vous, affirma-t-elle.

Une grande chaleur couvrit l'âme de Guillaume. Il releva la tête.

— Acceptons le mystère de la création. Asséchez ce fleuve de larmes, dit-il avant de sortir sans autre commentaire.

Saint-Hippolyte ignorait comment la naissance de deux enfants du même ventre, en même temps, fut possible. Bien sûr, sa place dans le lit avait été vide longtemps. La possibilité de la paternité du juif Simon Pinto l'importunait, mais au plus profond de lui-même, il aimait Jehanne et il désirait la croire. Cette confiance, née jadis dans le secret du confessionnal, renforcée par leur idéal commun de justice, ne pouvait mentir, se redisait-il. Ses sentiments à l'égard de celle qui était devenue sa femme n'avaient cessé de croître, encore plus depuis qu'il avait réalisé combien sa propre traversée du désert et ses égarements des dernières années avaient pesé sur elle.

Pécheur parmi les pécheurs, il était bien seul dans la vie, sans frère, ni sœur, ni parentèle pour réchauffer son cœur, souvent en hiver. Pour un homme qui avait caché, trop longtemps, se disait-il, sous la chasuble, sa quête absolue, Jehanne était plus que son épouse ; elle était celle qui pouvait le rattacher à la vie.

Au fil de ses réflexions, il s'accrocha aux paroles de Matthieu : « Ne vous posez pas en juge, afin de ne pas être jugés ; car c'est de la façon dont vous jugerez qu'on vous jugera. » Il n'avait aucun droit de lancer la première pierre. Peut-être, par miracle et par amour, Dieu lui avait-il donné cette fille et ce garçon, ce présage, ce double cadeau du ciel, mais aussi cette double responsabilité. Il passait la mi-temps de sa vie. Après avoir tant reçu, avoir tant voulu reprendre, n'était-il pas temps pour lui de rendre, de redonner à la vie par l'acceptation de la volonté divine ?

Le lendemain à la première heure, Saint-Hippolyte se précipita au temple et écrivit un prêche pour le dimanche suivant autour de cette idée que l'homme est bien petit pour comprendre la volonté divine. Puis il se rendit à l'administration de la ville, et fit enregistrer les deux enfants à l'état civil. De retour à la maison, il ordonna à dame Anke de préparer Jehanne à se lever.

Il convoqua le personnel, monta, à l'étage, chercher son épouse, la sage-femme et les nourrices portant les deux enfants. Il apparut à la porte de la cuisine, ayant choisi le cœur de la maison pour la simplicité et la familiarité du lieu. Tous y étaient, même l'employé du magasin, celui qui roulait les barriques de vin à travers la ville. Ils semblaient tous morfondus à la perspective qu'un nouveau malheur frappe le foyer et la jeune mère que tous, à l'instant, aimaient.

✳✳✳

Lorsque le petit navire contourna la grande île et s'engagea dans le golfe, le commandant, comme il aimait le faire, se posta à la proue du navire. Scrutant l'horizon, humant l'air froid qui descendait du nord-ouest, il retrouvait des repères de plus en plus familiers. Le vent favorable tout au long de la traversée de l'océan tomba et c'est à petite allure qu'il s'engagea sur le grand fleuve. Il fut de nouveau submergé par ce sentiment unique de plénitude. Bien sûr, il y ferait des affaires, mais il y avait plus. La perspective de revoir celui qu'il qualifiait d'ami l'animait, et puis il y avait la beauté sauvage de ce pays, de cette nature autour de lui. Il s'y retrouvait, il s'y prolongeait. Le bateau mit cinq jours avant d'atteindre la baie de Tadoussac. Il mit ses marins à la pêche et attendit peu.

Pont-Gravé et Anadabijou se revirent avec le même plaisir printanier qu'ont les abeilles à retrouver les fleurs. Comme la fois précédente, le négoce s'installa. La chorégraphie reprenait, cette fois-ci plus spontanée, plus amusée et amusante. Le grand *sagamo* s'approcha et lui présenta une plume d'aigle provenant de sa propre coiffe. Il la piqua au chapeau du marchand. Celui-ci prit la plume blanche qui ornait la sienne et glissa la penne sous le ruban de cuir qui ceignait la tête du chef. Ils se sourirent.

Anadabijou se montrait avenant, de commerce agréable. Il apportait plus de fourrures pour avoir plus d'armes. Les discussions se déroulèrent sans ambages, chacun voyant son intérêt. Ses ennemis remontaient le fleuve et guerroyaient avec force pour s'installer de nouveau sur les rives du grand fleuve. Ils avaient attaqué de petites bandes du côté sud, mais une coalition de valeureux guerriers les avait repoussés. Reviendraient-ils pour s'en prendre aux Innus installés là où le fleuve rétrécissait ?

Par-delà le négoce, flottaient entre les deux hommes une posture respectueuse, une volonté de concorde et une curiosité aiguisée. Ils étaient différents de par leur apparence et jusque dans leur odeur, mais ils se ressemblaient dans l'intérêt pour l'échange et la découverte de l'autre. La complémentarité de leurs destins les rapprochait. Il n'était pas au bout de ses surprises.

***

Saint-Hippolyte s'avança devant la maisonnée rassemblée dans la cuisine. Il pria Jehanne et les deux nourrices portant les petits de le rejoindre au centre de la pièce. Annette poussa Geoffroy vers sa mère.

— Vous tous, écoutez-moi bien, déclara-t-il.

Il fit une pause. Le silence emprisonnait l'air. Entre ses mains à lui, il n'y avait pas que deux vies, mais bien des enfants de Dieu, une famille, une maisonnée tout entière, une descendance, sa descendance. Il reprit :

— Dame Jehanne et moi venons ensemble vous présenter nos enfants, Jean et Madeleine Saint-Hippolyte de Noailles, frère et sœur honorant mon nom et notre maison.

Il leva le ton.

— Je vous commande de les aimer comme Jehanne et moi les aimons, de les chérir comme nous les chérissons et de prendre soin d'eux tels vos enfants, car, comme le dit Timothée le prophète : « Si quelqu'un n'a pas soin des siens, et principalement de ceux de sa famille, il a renié la foi, et il est pire qu'un infidèle. »

Il promena son regard sur l'assistance, respira profondément et reprit :

— Rendons grâce au Seigneur des deux vies qu'il nous offre en présent. Avec nous tous, qu'ils soient de bons et fidèles chrétiens, aimant Dieu. Seigneur, nous te rendons grâces.

Les larmes aux yeux, une jeune chambrière se mit à genoux et se signa. Plusieurs l'imitèrent. Toutes reprirent en chœur : « Seigneur, nous te rendons grâces. »

Saint-Hippolyte posa fièrement quelques secondes avec les deux enfants avant de les remettre aux deux nourrices. Les employés les entourèrent, soulagés, libérés par ce dénouement inattendu, comblés de voir enfin les enfants admis au sein du monde. Les murmures de joie emplissaient la pièce, sur les joues émaciées de Jehanne roulaient de grosses larmes que seul un sourire retrouvé faisait fuir.

Le pasteur attira la sage-femme à part. Il lui tendit une bourse.

— Dame Anke, vos services ne sont plus requis. Vous pouvez partir. Que Dieu soit avec vous.

La sage-femme, émue, s'approcha des enfants. Elle toucha leur front, salua à la ronde et sortit, la paix dans l'âme et la joie aux lèvres.

***

Jehanne sortit de la maison pour la première fois depuis la naissance des jumeaux le 2 mai 1595. Elle marchait vers le port, aux côtés de Simon. Annette et Geoffroy suivaient derrière. La ville resplendissait sous le printemps, une foule souriante se pressait pour saluer le départ de l'expédition commandée par Cornelis Van Houtman en direction de l'île de Java. Le succès de cette expédition signifierait une avancée importante pour la marine marchande hollandaise et la prospérité de la ville. Elle représenterait la possibilité d'accéder aux épices et aux biens précieux des terres lointaines, et d'ainsi briser le monopole du Portugal.

Jehanne jubilait de voir enfin partir les quatre navires, dont les soutes, lestées de provisions et d'eau fraîche pour des mois de voyage, portaient tous ses espoirs. Simon et son oncle lui avaient avancé les ducats nécessaires à une participation à l'entreprise. Les plus pessimistes entrevoyaient un retour de douze pour un. En tenant compte de sa première mise de fonds, elle n'attendait rien de moins qu'un bénéfice de dizaines de milliers de ducats ou la valeur correspondante en produits. De quoi assurer le développement de son commerce et… acheter un bateau.

— Comment vous sentez-vous à voir ainsi partir la mission ? lui demanda Simon.

La commerçante revenait aux affaires. Au cours des derniers mois, elle avait eu suffisamment de temps pour réfléchir et réaffirmer ses ambitions. L'Orient devenait son horizon, mais son chemin pour l'atteindre passerait par l'Amérique.

— Comblée. Mais je le serai plus encore à son retour, répondit-elle.

— Patience, mon amie. Nous parlons ici d'une année.

Elle se contenta d'un demi-sourire. Une année ! Cela lui paraissait tellement long, trop long. Elle eût voulu les voir revenir céans, recevoir ses produits, encaisser l'argent, rembourser ses dettes, faire fleurir ses projets. Le retour marquerait le tournant de sa vie, comme commerçante et femme. Elle aurait des revenus, une position sur la place publique, les moyens de ses ambitions.

Le vent gonflait lentement les voiles et les bateaux sortirent du port. En tête, le navire de Van Houtman salua la ville en tirant trois coups des canons de tribord. La foule applaudit et commença à se disperser. En pays protestant, les célébrations avaient la joie courte.

Malgré l'événement heureux, Jehanne croyait sans cesse percevoir le regard des autres sur elle. Aussi ne sortait-elle jamais avec les enfants et instruisait le personnel de ne point les montrer ensemble. Pour les protéger, disait-elle. Par chance ces derniers, même en si bas âge, différaient autant que nuages au ciel.

Une livraison de vin était entrée la semaine précédente. Toutefois, un pessimisme prémonitoire l'habitait. Elle chercha un marchand du côté de La Rochelle ou de Bordeaux qui pourrait lui garantir des livraisons régulières en échange de tissus, de draps ou d'épices. Entre-temps, ses réserves s'épuisaient.

Elle pensa s'en ouvrir à son époux. Depuis sa décision concernant les jumeaux, ils s'étaient rapprochés, bien qu'elle craignît toujours l'annonce soudaine d'un départ. Pourtant, le pasteur faisait preuve d'assiduité auprès de sa famille et dans la conduite de son collège.

— Vous n'imaginez point, ma chère épouse, la somme de connaissances disponibles pour ces jeunes têtes. De ma vie, je ne pourrai en faire le tour, et je n'aurai pourtant de cesse d'y vouer mon existence, lui avait-il confié.

Il découvrait la joie liée à un univers plus intellectuel, lui rappelant ses propres années d'étude. L'ouverture des jeunes esprits au monde constituait ce qu'il pouvait faire de plus utile, du moins pour l'instant. Il en ressentait une intense satisfaction, qui compensait la modestie des revenus qu'il en tirait.

Surtout, il tentait d'oublier la France.

***

À la fin des discussions, le grand chef invita le marchand à le suivre. Ils grimpèrent sur les rochers entre la rivière et le fleuve. Il pointa au Français l'endroit où son peuple était installé sur l'autre rive, à la pointe nommée Saint-Mathieu par Cartier. Pont-Gravé compta rapidement une centaine de tentes et plus encore de canots renversés sur la grève. Le chef lui parlait lentement, joignant force gestes. Le Malouin, à défaut de comprendre tous les mots, voyait dans les yeux d'Anadabijou la fierté, la puissance tranquille d'un rocher résistant aux tempêtes.

Pont-Gravé dessina à nouveau sur le sol le parcours du grand fleuve. Le chef prit le bâton et corrigea le tracé. Il y plaça des îles, les points où les rives se rapprochaient, d'autres où elles s'éloignaient. Il ajouta quelques rivières qui s'y jetaient, sembla indiquer son village. Le marin lui expliqua qu'il voulait se rendre plus haut sur le fleuve et il lui demanda de l'accompagner. Peut-être ne comprit-il pas ? Il préféra ignorer l'invitation. En vérité, l'histoire du chef indien enlevé par Cartier habitait encore les mémoires. Il se contenta de tracer une ligne sur la carte et de signifier ce que Pont-Gravé comprit comme un avertissement : ne pas aller plus loin que le grand lac. C'était le pays de l'ennemi.

Il identifia une autre rivière qui descendait du nord avec de nombreux affluents.

— Anishinaabés, dit-il, en traçant sur le sol une forme humaine.

Il croisa les bras sur la poitrine puis serra ses deux mains ensemble. Il s'agissait là d'un peuple ami.

Le lendemain, le commandant laissa quelques hommes sur le rivage pour apprêter le poisson et fit lever l'ancre. Il partit en barque, à petite voile, remontant le fleuve, accompagné d'un jeune guerrier qu'il avait promis de ramener. Le temps lui était compté et, face au vent d'ouest qui soufflait en la saison, il progressait lentement. Il ne s'en offusqua point, bien qu'il fît résonner en quelques occasions aux oreilles des marins sa voix tonitruante, tempêtant contre la lenteur du navire. Ils longèrent l'île aux Couldres, s'engagèrent vers la rive, là où le fleuve rétrécit. Il contourna l'île de Bacchus, nommée ainsi à cause des vignes qui y poussaient en liberté. Il s'approcha de la côte pour mieux explorer le rivage, s'avança vers la rivière Saint-Charles, en explora l'embouchure, là où le premier explorateur et sa troupe avaient passé l'hiver de 1535. Il mit pied à terre et explora le lieu.

Sous un promontoire qu'il gravit, une large plaine couvrait la rive. De là, il constata combien ce lieu permettait de surveiller le fleuve dans les deux directions. En contrebas, une forêt de frênes vigoureux, de bonne dimension, peuplait la plaine. Il retint l'utilité de ce matériau de bonne qualité pour la construction d'habitations. L'endroit était des plus propices à l'installation d'un établissement permanent et au travail de la terre.

Il reprit la navigation et poussa plus avant, longeant toujours la berge de près. Il ne vit aucune trace de présence humaine avant d'atteindre la rivière de Fouez à l'entrée du grand lac Saint-Pierre. La barcasse contourna lentement les îles et îlots à l'embouchure de la rivière. Il crut y voir des zones déboisées, des traces de feux et de campements récents. « Mal mer ! Ont-ils fui par devant nous ? » Il se dirigea vers la grève en aval des îles et descendit à terre.

— Voilà un beau pays pour établir un peuple ! s'exclama-t-il en contemplant le paysage autour de lui. Son regard portait jusqu'à l'autre rive, toute proche.

Il goûta l'eau et constata qu'elle n'était plus salée. Les marins pêchèrent nombre de poissons à chair blanche qu'ils grillèrent sur la berge. La nuit était belle et Pont-Gravé passa celle-ci sur le gaillard, avec le jeune Sauvage, à l'affût du moindre signe de vie sur les rivages ou sur le fleuve. Il eût souhaité ici établir un contact, une nouvelle relation. Pouvait-il poursuivre sur le fleuve, se rendre aux rapides, trouver un passage pour contourner ces derniers ?

Le lendemain, le ciel se chagrina ; la saison avançait et les arbres tournaient au rouge. À regret, il prit le chemin du retour. Il retrouva ses hommes, y laissa le jeune guerrier et salua

Anadabijou. Les marins firent des provisions d'eau et de viande puis, quelques jours plus tard, il fit déployer les voiles. Le navire tourna le dos au pays et laissa Tadoussac derrière. À Saint-Malo, il régla ses comptes avec Grangeneuve, qui lui avait avancé les fonds. L'automne fut tardif, épargnant les habitants de la ville des vents glacés. Une rumeur courait dans la cité : l'infatigable collectionneur d'échecs, comme certains l'appelaient, Troilus de Mesgouez, sieur de La Roche, recouvrerait la liberté sous peu et s'installerait dans la ville. L'année se terminait, le siècle s'épuisait, mais combien de surprises réservait-il encore ?

1596

— Nos chers élèves, monsieur, reçoivent quatre périodes de cours par matinée, suivies d'une période de lecture et de travaux personnels.

Jehanne s'était arrêtée dans la rue le long du Keizergracht au collège de Saint-Hippolyte qui occupait le deuxième étage d'un bâtiment de pierre, prêt d'un généreux donateur. La large façade était percée de hautes fenêtres, comme pour y faire entrer tout le savoir du monde. Guillaume y avait fait aménager trois salles de classe et un grand bureau à l'arrière, qu'il partageait avec les autres professeurs.

Elle le trouva expliquant à un homme, accompagné de ses deux fils, le fonctionnement de l'institution. Il tenait de telles rencontres tous les jours tant l'intérêt de la population était grandissant. La ville bouillonnait d'audace et la révolution des esprits en cours se traduisait, entre autres, par une soif intarissable de savoir.

Guillaume rassura l'homme sur la moralité des maîtres et sur leur entière disponibilité auprès des élèves à toute heure de la journée. Le collège était exigeant, la discipline stricte et assumée, car Saint-Hippolyte y voyait, non pas une nécessité mais bien une contingence de l'enseignement. « Le collège n'existe pas pour inculquer la discipline. Mais la discipline garantit l'enseignement, la liberté d'apprendre », précisa-t-il.

216

Les enseignements, d'ailleurs, étaient de première qualité et le collège commandait un prix élevé, surtout accessible aux bien nantis, même si Saint-Hippolyte se permettait à l'occasion d'accueillir un élève talentueux de parents moins fortunés. Le nombre d'élèves augmentait, surtout depuis qu'il avait ajouté à ses cursus de culture classique et de mathématiques de nouveaux cours telles l'astronomie et la géographie. Malgré tout, le pasteur peinait à joindre les deux bouts, malhabile aux affaires d'argent.

— Vous devrez songer à agrandir votre collège bientôt, suggéra Jehanne à son époux après le départ de l'homme.

— Je me demande s'il n'est point préférable de demeurer modeste, glissa le pasteur-enseignant.

— Vous, modeste ! Cher époux, vous vieillissez bien vite.

Avait-il fait le deuil de ses anciens horizons, ou ceux-ci avaient-ils disparu dans les brumes de la vie ? Acceptait-il que ses rêves de prophète s'écrasent sur le banc moins glorieux d'un collège anonyme ? En vérité, la vie du moment lui apportait quelques joies, qu'il cueillait, se considérant pour l'instant en réserve de l'avant-garde de l'armée de Dieu.

— Madame, vous me semblez bien chagrine, dit-il.

Jehanne s'ouvrit :

— Je n'ai rien reçu encore aujourd'hui. Aucun navire n'arrivant de Saint-Malo. Rien pour moi.

Elle avait tardé à se remettre au travail après l'accouchement, rêvant du retour de Van Houtman, et ainsi elle avait peu insisté auprès de son père. Aujourd'hui, elle en payait le prix, n'ayant presque rien reçu depuis le mois de décembre précédent, en dépit de récentes suppliques. Les clients s'approvisionnaient ailleurs, son négoce de vin prenait l'eau.

— N'avez-vous point eu d'information de la mission de cet explorateur ? lui demanda son époux alors qu'ils regagnaient ensemble le foyer.

— Aucune ! Tous les marchands pensent qu'il nous faudra prier longtemps.

Elle avait, en pensée, vendu plusieurs fois sa prometteuse cargaison de produits exotiques, entretenant l'espoir d'une soudaine richesse.

— Une autre supercherie de ces Juifs. Ils ont pris votre argent. Vous pouvez l'oublier à jamais. Je n'ai pourtant eu de cesse de vous prévenir, soupira Saint-Hippolyte.

Jehanne laissa filer. La remarque mordait le peu d'optimisme qui lui restait. De toute façon, elle voyait rarement Simon et ce dernier lui manquait. Elle repensa à leurs derniers moments d'intimité. Moment fugace, frustrant. Elle s'imagina : « Le perdrai-je, comme Dreux ? »

***

19 mars, fête de Saint-Joseph, la foule se pressait à la sortie de la cathédrale. Le sieur Troilus de Mesgouez, marquis de La Roche, avait choisi le moment pour poser pied à Saint-Malo et signifier à tous son retour à l'avant-scène. Il demanda à être reçu par le conseil des conservateurs.

— Messieurs, déclara-t-il, je suis ici pour reprendre le flambeau de Jacques Cartier et restaurer la grandeur de votre ville.

Les quelques participants qui s'étaient déplacés constatèrent que les années de prison du sieur n'avaient en rien altéré l'opinion qu'il se faisait de lui-même.

218

Page à la cour d'Henri II, il était devenu, sous Catherine de Médicis, chevalier, capitaine et même conseiller d'État auprès d'Henri III. Le marquis avait accumulé les titres et les propriétés au gré des récompenses dont il s'était vu gratifié. En 1578, Henri III en avait fait son vice-roi de Terre-Neuve, avec plein pouvoir d'y gouverner, d'y établir une colonie, de céder des terres. L'homme n'était donc pas sans mérite.

Cette année-là, de la Roche avait monté une imposante expédition, mais son navire était tombé aux mains des Anglais dès la sortie du port. Il n'avait pu le récupérer qu'à fort prix. En 1583, il avait réalisé un fructueux voyage de pêche et de traite de fourrures. Fort de ce succès, il avait mis sur pied une société regroupant des commerçants de Saint-Malo et de Saint-Jean-de-Luz, caressant le projet d'établir une colonie. Trois cents colons avaient été recrutés, mais son bateau s'était échoué sur les côtes de France.

Dans les faits, ce gentilhomme breton pouvait s'emparer de tous les territoires en Atlantique Nord et en faire sa propriété personnelle. L'Amérique lui appartenait. Toutefois, douze ans après l'octroi du privilège, la mise en œuvre de son monopole allait de tentatives en échecs. Ses partenaires l'abandonnaient et, comble de malchance, depuis 1589, il avait croupi dans une prison du duc de Mercœur, féroce opposant à Henri IV qui occupait la Bretagne.

Aujourd'hui âgé de soixante ans, diminué physiquement par la longue détention, il tentait un retour sur le devant de la scène, bien décidé à faire prévaloir ses droits sur la France d'outre-mer et à rattraper fortune et temps perdus. Jouissait-il toutefois des mêmes privilèges, disposait-il des mêmes appuis, possédait-il la même énergie ? Plusieurs marchands en doutaient.

Il convoqua Pont-Gravé par billet. « Quelle manière ! Pour qui se prend-il celui-là ? » Le procédé hérissa le navigateur qui mit quelques jours avant de se présenter.

— Je vous sais sans navire, jeune homme, maugréa-t-il.

L'autre ne nia point.

— Sous mon autorité, je vous offre de prendre le commandement de la prochaine expédition, proposa-t-il. Vous dirigerez cette mission d'exploration, dont le but est d'identifier le meilleur endroit pour l'établissement d'une colonie. J'ai déjà plusieurs idées de lieux des plus propices. Vous savez, jeune homme, une île, loin des côtes pour éviter la menace des Sauvages et protéger mes droits, me semble tout indiquée. La mer fournira une large part des ressources nécessaires aux colons qui, bien sûr, bénéficieront également d'un ravitaillement régulier.

— D'où viendront vos colons ? interrogea le marchand.

Il se vit répondre que les prisons et les ruelles des villes regorgeaient de gueux et de malfrats pour qui une telle destination représentait la chance de leur vie. Pont-Gravé souleva quelques questions auxquelles l'autre répondit sans considération. La chose était entendue. Durant ses années de captivité, il avait cogité sur ses projets, si bien que ces derniers, véritable boule de neige dévalant la pente, avaient pris une enflure irréelle, mais résistaient mal au soleil d'une analyse experte.

Pont-Gravé l'assura du fait qu'il approuvait sans réserve le projet de colonisation, mais crut bon d'y aller de commentaires nourris de son expérience. Il remit en question l'idée de l'île coupée du continent. Il fallait, selon lui, un arrière-pays d'où tirer des ressources par la chasse, l'agriculture et surtout l'échange avec les Sauvages. De plus, il avait retenu de l'expédition de Dreux qu'un projet de colonie peuplée de bandits équivalait à remplir un poulailler de renards. Cette racaille méprisait le travail de la hache et de la charrue.

Il s'enquit des dispositions que La Roche comptait prendre pour contrer le froid et les nombreuses maladies qui frapperaient la colonie. L'autre se fendit d'un long discours et Pont-Gravé comprit que l'éminent personnage ne serait point du voyage, qu'à ses yeux, quelques vies se remplaçaient toujours.

C'était bien mal connaître le marin. Si Gravé du Pont songeait à un établissement, il y vivrait lui-même, souffrant, s'il le fallait, luttant avec ses hommes pour leur survie. Considérant que l'hiver glacial et la contagion constituaient les principaux obstacles, il s'étonnait que de La Roche n'en soit pas plus averti. Conséquemment, il conclut que ce projet constituait un cortège de condamnés à mort en sursis.

L'Atlantique Nord était au marchand malouin ce que la cour du roi était au sieur de La Roche. Au glorieux passé du noble personnage, Pont-Gravé pouvait opposer un présent rempli de voyages, d'opérations de négoce avec les Sauvages, de perspectives de colonisation et d'explorations sur le grand fleuve. Derrière l'horizon immédiat du pays à bâtir, il imaginait et échafaudait les plans d'un commerce prospère et d'un passage vers la Chine. Il s'obligea à la politesse et chercha la meilleure réponse à donner, pour lui.

***

À quatre pattes, le petit Jean traversa le magasin et sortit par la porte laissée ouverte par l'employé. Il se traîna dans la rue. Une domestique vit sa jumelle Madeleine marcher péniblement en se tenant au mur de la cuisine, elle chercha le garçonnet, étira le cou et vit au fond du couloir la porte ouverte sur la rue. Elle se précipita.

— Jean ! Jean !

Tous les employés coururent derrière la domestique qui déboula dans la rue. Le bambin à quatre pattes, le nez au-dessus du canal, regardait passer les embarcations. Les marins le saluaient, amusés de le voir si serein devant l'employée apeurée.

— Un futur marin ! cria un homme manœuvrant sa barque sur les eaux brunes.

Annette accourut, ramassa l'enfant d'un bras vigoureux, invectiva la jeune fille et lui asséna quelques vigoureuses taloches. Malgré les cris désespérés de l'enfant, Annette le ramena à l'intérieur. Jehanne apparut, le drame s'éteignait dans les bras de la domestique.

La commerçante avait délaissé la responsabilité des enfants à Annette. Celle-ci s'acquittait de sa tâche avec constance, sévérité, mais aussi avec beaucoup d'amour. Elle était à pied d'œuvre de la prime aurore jusqu'à leur coucher. Voyait à leur repas, à leurs vêtements, à leur bien-être, à leur santé. C'est vers elle que les petits regards d'instinct se portaient.

Maintenant âgés de près d'une année, les jumeaux avaient échappé aux terribles maladies. La fille s'affirmait et tout chez le garçon le rendait différent des autres : chétif, frêle, jusqu'à ses cheveux bouclés presque roux et ses yeux verts. Trop audacieux, curieux, énergique, singulier dans son comportement, dans sa façon de mener sa vie de bambin, il ne tenait en rien du frère aîné ni de la sœur ni des parents. L'évidence sautait aux yeux pour ceux avertis des origines, mais personne ne pouvait assurément pointer le père. Il semblait de nulle part.

***

Guillaume de Saint-Hippolyte fouilla dans le tiroir de sa table de travail, en sortit sa bible qu'il ouvrit, en tira le billet froissé rapporté de son passage à Noailles.

La note de son père était d'une tristesse accablante et chaque fois qu'il la tenait sous ses yeux, un désarroi immense l'envahissait. Une seule feuille, de courtes phrases brûlaient la passerelle de leur lien du sang.

Ce bout de papier lui remémorait qu'il n'avait jamais été le fils souhaité, que sur lui, l'amour paternel avait glissé sans s'attacher, que ses choix ne trouvaient pas grâce dans le cœur de ce père, ce dernier n'ayant jamais reconnu ses efforts à lui pour briller par l'âme et la parole, par le cœur et l'intelligence. Couvé par sa mère dès la naissance, Saint-Hippolyte avait toujours recherché, en vain, la chaleur dans les yeux froids de son paternel.

Celui-ci dépassait déjà les soixante-dix ans. Bien qu'il fût encore presque vert, le temps était compté. Les chênes les plus solides se couchent parfois sous un vent sournois.

Un jour, Saint-Hippolyte devrait se lever et affronter ce rejet, car tel que le lui rappelait la lettre de saint Paul aux Galates : « Si tu es fils, tu es aussi héritier par la grâce de Dieu. »

S'il ne pouvait redresser l'injustice immense pour lui-même, il le devait à ses enfants. Pouvait-il forcer ce père intransigeant à reconnaître qu'il n'y avait pas que sa voie à lui qui fût acceptable pour traverser la vie ? Trop suivre le chemin des autres ne creuse que des ornières, pensa-t-il.

Il replia la note et la remit à sa place. Il se promit d'en parler à Jehanne, d'y réfléchir à deux. Impérativement, justice devait être faite.

***

Bien des choses les éloignaient irrémédiablement. De La Roche faisait référence constante à la cour du roi, à ses nombreux titres, ses nombreuses possessions, tout en taisant, bien sûr, les exactions commises dans les villages et les abbayes sous son autorité et qui défrayaient la chronique. Hissant haut sa noblesse, il traita Gravé du Pont comme un vulgaire tâcheron de la mer, un mercenaire du négoce des autres, à qui il accordait le privilège de confier un gouvernail et de prononcer son nom.

C'était bien mal connaître le marchand-navigateur qui abordait la quarantaine avec assurance.

« Mal mer, cette aventure sent l'échec à plein nez. » Il informa le marquis de sa décision.

— Je n'accepterai pas votre proposition, monsieur. Je préfère lever ma voile moi-même et chercher le vent qui me convient. Ne souffle-t-il pas pour tous, mon bon sieur ? Je vous souhaite la meilleure des chances. Quant à moi, j'arrive de servir mon roi et s'il m'est encore possible de le faire, je voyagerai cette année. Et si Dieu me prête vie, j'en serai pour encore plusieurs saisons.

Le gentilhomme n'admit pas le fait que l'on pût refuser le privilège de sa compagnie.

— Vous le regretterez, jeune homme. Moi qui voulais vous rendre service… Rappelez-vous que je suis toujours le vice-roi des Terres-Neuves. Je vous en interdirai l'accès. De valeureux aventuriers prêts à accrocher leur fanion à mon mât, je peux en compter à la douzaine, s'offusqua de La Roche.

— Bonne mer, monsieur, je crois savoir que le roi Henri, le troisième, est mort il y a près de dix ans maintenant. Votre commission lui a-t-elle survécu ?

L'autre s'enflamma.

— Henri IV ne peut défaire ainsi les actes de sagesse de ceux qui ont porté dignement la couronne avant lui et Sa Majesté m'en assurera personnellement. Pour l'heure, on me demande à Paris, après quoi je m'installerai à Honfleur, là où les bons navigateurs sont légion et mieux disposés que vous, orgueilleux Malouin.

Pont-Gravé ne confronta pas le vieil homme. Il ferait son affaire, et s'il ne pouvait prendre la mer maintenant, il se préparerait pour l'année suivante. La Roche disparaissait et il crut cette distraction terminée.

Il se trompait. Le marquis, chez qui les années de prison avaient aussi aiguisé la rancœur, n'allait pas laisser passer l'affront. Le coup bas prit la forme d'une insidieuse manœuvre de Michel Pourcin du Mas, celui-ci mettant fin abruptement à leur partenariat. Il se prévalut d'une clause obscure du contrat d'association, qu'il avait lui-même rédigé, et qui permettait à l'actionnaire majoritaire de racheter à tout moment la part que Gravé du Pont détenait dans le navire *La Françoise*. Le marin fut chaviré.

— Mal mer ! Qu'est-ce que cette histoire, du Mas ? N'ai-je point toujours bien rempli votre bourse ? s'exclama-t-il. Pourquoi me faire pareil affront, me priver de mon navire ? Vous voulez me condamner au bissac ?

Du Mas évoqua de fausses vérités, obligea l'autre à signer les documents chez un notaire, déguerpit de la ville et laissa traîner le versement du paiement. Le marin tenta d'alerter monsieur de Grangeneuve, mais ce dernier, de plus en plus souffrant et affecté, ne fut d'aucun secours.

Du Mas retournait-il sa veste sous la pression du marquis ? Pont-Gravé enquêta durant plusieurs jours sans obtenir d'explication, enragea et menaça le diable d'avocat à tout vent. Assurément, la chose sentait la magouille, la rancœur, le règlement de compte.

Sa frustration s'accrut et vira à la colère dans la mesure où il ne put, dans les délais, préparer une nouvelle expédition. Il dut donc se résoudre à laisser passer une année, une année de revenus mais aussi une année de contacts avec ses nouveaux amis outre-Atlantique. Il n'y avait qu'une solution : posséder son bateau.

***

— Jehanne, soyez patiente, l'expédition est partie depuis moins d'une année, lui répondit Simon.

— Comprenez à quel point il m'importe de voir ces bateaux revenir. Vous savez, ces cales contiennent plus que mon argent. Elles portent mon avenir, un peu du vôtre aussi.

En cette fin de journée, ils traversaient le Damrak. Simon marchait derrière et il se demanda ce qu'il devait comprendre de cet avenir commun. Il prit des nouvelles de son négoce avec Saint-Malo.

— Rien, je ne reçois presque plus rien depuis des mois. J'ai écrit à mon père. Je n'ai reçu aucune réponse. Ceux de Saint-Malo, que je croise sur le port, sont peu loquaces. Je n'arrive à rien.

— Êtes-vous certaine que vos courriers lui parviennent ou que ses instructions sont exécutées ?

— Il est vrai qu'on dit mon père malade, mais mon frère est présent pour l'assister. Il dispose aussi d'employés, répondit-elle sans conviction.

Ils demeurèrent silencieux quelques instants. Simon s'approcha et lui murmura à l'oreille :

— Pourquoi ne pas vous y rendre et tirer l'affaire au clair ? Peut-être pourriez-vous, en plus, trouver d'autres partenaires ou d'autres affaires ? Rappelez-vous ce gros commandant qui souhaitait de la bonne bière dans sa ville ?

Il déroula son plus beau sourire et ajouta :

— Je pourrais vous accompagner, par mesure de sécurité.

Se rendre à Saint-Malo. La solution était là, mais quitter ses enfants et son époux, même temporairement, constituait un bien lourd fardeau à porter. Comment serait-elle accueillie ? Reviendrait-elle seulement d'un si long périple ? Où résidait le plus grand danger : le voyage ou la présence de Simon ?

— Je n'ai même pas d'argent pour faire le voyage, avoua-t-elle pour clore la discussion et éviter d'affronter son regard.

— Je vous en prêterai avec joie, répondit-il.

« Et creuser mon trou encore plus profond… » se dit-elle.

***

Le roi Henri ne manquait ni de volonté ni d'énergie. Il sillonnait le royaume, haranguait, exhortait, convainquait, parfois menaçait. L'année précédente, il avait déclaré la guerre à l'Espagne, dont les troupes occupaient encore la Picardie et la Bretagne malgré leur défaite à Crozon. Le trésor public à sec, Henri avait les mains libres mais vides. Il devait regarnir les coffres pour mettre en œuvre les mesures nécessaires à assurer la prospérité du pays. Aussi décida-t-il de s'attaquer à l'insoluble problème des finances publiques.

Il convoqua pour octobre 1596, à Rouen, ville ralliée récemment, une assemblée des trois États du royaume : la noblesse, le clergé et les acteurs économiques. Il comptait être sur place pour suivre de près le déroulement des délibérations et éviter tout débordement ou toute déviation de la ligne qu'il entendait y faire prévaloir.

Le 16 octobre, Sa Majesté fut accueillie par Claude Groulart, sieur de la Cour, président du parlement de Normandie. Catholique et royaliste, cet important personnage avait combattu la Ligue, fait déplacer le parlement à Caen lorsqu'en 1589 Rouen s'était soulevée contre Henri IV. Magistrat et savant, l'homme avait étudié les langues anciennes à Genève, ce qui le rendait suspect, pour certains, de sympathies calvinistes. Toutefois, il avait assisté à la conversion solennelle du roi en 1593 et rallié Rouen à la couronne en 1594.

Le roi, accompagné de sa favorite Gabrielle d'Estrées, avait réquisitionné, comme son bon droit le lui permettait, le logement du prieur de l'abbaye de Saint-Ouen, située à proximité du parlement. Chaque jour, il assistait à l'office de Tierce puis à la office divin, sauf le dimanche, où il se rendait à pied à la cathédrale pour entendre la grand-messe, jour où l'assemblée ne siégeait point.

Près de cent participants avaient été convoqués par missives royales. Prenant distance avec les intentions du roi, ils prirent le nom de notables. Sa Majesté s'en offusqua vivement. Toutes ces belles personnes accompagnées d'une suite, dont le nombre de participants dépendait de leur place dans la hiérarchie du royaume, investirent bruyamment la ville, occupèrent toutes les auberges, gîtes et maisons du centre de la cité.

Mécontent de n'avoir pu naviguer, Pont-Gravé se rendit à Rouen, à la même époque, pour prendre attaches avec des marchands-pelletiers, récemment installés dans cette ville et s'en faire des partenaires de l'exploration en France nouvelle et obtenir un financement pour ses expéditions ou pour acheter un bateau. Il découvrit la tenue des États généraux à son arrivée. Le Malouin trouva une petite chambre aux portes de la cité près de l'église Saint-Éloi. Il fit de longues promenades dans la ville et parmi le beau monde qui s'y agitait, un matin, il crut reconnaître les silhouettes de Troilus de Mesgouez, sieur de La Roche, et de l'infâme Pourcin du Mas. Ils étaient sûrement venus voir le roi dans l'espoir de confirmer titres et monopole, pensa-t-il. Il s'en ouvrit, avec inquiétude, à ses amis commerçants.

— Vous avez tout à perdre de la reconduction des privilèges du sieur de La Roche. Auquel cas, messieurs commerçants et pelletiers de Normandie, oubliez les belles fourrures du Canada.

— Pourquoi donc, l'ami Pont-Gravé ? s'enquit l'aîné de ceux qui assistaient à cette rencontre informelle.

— Belle mer, la chose est entendue ! De La Roche s'installe sur une île loin du continent. Aucun Sauvage ne franchira cette distance pour y vendre des peaux, alors qu'il y a des dizaines de bateaux basques qui naviguent près des côtes à la recherche de belles peaux. Le castor, le renard, l'ours, toutes les plus belles fourrures proviennent du pays situé au nord du grand fleuve. Il fera bloquer le chemin sur le fleuve et exigera des redevances exorbitantes.

— Cher ami, si ce que vous dites est vrai, il vous incombe de voir le roi vous aussi et plaider votre cause. Demandez-lui quelques privilèges. Vous savez, nous sommes acheteurs, de vous ou de Mesgouez, cela n'a aucune importance. Dépêchez-vous, nos informateurs nous disent que Sa Majesté compte, au cours des prochains jours, s'ouvrir à l'assemblée sur ce sujet.

— Messieurs, je suis marin, non point courtisan. Comment puis-je me rendre jusqu'à lui ? L'inviter dans une gargote de la ville ?

Les marchands se consultèrent, échangèrent des noms de personnes, en discutèrent la valeur. Ils firent apparemment consensus et le jeune Mathieu Garnier, fils du célèbre marchand de Paris, se leva.

— Nous croyons avoir trouvé votre homme. Monsieur, je vous accompagne.

Ils sortirent rue de la Tour de Beurre et prirent la direction du vieux marché. Le jeune homme s'arrêta à l'hôtel de Bourgtheroulde, résidence du banquier italien Bartolomeo Cenami, entre autres financier des marchands de Normandie. Il traversa la cour, comme s'il fût chez lui, et au bas de l'escalier, il fit signe à Pont-Gravé de l'attendre. Le marchand admira le décor grandiose de la cour intérieure. « Qui habite ici n'a point besoin de navires », songea-t-il. Il n'eut pas le temps de rêvasser davantage que le jeune Garnier revint vers lui, accompagné d'un homme de haute stature. À sa tenue vestimentaire, le Malouin comprit qu'il se trouvait face à un officier de l'armée royale, qui plus est de religion réformée.

Après de brèves présentations, le jeune Garnier s'éclipsa et l'officier invita Pont-Gravé à entrer. Tous deux prirent place sur des chaises commodément placées en retrait près d'une fenêtre. Pont-Gravé refit le cours des événements qui le conduisaient devant l'officier, mentionnant spécifiquement la question du monopole du marquis de La Roche et la suggestion des marchands locaux à l'effet de rencontrer le roi et solliciter une intervention dans le but d'assurer le développement des territoires outre-mer.

— Ne rencontre pas Sa Majesté qui le veut, susurra-t-il.

Il se présenta comme étant Pierre Chauvin, depuis peu sieur de Tonnetuit, gentilhomme ordinaire de la chambre du roi. Il était originaire de la ville de Dieppe et résidait maintenant à Honfleur où il prolongeait l'activité commerciale de la famille.

Honfleur, j'ai participé à la reprise de la ville, dit-il.

Au moment de cette bataille, l'autre rappela qu'il était occupé à maintenir l'ordre autour des cités déjà conquises de l'autre côté de l'estuaire de la Seine. Il s'apprêtait à quitter le métier des armes pour reprendre celui de marchand, tout en comptant sur la charge et les honneurs que le roi lui avait accordés.

Gravé du Pont débita ses années de service et ses entreprises aux Terres-Neuves. L'officier l'interrompit.

— Je vous quitte, monsieur, car il me faut prendre poste pour le passage du roi. Demain en milieu de journée, soyez devant la porte de votre auberge, ordonna l'officier. Je viendrai vous y quérir.

Le lendemain, Chauvin l'invita à le suivre. Ils longèrent côte à côte en silence le bâtiment du parlement. Les deux hommes étaient de même taille, mais de stature fort différente. Chauvin, mince et élancé, marchait d'un pas souple, tandis que Pont-Gravé poussait l'air devant lui du mouvement de ses courtes pattes et de ses grands bras. Les deux affichaient le même front haut, la chevelure épaisse et sombre, promenant un regard alerte et pénétrant. Si Pont-Gravé riait facilement, Chauvin se montrait sérieux et retenu. « S'il faut être triste et ne plus rigoler pour gagner son ciel, ma place en enfer semble déjà assurée », se dit le Malouin.

Ils traversèrent la place du marché, longèrent le bâtiment du parlement par la rue Saint-Lô. L'officier s'arrêta à l'arrière devant une petite porte enchâssée dans l'une des fenêtres à arc surbaissé.

— Comment savez-vous que le roi sortira ici ? demanda le Malouin.

— Sa Majesté entre, chaque jour, par la grande porte, et ressort, à l'heure de son choix, par cette porte dérobée, répondit Chauvin.

— Son horaire est-il connu d'avance ?

— En aucun cas. Certains jours, il participe à toutes les délibérations. D'autres, il ne fait que passer ou part lorsque les discussions l'encolèrent vivement. Pour le voir, il vous faudra faire le pied de grue.

Les deux hommes demeurèrent face à la porte, discutant de pêche et de traite, de navires et de commerce, laissant le temps couler. Tout à coup, une fenêtre dissimulée dans une colonne à mi-étage s'ouvrit et un écuyer, que la population appelait le coq, sortit la tête et cria : « Sa Majesté sort ! » Une porte claqua, un tumulte de soldats déferla dans la rue, les curieux s'approchèrent, le roi émergea de l'antre sombre, quelques gratte-papiers à ses trousses. Il se redressa dans la lumière, la mine affligée et le geste brusque.

D'instinct, Chauvin et Gravé du Pont reculèrent pour laisser passage. Le roi fixait devant lui, encore absorbé par les discussions du jour. Celles-ci avaient brûlé des heures, pour ne produire que fumée et Sa Majesté en ressortait très contrariée. À l'autre bout de la rue, devant le parlement, parvenait la clameur des discussions résonnant sur le pavé.

Henri IV tourna le dos à l'agitation et fit quelques pas. Chauvin se pencha pour le saluer. Le roi s'approchait.

— Ah ! C'est vous, Chauvin.

Il se retourna vers celui à ses côtés. Chauvin eut à peine le temps de se relever.

— Gentilhomme, dit-il en regardant Pont-Gravé, je crois vous connaître.

— François Gravé du Pont, Majesté. J'ai combattu pour votre gloire à Honfleur et à Crozon.

— Oui ! Je vous vois, le fidèle Pont-Gravé, le héros de Honfleur. J'ai aussi entendu de bons mots de mon ami d'Aumale, Dieu ait son âme, à votre sujet lors de la reddition de Crozon.

— Sire, vous me faites trop d'honneur. Je me suis conduit en soldat à votre service, voilà tout.

— Monsieur, comme nous tous, l'histoire vous oubliera. Prenez la gloire que le présent vous offre. Vous la méritez assurément. Que vous amène donc dans cette grisaille, mon brave ?

— Majesté, je m'attache à la France d'outre-mer. J'attends que votre honneur trace la voie de la nation.

— Enfin, quelqu'un d'intéressant. Gentilhomme, de quel pays êtes-vous ?

— De Saint-Malo, sire.

— Ah ! De ceux qui s'entêtent à fermer leur ville et promener leurs bateaux…

— Je ne suis pas de ceux-là, Majesté. Je suis marchand et navigateur au golfe et à la grande rivière en Canada.

— De quel parti pour la France nouvelle êtes-vous donc ? De ceux qui comptent écrémer le territoire sans prendre racine ?

Gravé du Pont, concentré à la discussion avec le roi, ne vit pas les deux hommes monter la rue d'un pas pressé et se glisser derrière lui. Ils cherchèrent à tirer le tapis à leur bénéfice. Le Malouin répondit :

— Je n'en suis point, sire. Je vais en ces terres depuis plus de dix ans. J'attends le roi qui me permettra d'y commercer, d'y installer nos gens, de bâtir villes et villages, d'étendre la gloire de Dieu et de la France sur ce territoire et de trouver la route qui nous amènera en Chine.

Le roi hocha la tête et lui toucha l'avant-bras.

— Quel programme, mon brave ! J'ai plaisir à entendre cette ambroisie. Revenez me voir à Paris en début de la prochaine année.

Pointant l'édifice, il rajouta :

— Et le temps que ces notables entendent raison.

Henri fit signe à un clerc, qui nota, et le roi reprit la direction de l'abbaye. De La Roche se plaça presque en travers du chemin du roi.

— Ventre gris, c'est la journée de la mer et des marins. Monsieur le marquis de La Roche, j'ai eu votre message. Voyez avec mon audiencier le sieur du Lac, il arrangera un rendez-vous. Je vous écouterai, monsieur, mais soyez bref.

Il fit un signe, les gardes se mirent en marche et le roi disparut, encadré de toutes parts.

Pont-Gravé se retourna, bomba le torse et se dirigea droit devant lui. Il n'était pas peu fier d'avoir été reconnu par le roi, et invité à Paris pour discuter de la Nouvelle-France. Il ne mit aucune précaution dans son pas et Pourcin du Mas dut sauter de côté pour ne pas être renversé.

Deux jours plus tard à l'aube, Pierre Chauvin se présenta rue Saint-Éloi à l'établissement où le Malouin logeait.

— Ce matin, annonça-t-il, le roi s'ouvrira devant l'assemblée de ce qu'il considère du devoir de la France d'entreprendre outre-mer. Vous aimerez y être présent, suivez-moi.

Pont-Gravé ne se fit pas prier et les deux marchèrent, comme deux généraux en campagne, rue des Juifs, vers le parlement. Une petite foule se formait déjà à l'entrée, que les gens du lieu appelaient « la porte des fouinards », du côté sud de la façade. Celle-ci donnait à l'étage, par un escalier abrupt, sur une galerie munie d'une estrade sommaire. Chaque jour, des chroniqueurs ou du petit peuple s'y entassaient avec fébrilité.

Chauvin, vêtu de son uniforme de soldat du roi, se fraya un chemin jusqu'à la porte. Il frappa jusqu'à ce qu'un capitaine de la garde l'entrouvrît. Il glissa son pied dans l'embrasure, le temps d'échanger avec ce dernier. Puis, ayant vaincu la résistance, il se faufila à l'intérieur. Non sans difficulté, le Malouin s'introduisit par la mince ouverture. Ils gagnèrent la galerie.

Peu à peu, les notables entrèrent, généralement par petits groupes déjà fort engagés dans la discussion. Chauvin identifia pour son compagnon les personnalités du royaume, sans se priver de commentaires souvent railleurs. Pont-Gravé admira la palette de couleurs qui se composait devant ses yeux. Quelques taches, de rouge cardinaliste, de plus nombreuses de pourpre épiscopal avec tout autour le foisonnement des habits chamarrés de la noblesse. On eût dit que tous se donnaient le mot pour imposer leurs vêtures colorées. Quelques habits noirs faisaient tache dans l'assistance. Le tableau rappelait que la paix et l'harmonie n'avaient point encore gagné tous les cœurs et les esprits.

Le temps passa ainsi jusqu'à l'arrivée du roi. Tous se levèrent et Sa Majesté prit place sur une chaise imposante posée sur un tréteau, encadrée de tentures bleues brodées de lys d'or. Il regarda la foule, fit signe à quelques retardataires de gagner leur place, les sommant de presser le pas.

Il balaya l'assistance du regard, salua ses proches conseillers, le duc de Sully, l'économiste Barthélémy de Laffemas, le marquis de Villeroy et le violent lieutenant général, Jean de Beaumanoir, tous assis au premier rang.

Les cardinaux et pères de l'Église, dont le recteur de l'Université de Paris, l'évêque de Rouen, celui de Lyon et d'autres, malgré des années passées à s'opposer au roi, occupaient les premières banquettes du côté droit. Puis, de l'avant vers l'arrière en rang d'oignons, la noblesse, en grande partie catholique, dardait un regard suspicieux sur celui qui, de coup de force en écus brillants, reprenait en main un pays trop longtemps à la dérive. L'amiral de Villars, gouverneur de Rouen, et Charles de Cossé-Brissac, gouverneur de Paris, tous deux bénéficiaires des largesses du roi, trônaient aussi au premier rang. Des chefs militaires, quelques clercs importants, marchands et roturiers occupaient les banquettes à l'arrière.

La mine de ces personnages ne reflétait en rien l'enthousiasme du souverain, peu d'entre eux affichant une franche sympathie à l'égard de ce dernier. La méfiance rampait, nombreux étant ceux qui souhaitaient le voir trébucher. Le sieur Groulart, président du parlement, se leva et, d'autorité, imposa le silence.

— Éminents membres du clergé, seigneurs et gentilshommes, Sa Majesté, notre roi Henri, par la grâce de Dieu, compte faire part d'une entreprise capitale pour la France d'aujourd'hui et celle de demain.

Il haussa le ton.

— Messeigneurs, messieurs les ministres, dévoués généraux, membres des parlements et de la cour, le roi.

***

Jehanne bouscula la porte de l'entrepôt. Rien pour elle. Ni vin ni épices d'Asie. La chute de ses revenus n'apportait qu'une colère paralysante. En cette fin d'automne, les bateaux s'attachaient aux quais, fuyaient le vent froid et humide de la mer du Nord qui balayait la ville. Les canaux gèleraient bientôt et la cité s'endormirait. Plus les jours seraient courts, plus ils mettraient de temps à passer. Et moins elle pouvait espérer une cargaison pour elle.

En refermant la porte, elle aperçut une caraque portant le drapeau français qui vacillait de l'autre côté du canal. Il était rare qu'un navire du genre s'aventurât si loin de son port d'attache et si profondément à l'intérieur de la ville. Elle gagna son bureau, s'attardant encore à la carte de Mercator, comme y cherchant une façon de faire revenir Van Houtman. Une domestique la prévint. Un homme, à la porte, la demandait. Monsieur Gravé du Pont ? espéra-t-elle, animée à l'idée de revoir le marin. Elle s'avança. Malgré les années envolées, elle le reconnut, faillit s'évanouir. Le visiteur mit un genou à terre, et se signa tant de la retrouver, il remerciait le ciel.

— Jacou ! Mon garçon !

Elle le prit par les épaules, le releva et le serra contre elle. Ils demeurèrent longtemps accrochés l'un à l'autre, les deux ne retenant plus leurs sanglots. Pour Jehanne, il ne représentait pas seulement l'enfant qu'elle avait tiré de la rue et sauvé d'une mort certaine, mais surtout celui qui avait aimé Dreux et réalisé mille prouesses pour adoucir les rigueurs de la captivité et prolonger ses jours. Maintenant jeune homme, qu'il était beau, de belle taille, le regard vif.

— Quelle joie immense ! Viens, viens, petit. Ne restons pas là. Entre. Allons à la cuisine. Viens manger, dit-elle sans qu'il puisse placer un mot.

Jehanne courait devant. Elle retrouva joie et énergie à voir l'homme qui ramenait Saint-Malo au centre de sa vie. Jacou la suivit, le pas traînant, noyé dans les émotions de ces retrouvailles.

Elle l'installa à la table, appela pour qu'on lui prépare à manger, lui offrit à boire et prit place en face de lui.

— Monsieur de Saint-Hippolyte arrive d'un moment à l'autre, dit-elle. Il sera ravi de te revoir, mon enfant.

Jacou et sa jeune sœur étaient de ces enfants de la rue, abandonnés au décès de leur mère et que Jehanne avait sauvés de la misère en les confiant à son père. La fille était morte. Le garçon était devenu ce beau jeune homme, au front large et découvert, aux yeux brillants. Brusquement, elle s'arrêta de parler, eut peur.

— Que fais-tu ici ?

À la demande de monsieur de Grangeneuve, Jacou avait quitté Saint-Malo à la hâte deux semaines auparavant. Pour tenir le voyage secret, il s'était rendu à Cancale et avait convaincu, non sans effort et en payant fort prix, le capitaine d'un petit navire de pêche côtière de l'emmener jusqu'ici.

— Je n'ai pas de bonnes nouvelles. Madame…

Jehanne se leva, pour mieux faire face.

— Mon père ! Monsieur mon père est mort, dit-elle, la douleur bouleversant déjà son visage.

— Je ne sais pas, madame, balbutia-t-il. Il vivait lorsque je l'ai quitté. Il m'a pressé de vous prévenir. Il est très malade. Avant de nous quitter pour l'au-delà, monsieur votre père prie pour vous revoir…

— Mon Dieu, Jacou ! Souffre-t-il ? Dis-m'en plus, je t'en conjure.

Ils parlèrent. Au bout des mots, elle n'avait d'autre choix que celui de se rendre à Saint-Malo ; le bateau attendait, elle fit prévenir son époux et Simon.

— Gardez votre colère par-devers vous, dit-elle, lorsque Guillaume de Saint-Hippolyte, en arrivant, voulut s'insurger contre la présence du Juif dans l'entrepôt. Le moment n'est pas à vos états d'âme.

Elle résuma les propos de Jacou, confirma qu'elle partirait, dès marée montante, le jour d'après. Elle pria son époux d'en informer Annette pour que celle-ci prenne les dispositions nécessaires et lui prépare quelques effets pour le voyage. Le pasteur se retira de mauvaise humeur.

— Soyez sans crainte, je veillerai à vos affaires, l'assura Simon. Et si Van Houtman revient ?

— Je vous signerai une procuration, ajouta-t-elle.

Après plus d'une année et demie, le retour de la flotte était imminent, les espoirs de richesses grossissant à la mesure des jours qui fondaient.

— Je vous ferai prévenir et je prendrai toutes les dispositions pour que vous receviez votre part. Partez tranquille.

Il s'approcha d'elle, frôlant ses cheveux du bout de ses lèvres.

— Je penserai à vous, soyez prudente et revenez vite, chuchota-t-il.

Il huma le parfum qui se dégageait de sa nuque. Elle pencha la tête, ferma les yeux, ne résista point. Le sort de son père, le départ, le voyage, l'absence. Reviendrait-elle ? Tout lui faisait peur, mais sa présence l'apaisa.

***

Le même jour, le roi s'adressa à cette assemblée hostile pour parler de ses ambitions à l'extérieur du territoire national. Il évoqua la détermination de François Ier, celui qui s'était opposé au monopole du Portugal et de l'Espagne sur les nouvelles terres, qui avait exploré la côte de l'Amérique, cherchant un passage vers la Chine, qui avait soutenu les expéditions de Jacques Cartier et du sieur de Roberval.

Lui, Henri IV, déclara-t-il, entendait marcher dans les pas de ce grand souverain, s'inscrire dans la réalité d'une France présente sur tous les continents.

— Ces terres nouvelles seront une source de richesse pour notre couronne comme elles le sont pour l'Espagne. Il vous appartient, nobles, marchands et gentilshommes, d'embrasser ce développement, de vous approprier le territoire, de le prendre pour le plus grand profit de la nation. Menez-y de valeureux parmi notre peuple, pour qu'ils y tiennent feu et lieu.

Le roi énonçait l'évidence. Le royaume avait besoin de ces terres nouvelles, mais ne disposait pas de ressources suffisantes pour prendre en charge leur développement. Il proclama l'aube d'une nouvelle France, non point celle du roi, mais bien celle des marchands, des conquérants et des aventuriers.

Enfin, il parla de la route vers l'Asie sur laquelle il déplora la trop longue absence de la France, de la nécessité de répandre la connaissance de Dieu, la lumière de la foi et de la religion chrétienne auprès des Sauvages tout en vivant en bonne intelligence avec ceux-ci.

Une fois son allocution terminée, le roi accepta quelques commentaires de l'assemblée. Ceux-ci l'attristèrent ; il partit vexé, mais résolu. Chauvin fit signe à son compagnon et les deux sortirent, gagnèrent un comptoir près du marché.

— Belle mer, monsieur ! La route vers cette Nouvelle-France est à nous, proclama le Malouin en levant sa chope. Il faut saisir l'opportunité.

— Vous y croyez ?

— Si j'y crois ! Il y a des années, monsieur, que j'y crois. Cependant, vous avez devant vous un marin sans bateau, un marchand sans produit, un explorateur sans cartes... Mais je connais le pays et je l'aime.

Pont-Gravé étala avec force détails et enthousiasme sa connaissance et son affection pour cette contrée lointaine. Il parla des lieux qu'il avait explorés, des gens qu'il avait rencontrés. Sachant s'adresser à un marchand, il insista sur la fourrure de castor.

— Connaissez-vous Mathieu Garnier père, à Paris ? demanda le marchand malouin.

Chauvin fit mine d'acquiescer.

— C'est le plus important marchand de fourrures, poursuivit-il. C'est l'homme qu'il faut connaître et j'entends bien lui rendre visite lors de mon prochain passage dans la capitale. Il s'approvisionnait auparavant directement de Cologne ou de la Moscovie. Il est de plus en plus intéressé par les pelleteries de la Nouvelle-France, principalement les peaux de castor. Je vous le dis, mon ami : oubliez la pêche ! L'avenir est dans le castor.

Chauvin leva la tête. Sa famille avait fait fortune dans le commerce avec l'Espagne et le long des côtes françaises. Prudent, il préférait, confia-t-il, être un gros poisson dans un petit bocal qu'un petit dans un grand. Il acceptait de gagner moins sans risque. Toutefois, il était pourvu d'ambition et n'ignorait pas que ses coreligionnaires étaient à l'avant-poste de l'aventure outre-mer. Il pouvait être présent au plus près du roi et il connaissait bien les réseaux de prêteurs, d'affréteurs et de commandants, si importants dans la conduite des affaires.

— Vous ai-je dit que je possédais quatre navires prêts à naviguer ? demanda le Normand.

— Belle mer, monsieur, quel cachottier vous êtes ! Moi qui me cherche un bateau depuis la trahison de ce damné Pourcin du Mas. Quand pourrons-nous frayer ensemble, mon ami ? J'en ai des fourmis dans les jambes.

— Passez me voir à Honfleur dès que vous pourrez. Nous reprendrons cette discussion.

Après la rencontre avec le roi au début de l'an prochain, promit le Malouin.

Les deux hommes allaient se séparer.

— Laissez-moi vous poser une dernière question, reprit Chauvin une fois dans la rue. Ce marquis de La Roche est breton. Pourquoi ne travaillez-vous pas avec lui ?

— Je me méfie du projet et du personnage, répondit sèchement l'autre.

Il partagea quelques brèves explications sur ce dernier, ses anciens privilèges et ses projets. Chauvin demeura septique devant les arguments polis du Malouin.

Toutefois, Pont-Gravé avait compris le sens de la question.

— Nul boulanger ne cuit un bon pain d'une vieille farine, se contenta-t-il d'ajouter.

Il n'avait pas à parler davantage. Il verrait le roi à Paris, obtiendrait pour lui des privilèges et mènerait sa barque comme il l'entendait.

***

Troilus de Mesgouez, marquis de La Roche, patientait à Rouen depuis trop longtemps. Malgré la gentillesse et la déférence de l'audiencier du roi, les portes de la salle, où le roi recevait, se refermaient toujours devant lui. Les jours passaient, l'ardeur de sa flamme s'éteignait et ce ne fut qu'au bout de l'espoir que, finalement, le roi le reçut, la veille de son départ pour Paris.

À peine relevé de sa révérence, La Roche se lança dans un laïus décousu, embrouillant son histoire et ses états de service auprès de la reine Catherine, ce qui lui avait valu titre et considérations. Il fit état de ses nombreuses tentatives pour mettre en œuvre ses privilèges, tut ses infortunes.

— Mon brave, l'interrompit le roi, je n'ai aucun pouvoir sur l'Histoire. Parlez-moi d'aujourd'hui, de demain et laissez dormir hier, nous aurons meilleur entendement. De plus, n'ai-je point exigé que vous soyez bref ?

— Votre Majesté, j'aurai grâce du respect de la commission que feu votre cousin Henri III, que Dieu ait son âme, fit à votre humble serviteur en le nommant vice-roi, gouverneur et propriétaire des Terres nouvelles et des terres de la rivière de Canada.

Le roi se leva, lui fit signe de se taire, marcha de long en large dans la pièce puis revint face au visiteur. Il lui posa une main sur l'avant-bras, comme il savait si bien le faire lorsqu'il voulait être entendu et compris.

— Monsieur, évitez-moi ce baratin. Vous n'ignorez pas que le roi est propriétaire de toute commission et qu'il ne tient qu'à lui de les voir… se poursuivre ou mourir.

La Roche soupira, l'air inquiet.

— Sachez, monsieur, reprit-il, qu'avec le temps même l'or s'assombrit. Vous me parlez de vous, soit. J'aimerais vous entendre parler de la France et des projets de son roi, de ces terres où vous bâtirez des villages, des enfants français qui y verront le jour. Sachez que vous n'êtes plus seul attiré par cette partie lointaine de la France.

Le roi se remit à battre le plancher de la pièce d'un pas fébrile. Il gouvernait debout, puisait sa force dans l'action. La Roche brûlait de parler, mais ne pouvait le faire sans y être invité par le souverain. Il s'énervait en silence. De longues secondes coulèrent. Le roi reprit :

— Vous pouvez disposer, je vous ai entendu.

La plume d'un scribe gratta le papier. Penchant la tête à droite, l'audiencier se leva et dirigea résolument La Roche vers la sortie. Du Mas marchait derrière.

— Le roi vous fera savoir, chuchota-t-il et, se tournant, il fit signe à un groupe de nobles d'entrer dans la pièce. Il referma la porte derrière les visiteurs.

— Nous ne sommes guère avancés, grommela La Roche.

— Mais si, tout va bien, chuchota l'avocat du Mas. Laissez le roi régner, mon ami. Sinon, que ferait-il ? Nous le reverrons à Paris dès son retour. J'ai ce du Lac bien en manche maintenant.

— Si vous le dites, murmura La Roche, mais ce roi n'est pas un Valois.

Il marqua une pause. Que pouvait-il faire d'autre pour reprendre place sur le parterre de ceux qui comptaient, comme au temps où il marchait aux côtés de la reine mère ? Il songea aux frais importants engagés pour cette rencontre, si brève. L'avocat Pourcin du Mas méritait-il sa confiance ?

— Partons pour Honfleur demain. Je compte y récupérer une créance de cinq mille écus et organiser le premier voyage. Tâchez de savoir ce que Pont-Gravé pouvait bien faire ici. Il a même vu le roi avant nous.

— N'ayez crainte, ce n'est qu'un marchand enfiévré d'idées de grandeur. Comment le roi pourrait-il faire confiance à ce tapageur, cet ivrogne, pêcheur de morue, ami des Sauvages ?

— A-t-il osé demander une faveur ? Tout de même, il faudrait voir à le neutraliser, répliqua La Roche.

— N'ayez crainte, nous y avons pourvu.

***

Le roi quitta Rouen le 18 novembre, gagna Paris par la Seine, sa garde rapprochée craignant pour sa sécurité. Les résultats

244

étaient bien maigres. L'assemblée n'endossait aucune augmentation d'impôts, ce qui laissait le trésor public en piteux état. Henri IV pestait contre la noblesse, qui refusait de s'engager pour lui. Il avait pourtant tout tenté : l'adjuration de sa foi protestante et la conversion au catholicisme, reçu la couronne royale, conquis Paris sans émeute ni répression, malgré les opposants et l'occupation des Espagnols. De plus, il avait obtenu l'absolution pontificale puis l'adhésion de plusieurs adversaires, dont le duc de Mayenne, chef des ligueurs, à fort prix il est vrai. Ceux qui continuaient de se battre ne le faisaient que pour négocier une compensation plus importante pour leur ralliement. Plusieurs chefs protestants l'avaient abandonné ; certains complotaient contre lui. Les rumeurs d'attentat se multipliaient. Pierre de L'Estoile, le célèbre chroniqueur de Paris, rapporta avoir appris la rumeur à l'effet qu'un célèbre oracle d'Amsterdam prédisait, avant la fin de l'année, l'assassinat du roi Henri IV durant son sommeil. Il en informa Saint-Hippolyte qui s'empressa de faire enquête pour démasquer l'auteur de cette forfanterie. Il réalisa qu'il s'agissait d'un autre ragot, davantage souhait que menace, et s'en ouvrit à son ami de Paris.

***

— Belle mer ! Le vent de changement nous donne belle allure, raconta Pont-Gravé à ses amis marchands de Saint-Malo. Je verrai le roi à Paris et, surtout, notre souverain appuie un projet de colonisation basé sur la richesse des nouvelles contrées, promu et réalisé par des intérêts privés. Serez-vous de la partie ?

— Les seules richesses connues et accessibles nagent dans l'océan, rétorquèrent-ils.

Pont-Gravé aurait souhaité trouver des partenaires parmi ses concitoyens marchands malouins, et avec eux, lever des capitaux, engager des capitaines et trouver des volontaires pour aller s'installer là-bas. Il n'entendait que périls et difficultés, que lui, familier, trouvait surmontables. Un seul obstacle le laissait songeur. Il craignait l'hiver, auquel il ne s'était jamais mesuré.

Avec l'hiver, la terrible maladie. Les dents se détachaient une à une, les gencives pourrissaient, les jambes enflaient, la mort frappait rapidement. Comme la maladie attaquait la bouche, plusieurs blâmaient la nourriture. Ou peut-être l'inactivité engendrée par l'hiver, les montagnes de neige qui paralysaient les hommes ? Pourquoi les Sauvages survivaient-ils, eux, tandis que les Français, bien en chair, tombaient comme des mouches ? Il avait lu la relation du voyage de 1535 de Cartier. Vingt-cinq vies s'étaient envolées sans que personne ne pût les retenir. Les Sauvages, avisés du malheur, avaient concocté une infusion d'écorce et de feuilles d'arbres qui avait protégé le reste du groupe. Le journal de Dreux relatait pareille information.

L'hiver. C'était bien là l'ennemi, l'adversaire sournois et malveillant qui se payait en douleurs et en vies humaines, celui qu'il fallait vaincre en premier.

**

Avant d'embarquer avec Jacou pour Saint-Malo, se rappelant la suggestion de monsieur Gravé du Pont, Jehanne prit avec elle six tonneaux de bonne bière locale. La barque gagna le bassin du port en début d'après-midi. Quatre marins d'âge divers et le capitaine étaient à la manœuvre. Ils connaissaient leur métier et la mer, chacun s'activait en silence à sa tâche. Les deux plus jeunes échoppaient l'eau qui s'infiltrait ou roulait par-dessus le plat-bord. Les deux plus vieux manipulaient les agrès sous les ordres du commandant. Le navire longea la côte et, poussé par un vent Nord-Est qui glaçait, le capitaine mena l'allure. Jehanne et Jacou passèrent la majorité du temps dans un petit réduit sous le pont avant ; elle était toute à son arrivée à Saint-Malo.

Jehanne voulait croire que les difficultés qu'elle vivait n'étaient que temporaires. Une fois son père remis, elle clarifierait la question des livraisons de vin en échange de la vente des épices. Une collaboration efficace avec son frère relancerait l'entreprise familiale. Elle avait tant à partager : ses rêves, ses ambitions de bateau, de nouveaux commerces, même de route vers la Chine. Ils s'aideraient.

Après six années passées au loin, l'idée de retrouver sa ville la réjouissait et l'apeurait à la fois. Elle tenta de rattraper, auprès de Jacou, un peu de ces années, mais le fossé était trop large, trop profond. Le jeune homme déploya les efforts et mots choisis pour la rassurer et lui faire comprendre. Cela aurait dû l'alerter. À tout peindre en rose, les zones d'ombre se profilent d'autant plus menaçantes.

Saint-Malo ramenait aussi Dreux dans sa vie. Le temps faisait tristement son œuvre, cicatrisait sa blessure mais e le souvenir de cet homme s'accrochait à son cœur. Son père détenait-il la réponse à ses questions ? Elle jugea nécessaire de profiter de la présence de celui-ci pour conclure l'histoire, si une conclusion était possible.

Lorsqu'elle vit le rocher gris prendre forme à l'horizon et les remparts de la ville émerger de la brume, les larmes lui montèrent aux yeux. Elle tint le bras de Jacou, bouleversée et cherchant un appui, tant, dans son cœur, bonheur et crainte se livraient bataille.

Le navire accosta, les marins jetèrent les amarres. Jehanne n'attendit pas la passerelle ; elle sauta à terre et se précipita, d'un pas chancelant.

— Madame ! Madame, attendez !

Dans sa course, elle humait le mélange unique de l'odeur des rues et de l'air salé du large. Dans sa ville, elle respirait.

Elle franchit sans encombre la Grande Porte, monta la Grand'Rue, tourna dans la rue de la Vieille-Boucherie. Elle n'avait d'yeux que pour les nouvelles constructions, magasins et maisons imposantes. Sept ans, sept longues années écoulées depuis son départ. Les rues grouillaient de gens, elle cherchait des visages connus, des revenants de son enfance. Elle faillit s'arrêter ici ou là, mais la perspective de voir son père la poussait. Elle pressa le pas, arriva rapidement devant la maison et fut prise d'émoi en posant la main sur la poignée. Elle reprit son souffle.

La porte était verrouillée. Elle tira sur l'anneau rattaché au marmouset, celui de son enfance, représentant un diablotin sur un disque de soleil. À Saint-Malo, c'était le seul ouvré ainsi. Elle frappa et attendit. Elle frappa de nouveau. Rien. Elle se reprit encore. Rien. Elle eut peur. Jacou arriva en courant.

— Madame, par ici. Monsieur votre frère n'ouvre la porte sur la rue que pour lui, murmura-t-il.

— Comment fait-il pour les marchandises ? répliqua-t-elle.

Elle n'obtint pas de réponse.

Il l'invita à le suivre. Ils contournèrent l'édifice par un passage longeant la maison voisine. Jacou manipula un loquet, ouvrit une porte donnant sur un couloir. Elle ne connaissait pas cette discrète entrée. Ses yeux mirent quelque temps à s'habituer à l'obscurité.

— Montons à l'étage. Monsieur mon père doit être à son bureau, suggéra-t-elle.

Des pas lourds résonnèrent dans son dos. Elle se retourna.

— Il n'y a plus de père pour toi ici, grogna Guillaume Fleuriot.

Jehanne sursauta. À contre-jour au bout du corridor par où ils étaient entrés se tenait son frère, le pourpoint sombre, débraillé, la démarche titubante.

— Tu arrives trop tard, ingrate. Père est mort et enterré, marmonna-t-il.

— Oh, mon Dieu ! Quand ? Quand ?

— Tu as refusé de venir le voir alors qu'il t'a fait prévenir.

— Comment ? Je n'ai été prévenue que par Jacou.

— C'est faux. Pourcin du Mas s'est rendu à Amsterdam pour t'informer de l'état de santé de monsieur notre père et tu ne l'as pas reçu.

Jehanne ne put en croire ses oreilles. Qu'avait donc répandu ce du Mas sur son compte ?

— Tu as fui Saint-Malo, tu as renié notre religion, tu as choisi de vivre dans le péché avec un chanoine défroqué. Notre famille ne méritait pas pareille infamie. Tu l'as fait mourir de honte et de chagrin. Sors de ma maison, tu n'as plus ta place ici. Dehors, immédiatement !

Elle reçut ce déferlement au creux du ventre.

— Voyons, Guillaume, ne dis pas de telles choses. Je suis toujours catholique et pratiquante.

— Toi, petit voyou, reprit-il se tournant vers Jacou, fous le camp d'ici. Tu es parti sans ma permission. Retourne dans la boue de la rue d'où tu n'aurais jamais dû sortir.

Le frère parlait d'une bouche pâteuse, les lèvres lourdes telle une paupière chargée de sommeil. Il posa une main au mur. Son pourpoint portait des traces de nourriture, des coulisses de vin.

Elle n'arriverait à rien avec lui. Jehanne s'approcha et lui prit le bras pour le soutenir.

— Je vous vois très affecté, mon frère. Pourquoi n'allez-vous pas vous reposer et nous reparlerons de toutes ces choses dont les années passées loin l'un de l'autre nous ont privés.

Il se libéra d'un brusque coup d'épaule, tourna le dos et, toujours titubant, partit en maugréant.

— Courons au cimetière, souffla-t-elle.

Dès leur arrivée, Jehanne s'agrippa à la porte grillagée du caveau familial et donna libre cours à un torrent de larmes. De parents, elle n'avait connu que ce père, sa mère étant morte en couche alors qu'elle n'avait que trois ans. Si le rocher de Saint-Malo était son lieu de naissance, son père était le phare sur le rocher de sa vie. Cet homme bon et généreux savait imposer le silence au tonnerre, le calme à l'orage, arracher le soleil aux nuages. Il n'y avait eu aucun moment de sa vie qu'il ne fût pas là pour elle, présent à ses victoires comme à ses défaites et, sans leçon ni morale, suggérant un chemin qu'il n'avait jamais ouvert pour elle, mais lui donnant la force de le défricher elle-même. Elle tenait tout de lui, rien qu'elle ne lui dût point.

Les larmes roulèrent sans fin sur ses joues et ils ne quittèrent le cimetière qu'à la nuit tombée.

Au cours des six jours suivants, elle revint sur la sépulture de son père, faisant de ce devoir un rituel qui, peu à peu, la purgea de ses larmes. De la douleur émergeait lentement le legs moral qu'il lui laissait, la conscience de la vie à poursuivre et de ses responsabilités envers sa propre famille.

Malgré qu'elle fût arrivée trop tard, elle souhaita qu'il eût pensé à elle, qu'il lui ait préparé un petit pécule d'espèces sonnantes et trébuchantes. Elle en avait un grand besoin. Au fil des jours, à force d'y penser, cet espoir se transforma en quête, puis en certitude. Il ne pouvait être parti sans lui avoir laissé quelque fortune. Durant cette semaine de recueillement, elle évita son frère et crut qu'il se comportait de même à son égard. C'était mal le connaître. Un soir en rentrant, elle entendit du bruit dans le magasin ; elle y courut et trouva son frère tentant de percer un tonneau de bière.

— Il n'y a jamais eu de bière à Saint-Malo et ce n'est pas ma famille qui la fera entrer. Nous sommes Bretons. Cidre et le vin. Ça suffit !

Elle put l'arrêter avant qu'il n'ait fait quelque dommage. Le lendemain, elle courut les tavernes de la rue de-la-Soif pour placer ses précieux tonneaux. Rien n'était gagné, son frère n'était jamais loin.

Quelques jours plus tard, après la célébration d'une messe solennelle en la cathédrale pieusement offerte par les amis du défunt, les hostilités reprirent. Guillaume porta la charge.

— Il n'y a plus de raison pour toi de demeurer ici. J'ai été assez patient. Pars d'ici, grogna-t-il en entrant dans la maison.

— J'ai quelques affaires à régler, répondit-elle avec fermeté.

Elle jouait son avenir, celui de ses enfants. Elle scrutait toujours le mirage d'un quelconque héritage.

— Je veux connaître les termes du testament de père, lança-t-elle.

Il la regarda, estomaqué.

— En quoi cela te concerne-t-il ? Je suis l'aîné et seul héritier de la fortune, des biens immobiliers et du nom de la famille. Il n'y a rien pour toi. Pars d'ici, cela vaudra mieux.

Il était bel et bien l'aîné et il avait cette prérogative de tout recevoir. Toutefois, il connaissait bien mal sa sœur s'il pensait s'en défaire de si maigres explications. L'adversité ravivait la détermination de Jehanne. Ce refus mesquin cachait quelque chose, suspecta-t-elle.

— Pourquoi ne pourrais-je voir le testament de mon père ? Donne-moi le nom du notaire, je m'occuperai du reste. Et soit dit en passant, j'ai certes apporté des tonneaux de bière, mais ce n'est pas pour les boire, moi, persifla-t-elle. Je ne crois pas que ce soit à coup de cruchons de cidre ou de vin que tu perpétueras le nom de la famille Grangeneuve dans la communauté marchande de Saint-Malo.

Il s'approcha d'elle. La haine transpirait de tous ses pores.

— Garde tes commentaires pour toi, impie, cracha-t-il. Je te le répète pour la dernière fois : quitte cette maison et cette ville. Et ne t'avise surtout pas d'y revenir.

— Notre père a toujours laissé la porte de sa demeure grande ouverte pour toi et pour moi. Son âme y flotte encore et je sais cette maison assez grande pour nous deux.

— Cette maison m'appartient, maintenant et pour toujours. Tu n'as ni droit ni raison d'être ici.

— En es-tu certain ? Montre-moi les documents notariés et sache, de plus, mon frère, que je ne partirai que lorsque j'en aurai pris la décision. Tiens-le-toi pour dit. Je le répète, j'ai encore des affaires à régler dans cette ville. Je te rappelle qu'à Amsterdam, je suis marchande de vin. J'ai déjà beaucoup trop souffert des délais apportés aux livraisons. Comme tu ne sembles pas disposé à m'approvisionner, je trouverai un autre fournisseur.

— Une femme faire du commerce ! Regagne ta cuisine et tes broderies. Je n'ai pas de temps à perdre. Sache que j'assume d'importantes responsabilités dans cette ville. Je serai bientôt connétable et chef de la milice.

À la rage du frère, Jehanne répondit par une pique acérée.

— Vous m'en dites tant, cher frère. Vous portez les épaules bien basses. J'espère que vous n'êtes pas seul.

Il ne put trouver assez rapidement les mots pour répliquer. Elle reprit :

— Revenons au négoce dans lequel je n'ai, selon toi, pas ma place. Sache que j'ai investi dans une expédition vers la Chine. J'attends d'ici peu un chargement d'épices. J'avais, bien naïve que je suis, pensé que nous pourrions faire affaire ensemble. Moi d'Amsterdam et toi d'ici.

Il s'approcha.

— Tu es une folle et une sorcière. Aurais-tu tout l'or du monde que je ne m'abaisserais pas à faire commerce avec toi. Les femmes, toi et les autres, vous n'avez aucune capacité de calcul, de raisonnement, de négociation. Vous êtes un bateau sans gouvernail et sans voile. Un jupon aux affaires ne conduit qu'au naufrage.

Ces insanités rabâchées lui étaient familières et ne valurent à son frère qu'une moue méprisante. Elle poursuivait d'autres objectifs et elle décida de s'attarder à ces derniers, non sans décocher une dernière pique.

— Tout l'or du monde ? Je n'y aspire pas. Mais une partie, oui certainement. Tu ne t'abaisseras pas, dis-tu ? Point n'en est besoin, vu la hauteur de ton jugement. Je regrette que notre père n'ait pas porté l'intelligence à son legs. Je te devine en être aussi chagrin, susurra-t-elle en sortant, laissant l'autre scié de colère.

***

Gravé du Pont fut des marchands qui financèrent la messe solennelle à la mémoire de son ami Geoffroy de Grangeneuve tenue en la cathédrale le 23 décembre. Il y vit Jehanne, apprit qu'elle avait voyagé seule et qu'elle retournerait incessamment auprès de sa famille. Ignorant la tempête qui sévissait à l'intérieur de la maison paternelle, il s'y présenta, le jour même, pour transmettre en privé ses condoléances aux deux enfants du défunt.

— Votre visite me rend bien heureuse, commandant Gravé du Pont, dit-elle en l'accueillant.

Puis, baissant la voix, elle ajouta :

— Mille excuses, je ne peux vous recevoir en cette maison. Rencontrons-nous ailleurs.

— Passez me voir à votre convenance, dit-il.

La fête de Noël approchait, sans que Jehanne apparût à son domicile. Un matin froid, il la croisa en ville alors que lui-même cherchait un endroit pour étancher sa soif, que l'oisiveté forcée de la saison ne cessait d'attiser.

— Mal mer ! Mon enfant, m'évitez-vous ? grogna-t-il, d'un ton faussement bourru et vexé.

— Oh, monsieur, non point ! Je vois à mon négoce, celui-là même que vous m'avez suggéré. D'ailleurs, je vous en suis bien reconnaissante. J'ai mis sur la place quelques tonneaux de bonne bière des Pays-Bas. Mais d'autres affaires me chagrinent.

— Mon enfant ! Je cherchais justement à me désaltérer. Venez et dites-m'en davantage. Pourrais-je vous aider ?

Pont-Gravé piaffait d'impatience de lui dire qu'il avait rencontré le roi, que Sa Majesté caressait d'ambitieux projets pour la France et que lui-même comptait être partie de ceux-ci. Toutefois, devant cette jeune femme abattue, meurtrie, il sentit le besoin d'écouter, d'autant plus aisément qu'il avait à boire.

La taverne était bondée d'une faune douteuse. Dans un coin sombre, frappant des poings les tables usées, noircies de misère humaine, des marins riaient fort en triturant brutalement un jeune singe rapporté d'une lointaine contrée. Une autre tablée beuglait des obscénités à la serveuse. Certains dormaient sur le coin d'une table, d'autres revenaient en titubant de s'être soulagés dans la rue. Le marchand la dirigea à l'écart de cette cohue, près d'une fenêtre et prit position pour la protéger de la racaille.

Jehanne lui raconta ses désolantes mésaventures.

— Pour l'héritage, je n'arrive pas à croire qu'il ne m'ait rien laissé, avoua-t-elle. J'ai consulté tous ceux susceptibles de savoir : un notaire, son confesseur, quelques amis et partenaires d'affaires. Mon père n'a fait de confidences à personne.

Elle comptait repartir à Amsterdam, les mains vides, le cœur en berne.

— Comment est-ce possible ? s'exclama le commandant. Je connais votre père. Il n'avait de pensées que pour vous. Je ne peux me faire à une idée si saugrenue.

Il but une longue gorgée de bière, leva les yeux au ciel et sous le ton de la confidence, il ajouta :

— Cherchez là où votre frère ne pourrait trouver. Cherchez la chose que votre frère ignore.

Absorbée par les paroles du commandant, Jehanne retourna à la maison de son père. Le soir même, trouvant son frère presque sobre, elle crut en sa chance.

— Les femmes, vous recevez une dot lors du mariage. C'est votre héritage, grogna-t-il.

— Mais je n'ai point eu de dot, s'emporta-t-elle.

— Et pourquoi en aurais-tu touché ? Tu as vécu non mariée dans le péché. Toi et tes bâtards ne méritez que ce que vous avez.

Jehanne bondit et le gifla violemment.

— Ne traite plus jamais mes enfants de bâtards. Le sang des Fleuriot, qui coule dans tes veines et les miennes, irrigue aussi les leurs.

Il sauta de son siège. Les yeux révulsés, le souffle court, il recula lentement vers la porte, portant la main à sa joue, et hurla : « Dehors ! »

Il s'appuya au chambranle, le regard assassin, une trace de bave à la commissure des lèvres. Il bégaya :

— Retiens bien ceci, sorcière de malheur. Tu ne feras jamais entrer tes mécréants dans cette maison et partout où vous irez sur le territoire de France, vous me trouverez sur votre chemin. Quitte cette maison. Je ne veux plus jamais te voir.

Il claqua violemment la porte derrière lui. Devait-elle maintenant rayer de sa vie son unique frère ? Rage et tristesse montaient en elle, mais elle ne pleurerait pas, il en eut été trop heureux.

Un roulement sourd monta de l'escalier. En ouvrant la porte, elle vit atterrir devant elle sa malle, virevolter ses vêtements dans les airs.

— Tu coucheras dans le magasin avec les rats jusqu'à ton départ. Et fais vite avant que je ne te jette à la rue.

Elle s'installa sur le sol du magasin et ne put fermer l'œil de la nuit. Elle pouvait retourner la situation de tous les côtés, elle devrait se résoudre à prendre ses maigres affaires et retourner à Amsterdam. Au lever du jour, elle se dirigea vers le port dans l'espoir de trouver un bateau pour rentrer.

La rumeur du retour de Van Houtman à Amsterdam agitait déjà les quais. Jehanne trouva un commandant de navire qui arrivait des Pays-Bas. Après deux ans de navigation, seulement deux des quatre navires de l'expédition étaient revenus. Des deux cent quarante-neuf hommes au départ, quatre-vingt-sept avaient survécu à l'épreuve et, plus tragique pour elle, Van Houtman ne rapportait ni épices ni soie, ni or ni pierres précieuses. À peine quelques barriques de poivre, racontait-on. Il avait échoué. La flamme vacillante d'un avenir prospère pour elle venait de s'éteindre. Elle perdait tout. Non seulement ses ducats, mais aussi sa fierté, ses ambitions, ses rêves. D'autres avaient misé pour elle ; elle payait pour l'échec.

Le cœur ravagé, le moral dans les talons, elle retournerait à Amsterdam pour revoir ses enfants et s'enfermer à jamais dans sa maison.

Elle trouva Jacou sur la place de la cathédrale. Ils parlèrent de retour. À bout de force, elle lui reposa la même question :

— Ne t'a-t-il rien laissé entendre, n'a-t-il jamais laissé un message pour moi, d'argent pour moi ?

Jacou labourait sa mémoire, fouillait ses souvenirs. Avant son départ, au cours des derniers jours, monsieur de Grangeneuve était très souffrant. Il ne se levait plus, refusait de manger. Lui-même, Jacou, était ravagé de tristesse devant l'état de son bienfaiteur. Il lui devait tant qu'il eût pris sa place pour alléger ses douleurs et lui rendre un peu de ce que cet homme si généreux lui avait donné. Il revisita tous les coins de sa mémoire, sous les yeux découragés de Jehanne. La même phrase lui revint :

— Rien de plus que ce que je vous ai mentionné, dit-il. « Suivez l'histoire de Dreux. »

— Que cela ? Rien de plus ?

— Oui, madame. C'est tout.

Jehanne chercha avec lui le mot absent qui donnerait vie et sens à la phrase. Aurait-il parlé de justice, de quête de liberté, de courage, de voyage aux Terres-Neuves, ou le nom d'une personne ? Pourquoi la ramenait-il sur le chemin douloureux de Dreux ?

Elle abandonna Jacou sur la place et monta sur les remparts. La vue de la mer immense, mystérieuse et insondable la replongea dans une éprouvante langueur. Était-ce son lot que de se battre sans arrêt pour se retrouver toujours sur le quai de la vie, à regarder voguer les bateaux des autres ?

Elle rumina soucis, désastres et retour. Le temps passa, le soleil disparut à l'horizon, elle eut un moment d'absence. Lorsqu'elle revint sur terre, dans la noirceur qui descendait sur la ville, un éclair traversa son esprit. S'il y avait un message de son père, il ne pouvait être que là. Dans ce qui les avait ultimement unis, dans ce qui avait défini son destin à elle. Dans ce que son frère ignorait. Cette pensée lui donna l'énergie du désespoir.

Elle se hâta vers la ville, retrouva Jacou là où elle l'avait laissé. Quelques marchands fermaient boutique, rassemblant les invendus du jour, des rats longeaient les murs, guettant pitance. Le froid de la nuit descendait sur la ville. Adossés aux remparts, les pauvres attendaient le moment de fouiller dans les restes éparpillés au sol.

— As-tu conservé une clef du bureau de mon père ? lui demanda-t-elle, à bout de souffle.

— Bien sûr, madame. Je possède toutes les clefs de la maison.

Elle devait agir au moment où son frère sortirait une dernière fois avant le couvre-feu. Jehanne et Jacou se terrèrent dans l'entrepôt. Le soir tombé, une fois le bruit de ses pas s'éloignant, prudents comme des voleurs, ils montèrent à l'étage. Elle retrouva l'odeur apaisante de son enfance. Le jeune homme alluma une petite bougie. Jehanne examina les rayons sur lesquels s'alignaient des générations de livres de négoce. Elle trouva le journal de Dreux, tourna les pages fébrilement, les parcourant d'un regard agité pendant que Jacou faisait le guet. Relire l'aventure de Dreux la replongea dans un tourbillon d'émotions intenses et contrastées.

Au détour d'une page, elle vit le mot « pour » encerclé ; quelques pages plus loin, elle trouva de même « toi ». Elle tourna les pages frénétiquement et découvrit « chez » puis « maître ». Elle parcourut les pages restantes, convaincue d'y trouver la lumière tant cherchée. Elle le découvrit à la dernière page. Le message était clair : « Pour toi chez Maître Truchet. » Elle referma le livre, ils regagnèrent l'entrepôt.

Elle ne put fermer l'œil de la nuit et, la ville à peine s'éveillant, elle courut chez le notaire, qu'elle tira du lit. Pour tout message de bienvenue, il tira d'une pile de documents branlante une large enveloppe de cuir souple et balbutia un singulier : « Vous avez tardé. »

La présentation fut directe et rapide. Elle revint le lendemain et repartit munie des documents dûment certifiés. Sept années de malheur prenaient fin. La nouvelle année commencerait dans l'allégresse.

1597

Le mauvais temps, persistant tout janvier, retarda le départ de Pont-Gravé vers Paris. Le voyage s'avéra pénible au point où si tous les « mal mer » et les jurons qu'il échappa eussent été des glands, la route vers la capitale eût été bordée d'une haie de chênes touffue. Chemins embourbés, postes de péage improvisés par les soldats aux vêtements en lambeaux, d'armées en déroute et, à deux reprises, attaque de brigands. À la deuxième, le marchand piqua une colère telle qu'il se lança à la poursuite de la bande en vociférant si fort que les quelques mécréants crurent à la charge d'un troupeau d'éléphants et s'enfuirent sans exiger leur dû.

À l'arrivée, il eut peine à s'y retrouver et détesta sur le coup et à jamais ce Paris aux rues étroites et encombrées, recouvertes d'une soupe collante et nauséabonde, aux ruelles sombres et hasardeuses, même de jour.

Il prit une chambre rue Montorgueil, derrière l'église Saint-Eustache. Le confort était bien relatif, mais la bonne dame affichait plusieurs talents et suggéra quelques assistantes douées, dit-elle, aux services particuliers. Il se contenta d'apprécier sa cuisine. Le lendemain, après avoir assisté à la messe en l'église Saint-Germain l'Auxerrois, jouxtant le palais, il traversa les Halles, se promena autour du Louvre. Le quartier bourdonnait de travaux. Devant le palais face à la Seine, des ouvriers érigeaient une nouvelle galerie. Pour paraître à la cour, ayez-en la parure, lui avait-on recommandé. Il vit donc un tailleur, se fit faire des culottes à la béarnaise, un pourpoint bleu royal avec des crevés de satin blanc sur le devant, des manchettes de même couleur et une fraise immaculée. À la recommandation du tailleur, il compléta son « uniforme de cour », comme il le disait lui-même, par les souliers à talons hauts qu'il porta sur des bas blancs. Il choisit chez le chapelier un chapeau noir bordé d'un ruban de même couleur que le vêtement.

Il se résolut enfin à passer chez le coiffeur, lequel lutta ferme pour mettre de l'ordre dans la crinière léonine du Malouin. Ce dernier ressortit de l'échoppe transformé, les cheveux coupés court et une barbe de trois doigts, selon le goût du moment. Le lendemain, il s'acheta une grande cape, car les jours étaient froids, l'humidité glaçante. Il s'arrêta là, en attente du retour sur ce ruineux investissement.

Évitant tavernes et auberges, il utilisa le jour suivant à préparer dans sa tête son message au roi.

« Majesté, lui dirait-il, voyez en moi votre plus humble serviteur, disposé à payer de sa personne pour que le drapeau de la France flotte outre-Atlantique. Je me ferai fort de réunir hommes et capitaux pour étendre votre royaume, y créer de la richesse, explorer le territoire et y installer à demeure nos gens. » Le marchand était persuadé que cette déclaration soutenue ravirait le roi, tant par la cause poursuivie que par les résultats escomptés.

Trois jours après son arrivée dans la capitale, il atteignit enfin l'antichambre de la salle du conseil royal et se présenta à l'audiencier, le sieur du Lac, celui-là même croisé à Rouen. Ce dernier, pas bien grand, sembla tout de même le toiser de haut et lui susurra quelques vagues compliments de pure politesse. Il reçut sa requête, releva l'emploi chargé du souverain et l'invita à revenir.

Ainsi, chaque jour, à la première heure, François Gravé du Pont se précipitait au palais pour s'approprier la première chaise près de la porte du cabinet du roi. Les gardes finirent par reconnaître l'oiseau matinal et il n'eut plus à présenter le sauf-conduit, ce qui gonfla son esprit de fierté et son projet d'importance.

Durant ses longues journées d'antichambre, le Malouin découvrit peu à peu, et avec stupéfaction, la cour du roi de France, théâtre d'un mouvement perpétuel, arène animée par une multitude colorée, ruche bourdonnante de guêpes bruyantes, quémandeuses et belliqueuses. Tout un essaim déboulant des campagnes, des villes lointaines, des palais voisins, des églises ou des couvents, foule des habits violets ou noirs, catholiques ou protestants, nobles ou roturiers qui croyaient en leur droit d'être reçu par le roi, y bourdonnait. Une veuve pleurait une pension pour son fils mort au combat ; le neveu du cousin d'un marquis inconnu revendiquait une parcelle du terrain de son voisin avec la particule nobiliaire qui y fleurissait. Tous y étaient sauf le pape, encore qu'il fût largement représenté. Le cortège n'en finissait plus.

Malgré qu'il fût chargé d'une affaire d'État, notre Malouin patientait, tentant de se maintenir à la surface dans ce cloaque d'ambitions et d'envies.

Petits yeux en amandes, regard fuyant, tête oblique, corps penché, ce sieur du Lac glissait sur le plancher d'un pas d'une douceur hypocrite. L'audiencier chorégraphiait un ballet cadencé par l'ouverture et la fermeture de la porte de la chambre du roi. Il savait ruser, flatter pour faire passer le dernier arrivé, répéter jour après jour les mêmes remarques obséquieuses et affecter tout un chacun d'une importance toute haute. Certains accédaient à la chambre du roi sans attendre ; d'autres, comme le Malouin, méditaient sur leur banc. Le rictus que l'audiencier portait au coin des lèvres, en guise de sourire, tenait-il davantage d'une gentillesse naturelle ou d'une indécrottable malice ?

Fébrile d'expectative et convaincu de porter un chapitre de la grande histoire, habitué aux regards francs, étranger aux bises étouffées des palais, notre marin-marchand mit quelques jours avant de percevoir la nature du chorégraphe et du spectacle. Tandis qu'il piaffait, l'autre s'affairait constamment à reporter d'un jour à l'autre la rencontre, non sans l'annoncer prochaine, sinon imminente.

La réserve de patience du marchand fut bientôt épuisée. À la fin d'une autre journée à voir défiler devant lui la moitié de Paris, il voulut sauter au cou du manchot, éructa plutôt sa colère à tout vent, fonça vers la première brasserie sur son chemin et y noya sa défaite. Il s'enivra et tomba de sommeil au coin de la table. Au lever du jour, la tête grosse et la bourse vide, l'aubergiste le balaya hors de la salle. Revenu à lui, il comprit que Paris n'était pas son théâtre et que, s'il voulait réussir, il devait laisser à d'autres la dentelle, les faux sourires et l'antichambre. Il était taillé pour la ferme poignée de main, la rude accolade, les habits de toile rugueuse, les sabots de paysans, le pont des navires et les larges horizons. Il pouvait s'orienter dans le pire brouillard, mais ne voyait que vaille dans la cour des manigances et des jeux de coulisse.

Le lendemain, à peine dégrisé, il monta à bord d'un foncet qui descendait la Seine jusqu'à Rouen. De tout le trajet, rien n'apaisa sa colère. Durant ces quelques jours de temps froid, de compagnie sans attrait, il porta au fond de lui-même un désappointement plus grand que l'enthousiasme qu'il avait cultivé depuis sa rencontre avec le roi, à Rouen, quelques mois auparavant. Le pied à peine sur le quai, il quitta cette ville de faux espoirs, gagna Honfleur à cheval pour revoir l'ami Chauvin. Le mouvement régulier de sa monture n'endormit point son dépit.

La nouvelle brutale qui lui fut assénée dès son arrivée allait finir de le ramener sur terre, raviver le brasier de sa colère et raffermir ses volontés. Le soleil s'éteignait-il à l'Ouest pour lui aussi ?

***

Jehanne sortit de chez le notaire et descendit la rue du Boyer en direction du port. Passant devant la cathédrale, elle pensa y entrer pour prier Dieu, le remercier pour l'insigne privilège et le bonheur qu'Il lui accordait. Elle remit la nécessaire Action de grâce à plus tard, pressée de trouver un bateau pour retourner à Amsterdam. Son père lui laissait un bel héritage, mais pour l'instant tout cela n'était que du papier. Distraite, elle emprunta la rue de la Blatrerie, se retrouva au bout devant la tour Quic-en-Groigne et se figea au milieu de la place. Deux années de souvenirs, de bonheurs et de douleurs la subjuguèrent. Elle ressentit une douleur au ventre, comme un coup de poing, une brûlure. Pouvait-elle quitter Saint-Malo sans savoir, sans avoir une certitude, peut-être heureuse ?

Elle pensa trouver Cédric, le gardien de la prison, encore vivant, chez une cousine veuve et vieille dont il avait fait mention jadis. Elle se fit conduire sur la route de Rennes au-delà de Saint-Servan, près de Saint-Jouan-des-Guérets sur le bord de la Rance en face de l'île de Chevret. Elle vit la petite ferme à l'écart, en bordure du marécage, un chien jappa, une vieille dame épuisée, le visage brûlé par le soleil et le vent salé du large qui élimait les terres du rivage, regagna la hutte. Cédric en sortit.

— Bonjour, mademoiselle.

Elle eut peine à le reconnaître. Il n'était plus rien de l'homme, le gardien de prison dont tous craignaient la force. Maigre, courbé, usé par la pauvreté, rongé par la maladie, il claudiquait. Il était, avait-on dit, le dernier à voir Dreux vivant, celui qui l'avait porté au cimetière. Elle fut heureuse de lui serrer les mains.

— Je n'ai rien à vous offrir, madame, même pas une chaise pour vous asseoir.

Ils marchèrent ensemble vers la grève, où la marée avait tiré les eaux au loin mettant à nus de nombreux récifs et écueils. Mise à nue, la plage était laide : une vieille barque enlisée dans le sable, des bécasseaux s'agitant en tous sens sur la berge, sous le mince trait d'un héron fendant l'espace ; plus loin vers la ville, des goélands tournaient dans le ciel au-dessus de la tour Solidor.

— Je suis venue à Saint-Malo pour...

— Je sais, mademoiselle. Je n'ai pu m'y rendre. J'aimais beaucoup votre père. Il a été bon pour moi.

Elle respira profondément, les yeux perdus au large.

— Qu'est-il arrivé de Dreux. Est-il mort ?

Un silence inconfortable s'installa. Au départ de Jehanne, les rumeurs sur la présence d'un protestant dans la prison s'étaient répandues. Le connétable avait vainement tenté d'éteindre le brasier mais l'époque n'était pas à la tolérance. Cédric avait fui hors la ville et la prison fut fermée.

Il leva la tête au ciel et demeura ainsi les yeux ouverts, comme attendant un quelconque signe, un quelconque message. Des nuages de pluie descendaient sur eux. Jehanne se pencha vers lui, prit à nouveau sa main décharnée dans les siennes. Elle aurait pu y compter les os. Il respirait rapidement, cherchant un souffle ou ses mots.

— Mademoiselle, dit-il, vous avez une vie là-bas dans une autre ville. Vous avez une famille. Ne cherchez plus derrière, regardez devant.

Il se tourna vers elle :

— L'important, c'est qu'il vive dans votre cœur. Partez d'ici et soyez heureuse.

Ils demeurèrent silencieux pendant que l'océan discret revenait. Dans quelques heures, la plage ne serait qu'une étendue d'eau. Elle fouilla dans sa bourse, glissa quelques pièces dans ses mains.

Le lendemain, Jehanne et Jacou sortirent de la ville dès l'ouverture de la Grande Porte et gagnèrent le port de Cancale par la route longeant l'océan. Elle paya un navire pour les ramener à Amsterdam. Le bateau fit escale à Honfleur pour éviter un gros temps qui menaça quelques jours.

Elle en profita pour visiter la ville qui se relevait avec courage du dernier épisode de guerre. Malgré la désolation, Jehanne s'y plut. Elle découvrit une petite église de marins, sur le port, s'y réfugia et y trouva le repos de l'âme. Elle pensa à ce que son père avait fait pour elle et remercia le Seigneur pour sa grande bonté. Elle avait apporté le journal du prisonnier. Elle ne voulut pas laisser de traces, surtout conserver près d'elle le souvenir de son amour pour lui et la clef de sa nouvelle vie. Elle se sentait de plus en plus elle-même et commerçante. Toutefois, la roue ne s'arrêtait pas : de nouveaux objectifs s'allumaient dans sa tête. Les défis abondaient.

À Amsterdam, elle démasquerait ceux qui, sans vergogne, sans scrupule, sans cœur, l'avaient trompée depuis des années.

Elle ordonna au commandant de lever l'ancre à la première éclaircie.

Au même moment, le sieur de La Roche, qu'elle ne connaissait pas, pavoisait à Honfleur, préparant la grande expédition dont il rêvait depuis des années. Le roi, avait-il appris, l'avait reconduit dans presque tous ses privilèges. Il était le lieutenant général du roi pour le Canada, Hochelaga, Terre-Neuve, Labrador, rivière de la Grande Baye de Norembergue et terres adjacentes desdites provinces et rivières.

Il partit pour Paris avec le beau temps afin de recevoir des mains du roi lui-même la précieuse commission.

***

Pont-Gravé arriva à Honfleur, après le départ de Jehanne et du sieur de La Roche. Il se fit conduire chez Pierre Chauvin. Le marchand dieppois disposait, rue Haute, d'une demeure imposante à la façade austère de bois noirci. Sur la droite, une palissade permettait aux voitures d'accéder au jardin qui donnait sur l'océan. Ainsi, ses navires pouvaient accoster au bout de son terrain, y être chargés ou déchargés et ses marchandises entreposées en toute quiétude.

Le marchand reconnut la rue, théâtre de son fait d'armes quelques années auparavant. Les édifices de ce quartier avaient peu souffert de la guerre. Seules quelques maisons et une auberge, au début de la rue, affichaient encore les marques des exactions de l'occupant et des terribles combats pour rendre la ville au roi.

— J'ose croire que prendre lit dans la maison d'un protestant ne vous coupera pas le sommeil, dit Chauvin pour accueillir son visiteur.

— Mal mer ! Mon ami, je n'ai point pris avec moi ni chemise ni bonnet de nuit noirs, répondit le marin-marchand. M'en tiendrez-vous rancœur ?

Chauvin rigolait peu. La rigueur et l'austérité de sa religion prémunissaient les huguenots des péchés d'orgueil, de convoitise et, hélas, du sens de l'humour.

— Dites-moi tout de votre séjour à Paris, monsieur, reprit l'autre, toujours avide des bruits et ragots de la capitale.

La seule évocation du lieu de son récent malheur, de sa déroute remit Pont-Gravé bien en selle sur sa colère.

— Mal mer, bougonna-t-il, ce séjour ne fut qu'une cuisante défaite, une brûlante attente, attisée par le suprême mépris de ce précieux du jabot, l'infâme du Lac, oiseau de malheur, glougloutant sans arrêt.

Il raconta avec force détails ses longues journées à patienter dans l'antichambre de la salle d'audience royale, espérant la rencontre que le roi avait lui-même sollicitée. Il jura sur la tête de sa mère qu'on ne le reprendrait plus à se voir infliger pareille humiliation. Il revenait bredouille, sans l'indispensable bénédiction royale. Pire, lui apprit Chauvin, de La Roche avait dorénavant son monopole et ses privilèges bien en mains.

— Ce n'est pas un palais pour tous, dit Chauvin.

— Mal mer, c'est le vestibule de l'enfer ! Jamais plus. Seulement d'en parler me donne une de ces soifs ! Et pas d'eau, je vous prie. Que devons-nous faire ?

***

À l'arrivée, Jehanne retrouva ses enfants et son époux. Lorsqu'elle franchit la porte de la maison, Madeleine fut la première à sauter au cou de sa mère. En quelques semaines, la jeune enfant avait beaucoup grandi. Elle fêterait bientôt son troisième anniversaire et elle parlait abondamment. Jean apparut aussi, courant derrière son grand frère Geoffroy et les deux se présentèrent à elle. Geoffroy ressemblait de plus en plus à son père. Ces quelques secondes de retrouvailles marquèrent dans son cœur, comme au fer rouge, la résolution de ne plus jamais les quitter. « Avec eux, jamais sans eux », se jura-t-elle.

Elle perçut dans les grands yeux bruns de son époux de doux sentiments qui la ravirent. Son absence avait-elle eu quelque effet ? Il épargna les grandes salutations. Elle rougit à l'avance aux confessions qu'elle devrait lui faire. Elle craignait son jugement. Il s'approcha et lui murmura à l'oreille :

— Vous m'avez manqué, madame.

— Pardonnez cette longue absence.

Elle regretta immédiatement ses paroles. Elle n'avait pas à s'excuser de ce qu'elle avait à faire. Saint-Hippolyte ne dit mot et donna le signal du dîner en s'installant au bout de la table. Les enfants se nichèrent à leur place habituelle sur la banquette à sa droite, le personnel domestique se plaça derrière le père et tous, joignant les mains, fermèrent les yeux et récitèrent un bénédicité. Jehanne observa, ébahie, la scène et en particulier Geoffroy, son fils catholique, qui, d'une voix assurée, accompagnait son père. Les deux petits marmonnaient des syllabes. Aux dernières paroles, le pasteur ajouta :

— Rendons grâce à Dieu pour le retour, saine et sauve, de madame votre mère et mon épouse, en récitant le *Notre Père*.

Tous, en même temps, entonnèrent la prière, puis se signèrent. Les employés servirent un beau potage, lourd et bien gras, accompagné d'un gouda au cumin et d'un morceau de pain blanc qui flottait dans l'assiette.

Jehanne redécouvrait avec surprise une maisonnée transformée. Saint-Hippolyte avait-il fait main basse sur sa famille ? La prière s'imposait, bien sûr, et ne constituait en rien l'apanage de la religion protestante, mais à voir sa progéniture prier ainsi, elle reconnut le rituel simple et la ferveur réelle de la religion de son époux. Perplexe, entre doute et admiration, elle se questionna. Le mot se répandrait. Qu'en penserait le curé de sa paroisse ? Saint-Hippolyte entendait-il emprunter le chemin des enfants pour la convertir ? Ou s'était-il lui-même converti aux mérites de la famille ?

Lui traversa alors l'esprit le sentiment d'urgence de remettre en des mains plus orthodoxes la pratique religieuse de ses enfants. Geoffroy, l'aîné, était dûment baptisé dans la religion catholique. Il faudrait lui trouver un précepteur français, peut-être même un collège, en France. Pour les jumeaux, la situation se couvrait de mystère. Chez les protestants, le baptême n'intervenait qu'à la deuxième ou troisième année de vie de l'enfant. Son époux avait-il fait baptiser les petits durant son absence, en cachette, comme elle en avait pris soin pour Geoffroy ?

Au coucher, elle monta à l'étage border les enfants et elle se contenta de réciter avec eux, en guise de prière du soir, trois *Je vous salue Marie*.

Elle retrouva Guillaume à son bureau, celui-ci s'appliquant à préparer une classe du lendemain. Il déposa sa plume, referma le cahier et se tourna vers elle.

— J'ai souffert de n'avoir pu accompagner mon père dans les derniers instants de sa vie, murmura Jehanne avec émotion. De plus, je n'ai point retrouvé un frère, mais un ivrogne hostile, hargneux et dangereux qui m'a menacée et même jetée à la rue. Il veut me fermer les portes de Saint-Malo.

Saint-Hippolyte la regardait sans mot dire, attendant qu'elle déballe son mystère.

— Par bonheur, père, Dieu ait son âme, a pensé à moi. Je lui dois un bel héritage, dit-elle, qu'il me faudra toutefois récupérer.

Elle hésita longuement, regarda son époux et reprit :

— Vous ne serez pas surpris, mon époux, d'apprendre que j'ai été trahie, abusée par ceux en qui père et moi avions confiance. Monsieur Pinheiro et son neveu ont détourné, pour leur bénéfice, tous mes revenus depuis le début de mon négoce dans cette ville. Ils ont utilisé cet argent pour eux, sans même me mentionner les volontés de mon père, sans que je n'aie pu en voir l'ombre, ou même le bénéfice. Comble de malheur, ils ont perdu mon argent dans l'expédition de Van Houtman, tout en m'en attribuant la créance.

Elle tournait en rond dans son bureau, cherchant des mots pour décrire son désarroi.

— Honte à ces voleurs, ces gens malhonnêtes !

— Ne vous avais-je pas conseillé la prudence avec eux ? répondit Saint-Hippolyte. Rappelez-vous toujours qu'ils ont crucifié Notre-Seigneur.

— Mon époux, ne m'accablez pas davantage. Mon cœur saigne déjà abondamment. Puis-je vous demander, monsieur, dès demain matin, d'alerter les gendarmes pour qu'ils nous accompagnent à la porte de ces voleurs ? J'exigerai qu'ils me versent, sans détour ni délai, l'argent qu'ils m'ont volé. Mon argent.

— Et de combien vous sont-ils redevables ?

Jehanne se contenta de dire qu'elle avait la nuit pour finaliser ses comptes et qu'elle aurait la somme précise au matin.

— Je serai avec vous demain, avec honneur. Nous les ferons payer, ajouta-t-il.

***

Gravé-Dupont et Chauvin sortirent ensemble faire une visite de la ville.

— Je connais la raison de votre infructueuse démarche auprès du roi.

— N'étirez pas ma patience, monsieur. Videz votre sac.

— L'avocat, le dénommé Pourcin du Mas, serait, raconta Chauvin, de mèche avec du Lac, l'audiencier du roi, pour vous écarter et présenter le sieur de la Roche, comme la seule solution.

Pont-Gravé pesta. Son hôte leva les mains pour éviter de voir à nouveau exploser l'ire du Malouin, et reprit la parole.

— De La Roche s'active avec ardeur tant ici qu'à Paris. Il recrée autour de lui une petite cour de profiteurs à laquelle il fait miroiter de mirifiques bénéfices. S'il prétend préparer une expédition de pêche, son but n'est autre que de renflouer ses coffres. Une fois chose faite, il sera en mesure, raconte-t-il, d'établir une colonie outre-Atlantique, comme il s'est engagé à le faire. Il a approché le capitaine Thomas Chefdhostel, honnête homme de la place issu d'une longue lignée de gens de la mer qui a convenu de mettre son navire à la disposition du marquis, d'en assumer le commandement, de recruter les hommes d'équipage et d'en assurer l'ordinaire. Mais Chefdhostel sait distinguer la banquise du continent. Il se fait payer en grande partie à l'avance.

Pont-Gravé revint à sa vive frustration parisienne.

— Mal mer… comment cet insipide du Lac peut-il imposer au roi ceux qu'il doit recevoir ? reprit-il. Le roi ne gouverne-t-il pas ?

L'autre esquissa un sourire.

— Henri a fort à faire. L'audiencier s'octroie toute latitude d'organiser les rencontres lors des brèves présences du roi à Paris. Il s'en est même fait un petit commerce, dont les catholiques, ses coreligionnaires, constituent l'essentiel de la clientèle. Le roi en est avisé et compte agir, mais il traîne encore plusieurs épines à son pied. Rassurez-vous, j'ai mes entrées.

Chauvin ne disait pas tout. Il faisait partie d'un groupe de protestants qui s'étaient gardés de renier le roi lorsque celui-ci avait changé de religion. Ses années de loyauté lui valaient l'enviable position de gentilhomme ordinaire de la chambre du roi et il participait à un réseau autour du sieur Pierre de Béringhen, valet de chambre du roi, protestant convaincu et déclaré, depuis longtemps honoré de la confiance de Sa Majesté. L'homme s'était maintes fois vu confier des missions délicates auprès des princes d'Allemagne. Autour de ce Béringhen, dans un cercle restreint, l'information circulait, les préoccupations du roi trouvaient un écho et ce dernier savait se montrer reconnaissant. Ces gens avaient le mérite d'être patients, ce qu'appréciait Henri, tenaillé qu'il était de partout.

Chauvin reprit :

— La guerre contre l'Espagne s'enlise et ce damné Mercœur s'accroche toujours à la Bretagne. Le roi s'impatiente. Vous savez également, mon ami, combien est fragile la paix entre catholiques et protestants. Henri voudrait la consolider et la pérenniser. Il clame, à toutes les oreilles qui daignent écouter, qu'une France en paix à l'intérieur et à l'extérieur constitue la condition première au progrès économique et à la poursuite de ses plus grandes ambitions, parmi lesquelles, bien sûr, l'exploration et la colonisation outre-mer.

Il ajouta qu'en renouvelant les privilèges du sieur de La Roche, Henri voulait gagner du temps. Les rois passent, la France demeure. La Roche ne l'avait point trahi et avait mérité considération sous Charles IX et d'Henri III. Le priver maintenant de ses commissions eût envoyé le mauvais message à toute la noblesse, à un moment où la tâche première du souverain est de rassembler.

— Votre infortune parisienne est regrettable, laissa tomber Chauvin. Mais soyez patient, notre tour viendra. Ayez confiance, je m'en charge. Ceux qui pavoisent aujourd'hui baisseront pavillon demain.

Pont-Gravé avait-il le choix ?

Peu rassuré, le marchand regagna Saint-Malo. Il entendait faire une saison de pêche et de traite, mais il lui fallait trouver un bateau. Arrivé à Saint-Malo, il apprit que le fils Grangeneuve le cherchait depuis plusieurs jours.

**

Document officiel en main, portant la signature du roi et de l'amiral de France, La Roche réapparut à Honfleur à la fin février. Le 4 mars, il ferma contrat avec le capitaine Chefdhostel pour *Le Catherine*, gros navire de cent soixante tonneaux. Il s'agissait bien d'un voyage de pêche et d'exploration. Le bateau devait lever l'ancre sans tarder, s'arrêter à Brouage pour faire provision de sel et cingler l'île de Sable au large de l'île de Terre-Neuve. Chefdhostel mettrait pied à terre pour s'assurer que l'endroit, autrefois visité par les Anglais et les Portugais, était encore propice à l'établissement d'une colonie. Ces derniers, à l'époque, y avaient laissé en liberté vaches et bœufs, cochons et moutons. Il devait vérifier si l'île possédait toujours cet opulent garde-manger.

Chefdhostel mobilisa trente-trois hommes d'équipage et presque autant de soldats. Le capitaine devait nourrir tout le groupe durant les six mois de mission. Il exigea de La Roche un paiement préliminaire de trois cent cinquante écus pour l'achat de provisions et l'avance aux matelots. Le partage des bénéfices de l'expédition suivrait la coutume : un tiers chacun pour Chefdhostel, les soldats et La Roche. Le navire appareilla le 29 mars.

Une fois le bateau parti, le marquis appointa le commerçant de Honfleur Martin Le Lou, comme chargé d'affaires, pour préparer la suite du projet : l'établissement d'une colonie française en Amérique. Quelques jours plus tard, il se rendit à Rouen et demanda qu'on lui livre tous les forçats et galériens pour l'expédition de l'année suivante. Connaissant le sort qui attendait les malheureux, le Parlement de la ville, par la voix de son président le sieur Groulart, regimba.

***

Le lendemain, Saint-Hippolyte suggéra à Jehanne, fatiguée par sa nuit incomplète, de prendre son temps. « Ils ne s'enfuiront pas et du repos vous sera salutaire », conseilla-t-il.

Ainsi quelques jours plus tard, au lever du jour, elle et lui se rendirent ensemble au domicile du vieux Juif. Jacou et le gardien de l'entrepôt furent réquisitionnés. Jehanne avait calculé toutes les remises faites à monsieur Pinheiro pour les marchandises envoyées par son père. Le total la sidéra. Elle avait beaucoup vendu, beaucoup gagné et elle en tira une fierté justifiée. Chemin faisant, elle sentit gronder sa colère à l'égard du vieux Juif. Tout l'argent qu'il avait accaparé lui appartenait à elle de plein droit, sans équivoque et si Pinheiro refusait de reconnaître les faits, elle convoquerait les gendarmes, ferait emprisonner ce fraudeur et porterait l'affaire au tribunal sans délai. Elle exigerait et recevrait son argent.

L'enjeu était immense. Avec l'argent recouvré, adieu les dettes et bienvenue aux multiples possibilités : acheter plus de marchandises, acquérir la part du bateau qui ne lui appartenait pas et peut-être même...

Encadrée des trois hommes, elle battit avec force la porte du marchand juif tôt en ce matin de fin d'hiver. Le vieil homme lui ouvrit. Il portait son chapeau à large rebord et sur le dos une épaisse couverture de lainage. À la vue de Jehanne, son visage s'illumina. Il l'invita à entrer et à prendre place dans son bureau. Elle refusa, attaquant sur-le-champ.

— Vous avez pris l'argent de mon père. Rendez-le-moi immédiatement.

Le vieil homme recula sous l'assaut, fronça les sourcils d'étonnement et murmura quelques paroles que Jehanne ne put comprendre. Elle revint à la charge.

L'autre bougeait la tête de surprise et d'étonnement.

— Ne niez pas. J'ai ici toutes les preuves, déclara-t-elle agitant un porte-document au bout des bras.

L'homme se retourna et appela. Une femme apparut. Il lui murmura quelques paroles et celle-ci sortit en courant par la porte arrière. Jehanne regarda son mari. Qu'allait-il faire ? Cherchait-il un moyen de fuir ? Saint-Hippolyte connaissait, grâce à ses lectures de textes anciens, quelques mots d'hébreu, mais ne crut pas approprié d'intervenir. Il s'agissait du combat de Jehanne et il la croyait capable de gagner seule.

Peu de temps après, Simon entra. Le vieux Pinheiro murmura quelques paroles. Le jeune homme regarda Jehanne.

— Mon oncle veut savoir pourquoi vous êtes en colère.

— Je viens récupérer l'argent que vous m'avez volé.

Simon traduisit. Les deux hommes, stupéfaits, se retournèrent vers elle, les yeux ronds.

— J'arrive de Saint-Malo, déclara Jehanne. Mon père est mort et j'ai vu le notaire. Je sais que mon bien-aimé père vous a confié l'argent que je vous remettais pour lui payer les marchandises qu'il me faisait parvenir. Cet argent était pour moi. Je n'avais pas à vous payer.

Simon traduisit en hébreu. Le vieil homme courba le dos, porta la main à son visage et murmura :

— Je suis triste et affecté par la mort de votre père. Que le Dieu tout-puissant ait pitié de lui et accueille ce juste, chuchota-t-il, la gorge serrée, la mine attristée.

Jehanne s'impatientait. Mais le vieillard, visiblement affecté, reprit :

— Voilà des années, je cherchais refuge pour ma famille. Nous étions cachés, ma femme, mes enfants et moi, sur le port. La folie avait pris le cœur et la tête des gens de la ville. Les Juifs cherchaient à fuir. Votre père nous a cachés dans son bateau. J'ai toujours eu confiance en lui et cru de mon devoir de l'aider. Jamais je n'aurais trahi cet homme... Je lui devais la vie.

— Alors, où est mon argent ? bafouilla la jeune femme.

Pinheiro se détourna, fit signe de le suivre. Ils entrèrent tous dans le réduit qui lui servait d'office. Simon offrit la seule chaise à Jehanne mais, trop agitée, elle préféra demeurer debout.

Le patriarche prit place derrière un bureau grisâtre et sortit d'un tiroir grincheux et fatigué un grand cahier qu'il présenta à Jehanne. Sur la couverture était écrit en grosses lettres : De Grangeneuve.

— Je vais lire un message de votre père.

Jehanne voulut prendre le cahier. Il lui fit signe d'attendre. Il retira d'entre les dernières pages une lettre soigneusement dépliée. De loin, s'étirant le cou pour voir, elle reconnut l'écriture de son père. Il tendit la lettre à Simon, ce dernier se mit à lire.

Mon ami Pinheiro,

J'ai reçu il y a quelques jours une lettre de ma fille m'informant de son désir de s'établir dans le commerce et qui, pour ce faire, sollicitait mon assistance. Je n'ai point besoin de te dire, cher ami, combien cette nouvelle me réjouit et m'attriste à la fois. La pauvre enfant choisit un chemin difficile.

L'œil d'un père se ferme trop souvent sous le soleil du succès mais s'ouvre dans la tempête. Aura-t-elle la persévérance et toutes ces autres qualités indispensables que sont la passion, l'ardeur au travail, l'amour des gens et la volonté de gagner ? Je l'en crois capable.

Je ne peux cacher que la voir embrasser le métier qui m'a nourri, ainsi que mon père et le père de ce dernier, me comble de bonheur ; d'autant plus, devrais-je vous le dire, son frère, mon fils, accumule les bêtises, néglige les affaires et sape les fondations de la maison. Aussi, malgré mes réserves, ai-je décidé de l'aider. Peut-être un jour reviendra-t-elle à Saint-Malo relever bien haut le drapeau de la famille Fleuriot.

Simon fit une pause. Le regard appuyé de son oncle le poussa à poursuivre.

Je te demande donc de conserver, pour elle, l'argent qu'elle te confiera pour payer les marchandises que je lui acheminerai. Je ne veux pas pour l'instant lui faire de cadeau et faire quelconque passe-droit qui la desservirait. Elle doit apprendre, lutter et traverser les épreuves. Tu lui remettras l'argent une fois ma mort connue. Ce sera l'héritage que je ne pourrais autrement lui faire.

Jehanne tomba sur la chaise, éclata en sanglots. Son père tant aimé avait non seulement cru en elle, mais plus encore, il avait tout prévu. Saint-Hippolyte posa sa main sur son épaule. Elle ressentit sa chaleur et, peu à peu, réprima ses sanglots. Réalisant combien elle avait été injuste envers le vieil ami de son père, elle se leva pour lui présenter des excuses. Il lui fit signe de se rasseoir et répondit à son trouble par un sourire avenant.

— Je comprends, balbutia-t-il.

Puis il s'adressa à son neveu en lui demandant de traduire.

— Mon oncle dit qu'il lui faudra quelques jours pour réunir la somme précise. Il vous préviendra dès que possible. C'est un gros montant, vous savez.

Jehanne n'osa avouer qu'elle-même avait fait le calcul.

— Dites à votre oncle de déduire l'investissement dans la mission de Van Houtman.

Simon traduisit et le vieillard réagit tout doucement.

— Non, madame. Ceci est différent. Nous avons une autre entente pour cela. Je n'en dérogerai point.

Peu de temps après, les quatre reprirent le chemin du retour à la maison. Jehanne flottait de bonheur.

— Madame mon épouse, vous êtes riche, lui dit Saint-Hippolyte. Quel revirement de sort ! N'avez-vous pas en plus une participation dans la propriété d'un navire ? Qu'entendez-vous en faire ?

Lors de la rencontre avec le notaire Truchet, Jehanne avait porté moins d'attention à cette partie de son héritage, soit vingt pour cent d'un navire détenu principalement par l'avocat Pourcin du Mas. Elle connaissait celui-ci, un homme de négoce, pas facile, mais expérimenté duquel elle apprendrait, se dit-elle. Toutefois, les contacts précédents s'avéraient peu engageants.

Les possibilités que le bateau laissait envisager avaient nourri sa réflexion. Elle y voyait un puissant moyen de réaliser le rêve de route des épices. Elle possédait l'argent et une partie d'un bateau. Elle pouvait passer à l'action.

— Pourquoi ne pas rentrer à Saint-Malo, racheter les autres parts de ce navire et me lancer dans la course aux épices ? dit-elle à son époux sur le chemin du retour.

Saint-Hippolyte en eut le souffle coupé.

— Et votre frère ?

***

Guillaume de Fleuriot, le frère de Jehanne, se présenta à l'improviste, en matinée, au domicile de François Gravé du Pont. Il empestait l'alcool. Le Malouin ne put que mesurer le contraste entre l'aspect vergogneux du fils et la rectitude exemplaire du père. Si le fruit ne tombait jamais loin de l'arbre, ce fils avait pourri sur la branche, pensa le marin.

Pont-Gravé l'invita tout de même à entrer. À peine assis, l'autre attaqua.

— J'ai appris que vous aviez rencontré ma sorcière de sœur avant qu'elle ne quitte la ville. Avez-vous facilité sa fuite ? aboya-t-il.

— Mal mer, monsieur ! De quel ton me parlez-vous !

— Elle a volé mon père et moi-même. Je vous soupçonne de protéger cette infâme voleuse.

— Vous voyez cette porte, jeune homme ? répliqua Pont-Gravé en se levant d'un bond et s'approchant du visiteur. Attention, monsieur, je peux vous la faire franchir plus raidement qu'à votre arrivée. On ne m'insulte pas, monsieur.

Fleuriot fondit sur sa chaise et balbutia de confuses excuses. Il relata sans débrider les multiples livraisons de vin consenties à sa sœur par son père. Or il avait épluché les livres pour constater qu'aucune entrée d'argent ne correspondait à celles-ci. De plus, selon la rumeur qui circulait en ville, elle partageait avec le marchand et le sieur Pourcin du Mas la propriété d'un navire.

— Est-ce vrai, monsieur ? Vous ne pouvez couvrir cette infamie, cette malhonnêteté. Elle aura volé son propre père et une partie importante de mon héritage.

— Mal mer, mon garçon, j'ignore tout de cette chronique. J'ai bien été partie à un navire avec votre père et ce Pourcin, mais ce triste drôle m'a odieusement évincé de l'entente. De plus, il m'a traîtreusement poignardé dans le dos auprès du roi.

— Vous êtes blessé ?

— Mais non, belle mer ! C'est une façon de parler...

Gravé du Pont demeura silencieux. Combien l'indisposait la présence de ce fils indigne ! Il se refusa à partager avec lui l'ombre d'une information qui eût pu jeter la moindre lueur sur l'histoire. Voyant Fleuriot balbutier de timides questions tout en frétillant nerveusement sur sa chaise, le marchand se leva.

— Monsieur, je n'ai rien de plus à vous dire. Je suis convaincu qu'à ses dernières heures, votre père a fait preuve de la sagesse que nous lui reconnaissions tous.

Voilà ! C'en était fini. L'autre ne comprit point le désaveu. Le marchand ajouta : « Je vous raccompagne », tout en dirigeant Fleuriot vers la sortie.

— Elle m'a volé mon bien, ânonna le frère. L'affaire n'en restera pas là.

— Si vous le dites, monsieur. Bon courage !

Fleuriot avait à peine posé un pied dans la rue que le marchand s'empressa de refermer la porte. Il se félicita d'avoir vu juste dans les intentions de son ami Grangeneuve. Ce dernier avait rusé pour permettre à sa fille de toucher un quelconque héritage. Toutefois, il eut peine à se dépêtrer dans l'histoire du bateau. Il douta qu'elle pût être actionnaire avec Pourcin du Mas. N'avaient-ils pas tous signé le même document devant notaire ? Du Mas avait sûrement racheté la part de Grangeneuve comme il l'avait fait pour la sienne. Grangeneuve avait-il intrigué avec le notaire ?

Il chassa ces pensées. Il avait plus urgent, dont son projet d'affréter un navire pour partir vers les terres lointaines à la prochaine saison. Il se coiffa et sortit sur le port. Aucun commandant n'accepta son offre et il se résolut à consulter et chercher assistance auprès de son cousin, marchand comme lui.

Thomas Gravé de la Bouteveille le fit attendre au salon. Il s'y présenta finalement, le justaucorps ouvert, la barbe encore parsemée de reste de table, arborant une mine de carême. Il fit signe à son visiteur de prendre place et s'enquit des motifs de sa venue. Gravé du Pont lui fit part de ses infructueuses recherches pour se trouver un bateau. Il maudit encore le petit avocat et sollicita l'aide de son parent, membre du conseil de ville, comme lui marchand et armateur.

L'autre le regarda sans répondre, prit quelques lampées de vin.

— Mal mer, cousin Thomas, vous avez bien un gobelet pour moi ? gronda-t-il, offusqué de ne pas s'en voir offrir.

L'autre se retira et revint portant un cruchon et un gobelet d'étain.

— Il se fait tard pour un navire, grommela-t-il, en tendant un gobelet.

— Cousin, nous sommes encore en avril. Je compte partir en mai, juin à la rigueur.

— Vous connaissez la situation autant que moi, cousin François. La pêche rapporte bien. Le pays se calme, nous réussissons à acheminer nos cargaisons à Paris. La demande en poisson est forte aussi en Espagne et même au Portugal. Et puis, il y a les fourrures.

— Rangez votre viole ! clama Pont-Gravé. Je vais aux Terres-Neuves depuis 1585. S'il y a quelqu'un à Saint-Malo, outre le sieur Cartier, que Dieu ait son âme, et son neveu Étienne, qui connaît le pays et le négoce, vous reconnaîtrez que c'est bien moi, qui suis vivant, devant vous aujourd'hui.

L'autre se leva et marcha vers la fenêtre. Sans se retourner, il reprit :

— Dites-moi, cousin François, quelles sont vos relations avec notre ami de La Roche ?

— Cherchez-vous absolument à couler ma journée ? Que me ramenez-vous encore ce varech ?

— Il était ici la semaine dernière, ne l'avez-vous point vu en ville ?

— Non !

— L'expédition qu'il a commandée quittera Honfleur sous peu. Vous le saviez ? De toute façon, aucune importance. Il est très en colère contre vous. Il s'est plaint que vous ne vouliez pas collaborer avec lui, que vous complotiez même dans son dos auprès du roi. Il avait, lui, un bateau pour vous.

François Gravé du Pont mit quelques secondes avant de trouver le ton approprié. Sa démarche de recherche d'un bateau auprès de son cousin lui déplaisait suffisamment sans qu'il fût contraint, de surcroît, à justifier ses décisions d'affaires. Il reprit, du ton affecté d'un évêque entendant confession :

— La mer est grande, cousin. D'autant plus que monsieur le marquis et moi, nous n'avons point le même horizon. Saviez-vous que cet homme veut planter sa colonie en plein océan et qu'il la peuplera en vidant les prisons du royaume ?

Il laissa sa question flotter dans l'air, puis ajouta :

— Soyons clairs, pour ma part, je cherche à pénétrer dans le pays pour y bâtir une colonie d'hommes libres.

Gravé du Pont fit une pause devant son cousin, lequel, à son grand déplaisir, prenait l'affaire comme juge d'un tribunal. Il était venu dans l'espoir de trouver un bateau. L'autre lui faisait la morale. Il décida de débrouiller la discussion.

— Mais dites-moi, cousin Thomas, pourquoi cet apostolat ? Le marquis Troilus de Mesgouez, sieur de La Roche, dit-il pompeusement, n'a-t-il pas une commission pour exercer toute autorité, presque royale ? N'est-il pas fervent de cour, rompu aux services de Sa Majesté ? Aurais-je à voir avec ses échecs ? Vous me conférez une importance qui me gonfle d'orgueil.

— Ne faites pas le drôlet, François. Vous connaissez Saint-Malo. Les gens parlent beaucoup. À votre place, je serais prudent.

L'autre quitta son siège, renversant son gobelet.

— Prudent, pourquoi ? De quoi ou de qui dois-je me méfier, cousin ? Parlez clairement, nous sommes en famille.

— Nous croyons que le sieur de La Roche mérite une véritable chance.

— Mal mer ! Nous ! Qui, nous ? Avez-vous rejoint sa cour ? Vous faites confiance à ce précieux ? Il détient un monopole et un titre pompeux depuis vingt ans. Qu'a-t-il réalisé depuis ? Un naufrage, une reddition et un voyage de pêche. Soyons sérieux, cousin Thomas. Vous appuyez cet homme d'hier parce que vous savez qu'il ne réussira rien aujourd'hui. Ce qui vous permettra, à vous et à vos pareils, de conduire vos affaires encore des années.

— Vous exagérez, François. N'a-t-il pas gagné son privilège ? N'est-il pas l'envoyé du roi ?

L'histoire outre-mer de La Roche n'était qu'une suite d'échecs. À quoi imputer ce calvaire de mésaventures ? Le mauvais sort, un manque de préparation, un refus de recourir à des commandants et marins d'expérience, un défi au-delà de ses compétences ? Un peu de tout et pis encore, croyait Pont-Gravé. Chose certaine, en cette année 1597, La Roche persévérait et tentait de reprendre l'initiative, lui bloquant le chemin tant à Paris qu'à Saint-Malo.

— Il prépare déjà le voyage de l'an prochain qu'il conduira lui-même, ajouta Thomas Gravé. Cette fois, il bâtira maisons et fortin sur l'île de Sable.

Située au large du continent, au milieu de l'océan, cette île convenait à de La Roche pour empêcher les autres navires de venir jouer dans sa plate-bande. Cette fois serait la bonne, clamait-il partout. Une fois les colons – en réalité des gueux, bandits et mendiants – déposés sur l'île, il promettait d'explorer la côte pour identifier un endroit plus favorable à l'installation d'une vraie colonie.

Thomas Gravé se leva et se mit à arpenter la pièce. Il ne souhaitait pas se faire le défenseur du marquis. Celui-ci menait sa barque, et en autant que lui et les marchands de Saint-Malo pouvaient poursuivre leurs activités, il n'avait rien à redire. Sentant la patience de son cousin s'effriter, il le frappa de nouveau.

— Admettez, parent François, que la pêche et les fourrures donnent bien. Pourquoi rêver de coloniser un lieu qui ne sera toujours qu'un gouffre financier et la fosse commune de trop nombreux miséreux ? Sans compter que ce marquis a quelque mérite. Dans quelques décennies, peut-être en parlerons-nous comme du père de la France d'Amérique.

Gravé du Pont faillit s'étouffer.

— Mal mer, cousin ! En plus, vous me semblez sérieux, répondit-il sans enthousiasme. Nous verrons bien. Peut-être, demain matin, le soleil se lèvera-t-il à l'ouest.

Il avait compris et se prépara à partir.

— François, une dernière chose ! reprit le cousin, se raclant la gorge en signe d'autorité. On chuchote que l'on vous voit souvent en compagnie de huguenots. Ce n'est pas un péché, bien sûr. Mais communions-nous toujours de la même religion ?

L'autre ne répondit pas et Thomas Gravé n'attendit pas la réponse. Se penchant vers l'avant, sur le ton de la confidence, il murmura :

— Cessez de chercher un bateau à Saint-Malo, vous n'en trouverez pas.

— Mal mer ! Cher cousin et tous vos semblables, quand l'heure sonnera, vos bateaux demeureront à quai et notre ancêtre, qui fit de cette ville la porte du Nouveau Monde, pleurera sur vous.

Il quitta son cousin atterré, car il ne naviguerait pas la prochaine année. Toutefois, les commentaires de son cousin exprimaient beaucoup plus. La situation changeait, l'opposition se dressait, parce qu'à l'ouest sur l'horizon et en France, son projet comptait. Sa France Nouvelle à lui, celle du roi, demeurait à portée d'espoir.

*＊＊

Le possible retour en France pendait entre les deux époux comme un drapeau en berne. Saint-Hippolyte s'obligea à aborder la question.

— La situation a changé, lui répondit Jehanne. J'ai eu l'héritage de mon père, je possède une portion de navire, attaché à Saint-Malo, et dont je compte tirer des revenus.

— Ne craignez-vous point votre frère et sa milice ?

Au cours de sa visite à Saint-Malo, elle n'avait pas senti, à part la colère de son frère, de réprobation à son égard. Le temps avait fait son œuvre, comme le lui avait prédit monsieur Gravé du Pont. La disponibilité de l'argent la rendait plus sûre d'elle-même, la confortait dans ses projets. Non seulement avait-elle une richesse certaine, mais aussi un bateau, sur lequel, elle rêvait de voyager.

Depuis l'entente avec Henri IV, Saint-Malo retrouvait la prospérité. Les navires de partout y abordaient, l'argent circulait. Point de grands projets d'exploration et de découverte, mais l'appétit pour le négoce se maintenait vif.

Pour Guillaume de Saint-Hippolyte, le retour en France avait constitué, durant des années, le moteur de sa vie, sa raison d'être et un gouffre de discorde avec son épouse. Depuis son dernier voyage, il comprenait que la vengeance ne pouvait guider sa vie, qu'il pouvait contribuer au rayonnement de la parole divine sans frustration et sans hargne.

Jehanne changeait d'idée au moment où il s'était réconcilié avec son passé, son ministère universel, la ville d'Amsterdam et une place lointaine dans l'Église réformée française.

Après tant d'années de lutte et de guerres, la rivalité entre les religions connaissait un apaisement. La société soufflait.

De plus, son collège fonctionnait mieux qu'il ne l'eût pensé et l'acte de transmettre des connaissances l'animait. « Il n'est point faute de ne pas savoir, aimait-il à dire, la sagesse réside dans l'humble effort de faire reculer l'ignorance. »

Il avait aussi mis sa famille au centre de sa vie et il en tirait une grande fierté. Son fils Geoffroy, déjà grand, mince, élancé, coiffé d'une abondante chevelure blonde, démontrait, à six ans, une disposition et un goût avide d'apprendre et de connaître. Les jumeaux, trop jeunes, ne participaient pas encore aux ambitions intellectuelles du père et cela d'autant plus que le pauvre Jean, à cet égard, montrait peu de dispositions.

Avait-il mis ses ambitions en jachère ? Il n'aurait pu le dire, mais le message de son père lors de son dernier passage n'était pas étranger à cette mutation. Il ne pouvait plus refuser de voir.

Guillaume se leva et gagna son officine. À son retour, il présenta à Jehanne une feuille de papier fanée. Elle s'inquiéta, la déplia et plissa les yeux pour la lire dans le halo vacillant de la flamme du bougeoir.

Monsieur,

Chacun embrasse le chemin approprié à sa conscience. Vous avez choisi, à ma grande douleur, celui que je me refuse même à considérer. Vous portez offense à vos ancêtres qui, d'aussi loin que la mémoire nous ramène, soit le siège de Jérusalem de 1148, où le premier Saint-Hippolyte s'est illustré, jusqu'à nos jours, ont honoré et défendu la seule vraie religion.

Au-delà de ma vie, les biens de notre glorieuse lignée resteront Saint-Hippolyte et catholiques ou seront versés à l'abbaye Saint-Lucien de Beauvais.

Il vous incombera avant mon départ vers le Très Haut de démontrer que votre progéniture, en digne Saint-Hippolyte, marche dans la voie du Père, et de la Sainte Église catholique et romaine.

Exécuté à Noailles le…

— Qu'est-il arrivé à votre frère, ne devait-il point hériter ? dit-elle après un bref moment de silence.

— Mort.

Un voile de silence se posa sur la pièce. Étalé devant Jehanne, le rejet dont il était victime le terrassait. Son propre père le punissait d'être lui-même, refusait de reconnaître sa conversion, vilipendait l'honnêteté de son geste qui représentait pourtant l'espoir, la foi en l'humanité, la quête de justice et une profonde spiritualité.

— La solution existe. Geoffroy, notre seul fils catholique, porte le nom de Fleuriot. Modifions son patronyme pour Saint-Hippolyte de Noailles, suggéra l'époux.

Jehanne refusa. La discussion ne fit que planter un nouveau problème dans le paysage familial.

Saint-Hippolyte mentionna l'âge avancé du paternel et suggéra un prochain déplacement en France pour présenter à son père le fils aîné, catholique et rebaptisé. Elle avait appris à le comprendre.

— Qu'allez-vous m'annoncer encore ? maugréa-t-elle.

Sans rien dire, il sortit une autre missive qui brûlait la poche intérieure de son pourpoint depuis plus d'une semaine.

— Elle provient d'un ministre de la cour, pasteur mandaté par le roi, dit-il.

Elle ne dit mot, se refusa à prendre la lettre tendue vers elle.

— Le roi a formé un groupe de sages, catholiques et protestants, chargés de lui suggérer des mesures pour garantir et stimuler la paix religieuse dans le royaume. Le groupe protestant est présidé par un érudit de très grande valeur, Philippe Duplessis-Mornay, celui que l'on nomme le pape des protestants. Il me demande de me joindre au groupe.

Lors de la conversion du roi, Saint-Hippolyte avait eu la chance de côtoyer brièvement ce conseiller du roi pour la préparation et la présentation du mémoire de revendication des protestants. Ce travail n'avait rien donné, mais aujourd'hui, Sa Majesté attendait des résultats rapides sur une question d'intérêt national.

Henri IV entendait réintégrer les protestants dans la vie du royaume, sans toutefois susciter auprès des catholiques une levée de boucliers et rallumer le brasier des guerres sectaires. Il espérait un compromis. La patience et la sagesse étaient de mise – la sienne, mais non point seulement. Un groupe d'hommes, appartenant aux deux parties, construiraient, de concert, cette paix pour laquelle il demeurait, en dernier ressort, l'arbitre et le seul responsable.

Au nom du roi, le ministre Duplessis-Mornay priait Saint-Hippolyte de rejoindre le groupe de conseillers protestants. Il avait songé à décliner la proposition, bien que, venant d'un tel personnage, le refus tournerait à l'insulte.

En cette fin de journée, peut-être pour la première fois de leur vie commune, les époux regardaient dans la même direction. Le mari mijotait une solution.

— N'aviez-vous pas écrit aux deux actionnaires de ce bateau ?

À la suggestion de Simon, Jehanne avait diligenté des lettres à messieurs Pont-Gravé et Du Mas, se disant disponible à une rencontre où seraient précisées les modalités de collaboration entre propriétaires du navire. Elle voulait demeurer actionnaire, utiliser le navire pour acquérir l'expérience qui lui servirait à établir son commerce en France d'outre-mer et à explorer la route vers l'Asie par le nord du continent.

— Ma démarche n'a engendré que déception, déplora-t-elle.

D'une part, Gravé du Pont accusait le sieur du Mas d'avoir volé ses parts. D'autre part, le sieur du Mas refusait de la rencontrer et de faire affaire avec elle. Il prétendait avoir été berné par mon père, lui seul pouvant acquérir sa participation. Il menaçait de dénoncer le contrat comme faux et exigeait le transfert immédiat de ses parts.

— Je ne vois d'autre solution que de confronter du Mas face à face, ajouta-t-elle.

— Vous voulez vous rendre en France ? comprit-il.

— Il le faudrait. Vous de même, n'est-ce pas ? Vous ne pouvez ignorer l'appel du roi.

— Il serait préjudiciable de ne point voir à vos intérêts, ajouta-t-il.

Chacun joua ses pièces. Finalement, le pasteur partirait pour Paris. Jehanne rentrerait à Saint-Malo.

***

Jehanne triturait son plan en tous sens, cherchant entre autres à y inclure Simon. Elle ne voulait rien laisser derrière. Elle choisit le moment où elle le crut seul à la maison.

— Je ne vois pas d'autre possibilité, concéda-t-il après qu'elle eut louvoyé pour expliquer la situation.

Simon avait réfléchi à la question. D'ailleurs, il brossa en quelques traits précis un tableau de la situation. « Diriger un bateau dédié au commerce avec la Nouvelle-France à partir d'Amsterdam me semble impossible. »

Ils demeurèrent face à face en silence un long moment.

— Vous devez partir à Saint-Malo. C'est votre pays, dit-il.

— Sept ans ici à Amsterdam ! Je vous dois tellement, balbutia-t-elle, les larmes aux yeux.

Elle lui tendit la main. Il la reçut comme une fleur, l'ouvrit et y posa un baiser.

— Ce baiser est à vous, emportez-le, murmura-t-il en refermant sa main. Il représente toutes ces belles années que nous avons vécues ensemble. Nos chemins n'ont pas trouvé de carrefour où se marier, mais j'ai aimé marcher avec vous.

— Vous avez plus que marché. Vous m'avez ouvert la voie, guidée, encouragée.

Elle hésita et reprit :

— Simon, vous avez été plus qu'un compagnon de route pour moi, risqua-t-elle. Je vous ai…

Il lui coupa la parole.

— Moi aussi, Jehanne, et je vous aime encore, je vous aimerai toujours.

Elle leva vers lui ses yeux, grands et bleus comme l'océan. Il tenait toujours sa main.

— Vous me manquerez terriblement, murmura-t-il. Il s'approcha, la souleva, la prit dans ses bras et la serra contre lui. Il fut incapable de parler.

Elle baignait dans une atmosphère de fin du monde, fin d'un monde dans lequel elle avait vu le jour comme mère, comme commerçante et comme femme. Il était l'effigie d'Amsterdam, à la fois drapeau et porte-bonheur. Il était l'homme de la confiance en soi, de l'audace, l'homme de ses désirs secrets si difficilement refoulés.

Elle se détacha lentement de son étreinte et sortit en pleurant. Dans le silence, la porte se referma derrière elle. Ils s'étaient tout dit. De nouveau, elle partait dans la douleur d'un amour frustré.

Jehanne trouva refuge dans son officine, examina la carte de Mercator et sécha ses larmes. Un autre deuil à faire.

***

Au cours des derniers jours de novembre, le couple en était venu à un compromis fort honorable. Jehanne partirait à Honfleur, où elle donnerait rendez-vous à du Mas pour mettre au point son implication dans le navire. Saint-Hippolyte et Jacou iraient ensemble à Paris. Le pasteur participerait à cette commission du roi, Jacou poursuivrait son chemin vers Saint-Malo, organiserait l'arrivée de Jehanne et de sa famille et retournerait la rejoindre à Honfleur. Saint-Hippolyte les retrouverait dans l'une ou l'autre des villes, selon la durée de son engagement.

Elle prit un chargé d'affaires, embauché sous la recommandation de Simon, et mit de l'ordre dans ses négoces. Il lui suffirait d'assurer les dernières livraisons, de se faire payer et de lui remettre l'argent. La possibilité de poursuivre la vente de vin n'était pas exclue.

La commerçante s'agitait, les défis ne manquaient pas : le voyage vers Honfleur de toute la famille, incluant Annette et les autres domestiques, la réinstallation à Saint-Malo, le redémarrage des affaires, la propriété du navire et l'épineuse relation avec son frère. Mettrait-il ses menaces à exécution ?

Se gardant d'éventer ses projets, elle fut discrète et attendit au dernier moment pour affréter un bateau.

Ce matin-là, quelques jours avant le départ, l'arrivée de Simon et de son oncle la prit par surprise. Le vieil homme avait appris le départ et il venait, dit-il, lui souhaiter un bon voyage, lui réitérer son amitié et son désir de poursuivre les affaires avec elle comme il les avait conduites avec son père.

Jehanne remercia monsieur Pinheiro et l'assura qu'elle se réjouissait de pouvoir à l'avenir continuer à faire affaire avec lui. Voyant le vieillard figé sur la chaussée devant l'entrée de la maison, Jehanne comprit qu'il attendait autre chose. Elle les invita à entrer. Pour la première fois, elle le sentit hésitant, mal à l'aise. Il s'avança d'un pas vers elle. Il fit signe à son neveu, qui se tenait à distance derrière lui, d'approcher et de traduire ses propos.

— Je vous souhaite beaucoup de chance, madame. Vous êtes une bonne personne et Dieu saura vous aider. Ici, sur terre, vous pourrez compter sur nous.

Elle le remercia. Il y eut ensuite un silence si lourd que Jehanne se douta bien que le malaise cachait plus. Qu'attendait-il ? Elle n'allait pas parler, ayant compris que le partenaire le plus pressé gagnait rarement.

— Pour l'expédition de Van Houtman, murmura-t-il, la parole louvoyante, comment entendez-vous nous rembourser ?

Jehanne retint sa surprise. De cet investissement, elle n'avait obtenu que souffrance et misère. Perte sèche ! Elle demeurait actionnaire de la Compagnie d'exploration et de commerce des Indes Orientales dont toutefois les actions n'avaient aucune valeur. Au moins, elle avait appris à ne jamais confier son entreprise aux mains d'un autre, eût-il été bien intentionné. Ce qui était le cas, elle n'en doutait pas. Mais l'entente verbale était claire. Il y aurait paiement, dans la mesure où il y aurait gain. Elle regarda le vieil homme. Un frisson de nervosité l'agitait, la situation étant peu agréable. Elle fixa le vieillard.

— Ne devais-je vous rembourser qu'au moment où je gagnerais de cette initiative ? Nous ne sommes pas les seuls pour qui l'opération a tourné au calvaire, Dieu me pardonne.

— Vous alliez partir sans m'en parler.

— N'avions-nous point une entente ? Je ne fuis pas, monsieur. L'avenir pour mes affaires me semble meilleur en France.

Bien sûr, depuis l'héritage de son père, elle disposait de fonds pour rembourser le vieil homme. Non tenue de le faire, elle conservait ses munitions pour d'autres batailles. Le retour en France impliquait que son regard la portait droit vers l'ouest, vers la Nouvelle-France. Elle accordait foi à la parole de nombreux voyageurs qui voyaient dans le nouveau continent une voie plus directe pour atteindre les riches contrées des épices et de la soie. La perspective de disposer de son propre bateau confortait sa détermination.

Elle n'avait pas revu monsieur Pinheiro depuis le versement de l'héritage. Elle mit du temps à comprendre que la démarche du vieillard cachait autre chose que la créance. Elle regarda Simon. Assistait-elle à la dernière leçon de monsieur Pinheiro ?

L'oncle demeura debout devant Jehanne. Malgré tout, derrière l'habit usé de ce vieil homme résigné, pointait la force tranquille d'un rocher millénaire. Il portait le regard de celui qui vient de loin, d'une route bien ardue. Elle lui offrit une chaise et en tira une pour elle-même. Ils demeurèrent silencieux un long moment. Jehanne faisait de grands efforts pour conserver son calme. Elle n'entendait pas céder par pure sympathie, bien que la bonté de monsieur Pinheiro à son égard lui donnât mauvaise conscience. Elle luttait contre elle-même pour ne pas capituler.

Monsieur Pinheiro leva les yeux vers Jehanne.

— Votre père aurait…

Elle l'interrompit, se pencha vers lui, posa une main chaleureuse sur son bras et s'adressa en ami.

— Laissez, je vous en prie, monsieur mon père reposer en paix. De son héritage, monsieur Pinheiro, au-delà des écus, je chéris les plus grandes valeurs, la loyauté et le respect des ententes.

Elle laissa ses paroles flotter dans l'air, puis reprit :

— Nous n'avons rien gagné, ni vous ni moi, de l'aventure de Van Houtman. C'est malheureux et vous m'en voyez désolée. Ne laissons pas le soir tomber sur nos années d'amitié.

Jehanne parlait lentement. Le vieil homme écoutait, impassible.

— Un jour, très prochain, j'aurai un bateau à moi. Je ferai une nouvelle route, je gagnerai du commerce avec l'Asie. Suffisamment pour soulager le poids de cet échec. Pour l'instant, soyons bons partenaires, pour aujourd'hui, les jours et les années à venir. Respectez notre entente comme moi je le ferai, vous avez ma parole de Fleuriot.

Elle se leva, il fit de même et, de ses deux mains, prit la sienne. Il sourit.

— Bon voyage, mon enfant. Que Dieu vous protège, vous et votre famille.

Il demeura face à elle, les larmes baignant ses yeux. Un autre départ, une autre absence, une autre déchirure. Il remit son chapeau et sortit de la pièce. Jehanne suivit le bruissement de ses pas dans le couloir puis le claquement de la porte. Simon s'approcha d'elle.

— Il voulait vous revoir. Vous êtes un peu sa fille.

Elle soupira. Elle ne partait pas sans douleur. Il s'approcha et lui tendit un petit sac de cuir rouge fermé par un cordeau noir. Elle l'ouvrit et s'émerveilla devant la fine chaîne d'or au bout de laquelle bougeait un pendentif.

— Voici votre premier, dit-il en s'approchant au plus près.

Elle enfila la chaînette autour de son cou et sentit le petit bateau d'or sur sa gorge. Simon passa ses bras autour de ses épaules.

— Je l'aurai toujours avec moi, chuchota-t-elle.

Le silence les rapprocha. Il posa ses lèvres sur les siennes. Jehanne fut incapable de tourner la tête.

***

Guillaume de Saint-Hippolyte et Jacou quittèrent Amsterdam par la route, le 19 décembre. Pour plus de sécurité, ils prirent la direction de Düsseldorf, évitant les désordres causés par la présence des soldats espagnols dans la Flandre du Sud. Saint-Hippolyte poussant la cadence, ils atteignirent la première étape en deux jours. Ils traversèrent Sarrebruck trois jours plus tard et atteignirent Châlons-en-Champagne en moins d'une semaine. Le pasteur foula le sol français avec émotion.

Chacun à sa façon souligna la fête de la Nativité. Jacou assista à la messe dans une église catholique. Saint-Hippolyte improvisa un prêche chez un notable protestant lui ayant offert l'hospitalité. Sans s'attarder davantage, ils atteignirent Paris trois jours plus tard, en fin de journée. Saint-Hippolyte se rendit à la résidence du conseiller du roi.

Jacou dormit dans une auberge près de la porte Saint-Denis et dès le lendemain, il reprit la route. Il était chargé d'une importante mission. Jehanne et sa famille suivraient bientôt. Il les accueillerait et verrait à leur installation. Toutefois, il retournait à Saint-Malo plein d'appréhensions.

Ignorant sa date de naissance, Jacou croyait avoir dix-huit ans. Huit années, presque jour pour jour, s'étaient écoulées depuis que Jehanne, alors au couvent, l'avait tiré de la rue et de la famine pour le confier aux bons soins de la maison Grangeneuve.

Du temps de sa mère, le garçon avait toujours vécu dans la misère. Pour survivre, il savait flairer le vent, jouer de prudence, éviter les pièges. Il n'était ni grand ni fort, n'avait d'autres attributs qu'un immense désir de vivre et déployait à ce seul impératif tous ses talents, dont il n'était point dépourvu. La meilleure façon d'éviter les problèmes, se disait-il, consistait le plus souvent à se mettre en retrait. La mission le projetait au centre de la mêlée.

Plus il approchait de Saint-Malo, plus de sombres sentiments l'envahissaient. Il eût préféré que madame Jehanne s'installât dans une autre ville. Il n'avait pas réussi à l'en convaincre et craignait le pire.

1598

En ce début d'année, le territoire des Sauvages dormait, enseveli. Depuis novembre, un nuage tirant l'autre, le ciel tirait sur l'immensité une épaisse couverture de flocons. Lacs et rivières se fondaient dans un paysage immobile. Seules les têtes dénudées des grands conifères se balançaient dans le vent. Les animaux épuisés se terraient sous les branches et dans les tanières.

Incapables de se déplacer pour chasser et ramasser du bois de chauffage, les raquettes s'enfonçant dans la neige poudreuse, les habitants souffraient dans les wigwams. Les provisions de l'année précédente ne nourrissaient plus que les souvenirs ; la faim et le froid étaient installés comme à demeure. Tout à la course aux pelleteries, les hommes chassaient moins pour la subsistance du groupe. Le commerce primait et bousculait les vieilles façons de faire. Les chamans criaient au malheur, au désespoir et ils adressaient aux esprits des implorations insistantes pour ramener les guerriers à la raison et apaiser les tourments de l'hiver. Les jours sans horizon s'étiraient, laminaient. L'hiver tourmentait, s'acharnait.

Puis au fil des aurores de plus en plus hâtives, malgré le froid qui se cramponnait, le ciel, bousculé par de grands vents venus du Sud, répondit aux prières. Avec février finissant, il se nettoya.

Il n'y eut jamais plus belle lumière que celle-là. Dans ce bleu infini, le soleil vint enfin s'installer.

La neige s'affaissa sur le sol. Les ruisseaux se mirent à ramper sous les grands arbres. Les hommes sortirent, se traînèrent pour débusquer la vie qui s'éveillait aussi autour d'eux. Ils trappèrent l'écureuil, le lièvre et d'autres petites bêtes, avec reconnaissance, remerciant ces animaux de s'offrir ainsi à eux, de permettre aux humains de vivre. Autour des campements, on ralluma les feux de boucane dans les huttes de branchages et, montant des braises, l'odeur chaude des viandes fumées remplit l'air. Les femmes puisèrent dans ces chairs la survie des enfants et du clan. Les gens de la forêt soignèrent les malades et enterrèrent les morts. Les enfants se remirent à jouer sur les rives caillouteuses, courant sur les blocs de glace qui formaient d'éphémères collines sur les rivages. Les hommes lancèrent les filets à poissons et célébrèrent les prises qui agrémentèrent l'ordinaire des jours.

Enfin rassasiés, les braves s'enfoncèrent dans les bois pour trapper. Il fallait recueillir encore plus de fourrures de castor, de loutre et de martre pour échanger avec les hommes blancs qui viendraient bientôt sur les grands bateaux.

***

En attendant le déménagement définitif vers Saint-Malo, la petite tribu, cinq adultes et trois enfants, débarqua à Honfleur à la fin du mois de février et s'installa à l'Auberge Brochet, au bout du quartier de l'Enclos, près de la mer, derrière les greniers à sel. Jehanne revenait enfin en France, résolue à y vivre à demeure. Elle réalisait la promesse qu'elle s'était faite, neuf ans plus tôt.

Durant les premiers jours, elle courut en tous sens, découvrant la ville, espérant, par chance, y rencontrer Pourcin du Mas. Elle fut déçue d'apprendre que l'homme était du côté de Saint-Malo ou de Paris, brassant des affaires sur terre, et que son navire était quelque part dans les îles.

Elle fit le tour des églises, participa aux offices, toutes manifestations de piété qu'elle n'avait pu afficher librement à Amsterdam. Elle y emmena ses enfants. Ainsi, après un bain de religion réformée, la famille plongea dans la liturgie catholique, la religion de son enfance à elle, la religion du royaume.

Les premiers jours confirmèrent la bonne impression de sa première visite. De nombreux habitants avaient reconstruit leur maison et de nouvelles prenaient forme dans les décombres des bombardements. Certains profitaient des pierres des murailles écroulées pour solidifier ou redonner vie aux fondations de leurs demeures précédentes. Le Havre-du-dedans grouillait d'activités.

La dame Brochet, femme d'un âge avancé, mais alerte, tenait seule l'établissement depuis la mort de son mari l'été précédent. Attendant le retour de son fils unique, elle comptait sur lui, marin de la marine royale du Ponant, pour reprendre l'établissement familial. Elle n'ouvrait plus le soir et quelques rares habitués y trouvaient encore parfois à boire et rarement à manger.

Au début, ombrageuse, la tenancière trouva rapidement à se réjouir de la présence de Jehanne et de sa famille : la douceur d'un revenu décent et régulier, mais aussi de l'animation assurée que le nombre et la vigueur de la famille lui assuraient.

Geoffroy, l'aîné, faisait sept ans. Grand pour son âge, curieux en tout, mais discret, il se recroquevillait parfois dans un coin et observait attentivement tout ce qui se passait aux alentours. Ou bien il gagnait la rue, trouvant matière à observer et à questionner. Déterminé à comprendre la vie, il exigeait des réponses. Les deux plus jeunes, âgés de trois ans maintenant, demeuraient soudés l'un à l'autre. Madeleine, légèrement plus grande et plus alerte, menait le duo. Jean débordait d'énergie, tapageur, courant partout, sans cesse pourchassé par une domestique qui s'épuisait à éviter le pire. La propriétaire de l'auberge s'était prise d'affection pour la petite fille et chaque fois qu'elle le pouvait, elle repoussait le garçon. Un matin, elle s'approcha de Jehanne occupée à la cuisine.

— Par chance, vos enfants ne se ressemblent pas, murmura-t-elle, pointant du menton les deux plus jeunes. À les voir, on imagine des jumeaux.

Jehanne releva la tête, ne pouvant démêler l'interrogation de l'insinuation.

— Madeleine est l'aînée des deux, répondit-elle.

La vieille dame esquissa un sourire.

— C'est bien ce que je croyais.

À quelques minutes près, Jehanne ne mentait pas. Cependant, l'incident lui fit réaliser combien ces deux cadeaux du ciel porteraient à jamais l'ombre de la controverse et du scandale. Où qu'elle aille, se disait-elle, il se trouverait bien quelques esprits pernicieux prêts à gratter une plaie cicatrisée sainement. L'épisode rappela la solution qu'elle avait imaginée concernant l'héritage de la famille de son époux. Elle pensa même profiter de l'absence de ce dernier pour faire baptiser les deux plus jeunes.

Toutefois, les jumeaux atteignaient trois ans et procéder à leur baptême maintenant paraîtrait suspect, soulèverait d'inutiles questions. Elle se retint, de plus soucieuse de préserver l'harmonie de son foyer.

Mais l'allusion de la mère Brochet exposa la complexité de son retour en France : elle avait une vie à rebâtir. Bien sûr, elle n'était plus cette jeune novice sans repère, ayant mis sept ans à rassembler confiance, ambitions, réalisations et projets. Non sans effort et déchirement, elle s'était assumée, inventée et, surtout, elle s'interdisait tout retour en arrière. À Amsterdam, elle connaissait quelques dames qui, soit dans le négoce, soit dans la vie civile, occupaient des places d'hommes. L'esprit de tolérance de la ville rendait possible ces existences uniques. Qu'en serait-il en France, dans sa ville, dans sa famille ?

***

Dès le lendemain de son arrivée à Paris, Saint-Hippolyte rencontra l'homme qui l'avait sollicité. Il connaissait Philippe de Mornay, dit Duplessis-Mornay, surtout de nom et de renom. Théologien, homme politique et homme de lettres, il représentait un des grands esprits de la Réforme protestante. Dans la querelle de l'accession d'Henri de Navarre au trône, il avait défendu avec talent et vigueur le principe de la loi salique contre l'obligation de l'allégeance catholique et participait au cercle intime des conseillers du roi depuis cette époque. Il tenait magnifiquement la plume, non seulement pour appuyer Henri, mais aussi pour défendre la monarchie, la religion réformée et une vision différente du monde. Il portait, comme un manteau confortable, cette réputation de diplomate accompli et de brillant conseiller. Duplessis-Mornay approchait la cinquantaine et il rayonnait d'une autorité sereine.

Saint-Hippolyte avait tout lu de lui et reprenait en son enseignement quelques idées fortes du maître. À l'entrée de la salle, il eut un moment de vertige, à la vue de l'éminent personnage rayonnant au centre d'un bataillon de conseillers et de pasteurs, dont plusieurs fort connus.

— Monsieur de Noailles ! s'exclama Duplessis-Mornay à l'entrée de Guillaume dans la pièce. Merci d'avoir répondu à mon appel. Nous aurons grandement besoin de votre brillant esprit.

— Vous me faites trop d'honneur, balbutia Guillaume.

— Venez que je vous présente vos collègues et que je vous explique votre mission.

Saint-Hippolyte serra les mains, répondit par un sourire aux salutations et aux bons mots. Duplessis-Mornay donna quelques instructions et opinions en indiquant les documents étalés sur la table principale qui occupait le centre de la pièce. Il prit Saint-Hippolyte à part.

— Que savez-vous sur ce que le roi prépare ?

— Monseigneur, j'arrive d'Amsterdam, j'y enseignais. Pardonnez mon ignorance, mais j'ignore tout des intentions du roi.

— Ne vous affligez pas. Je dois vous le dire, je n'ai entendu que de bons mots au sujet de votre travail auprès du roi en 1596. Je me réjouis fort de vous voir ici.

Il prit Guillaume sous le coude et le dirigea, avec détachement, vers une table, face à une fenêtre, sur laquelle reposaient deux piles de documents.

— Vous avez ouvert, m'a-t-on dit, une académie dans la capitale des Provinces-Unies. Vous savez, je tiens l'enseignement comme le plus noble des métiers. Votre expérience m'intéresse au plus haut point et nous en reparlerons assurément, mais pour l'heure, voici votre labeur, vos fidèles compagnons des prochains jours, avisa-t-il, pointant vaguement de la main les documents sur la table.

Saint-Hippolyte compta quinze ensembles de documents, chacun enserré dans une peau de chevreau, fermée par un ruban.

— Vous pourrez les prendre. Il s'agit de tous les édits proclamés depuis 1560 par nos souverains successifs pour mettre fin à l'un ou l'autre des terribles épisodes de la guerre de religion qui a mis notre pays à feu et à sang.

Il lissa sa longue barbe poivre et sel qui tranchait sur sa fraise immaculée. Il sortit de sa manche un mouchoir pour éponger son front haut bordé de cheveux grisonnants.

— Mon cher Guillaume, je vous confie la tâche la plus délicate et la plus urgente d'entre toutes. Toutefois, au préalable, laissez-moi partager l'ambition de notre roi.

Il fit une pause, s'adossa à la fenêtre et porta la main à son menton pour réfléchir comme si une nouvelle idée venait de traverser son esprit.

— Notre souverain, en sa grande sagesse, désire instaurer, pour aujourd'hui et pour toujours, paix et richesse dans le royaume. Cette paix se fera entre religions. Elle sera fille d'audace et de volonté mais elle devra, pour s'imposer, se pencher sur le passé, y puiser les leçons, identifier les écueils. Votre œuvre, mon cher Guillaume, oui, votre œuvre avec nous, consiste à effectuer une synthèse des édits précédents, d'en dégager les avancées et les conquêtes, les reculs et les défaites en ce qui nous concerne, nous, protestants.

Duplessis-Mornay gonflait le dessein du souverain. En subtil conseiller, il savait, des intentions royales, tirer une politique nationale. Certes, Henri souhaitait paix et sécurité pour assurer la prospérité du royaume et de ses habitants, mais il cherchait aussi à éviter l'effritement de ses appuis et une nouvelle explosion de violence, toujours susceptible de l'emporter.

Le conseiller considéra Saint-Hippolyte, celui-ci demeuré silencieux devant la table.

— Je comprends votre étonnement, reprit-il. Le roi prépare un nouvel édit. Peut-être que le prochain ne durera que le temps de recharger les canons. C'est une possibilité. Mais mon ami, je vous exhorte plutôt à l'optimisme, à la confiance et, je le répète, à l'audace. N'est-ce pas celle de nos ancêtres qui fait la grandeur de la France ? Aujourd'hui, c'est à nous qu'incombe la tâche de relever et de porter haut cette gloire.

Il fixa le pasteur un long moment.

— De Noailles, mon ami, nous sommes au centre d'un processus de négociation, au cœur d'un creuset d'esprits de bonne volonté. Du moins, je le crois. Je vois le roi régulièrement et le printemps de la paix, tant attendue, est à l'aube de bourgeonner.

— J'aimerais vous croire, laissa échapper Saint-Hippolyte.

— Faites-le, je vous en prie. Chassons l'esprit chagrin qui nous afflige tous depuis si longtemps, ne le laissons point châtier notre jugement et miner notre travail. J'ai besoin de vous, monsieur. Vous avez la capacité de mettre à jour les quarante années de luttes et de conquêtes, de souffrances et de douleurs de nos frères dans le Seigneur, et d'inscrire, à jamais, notre religion dans l'histoire.

***

Jacou arriva en vue de Saint-Malo en fin de journée, le 8 janvier. La marée léchait les remparts, un vent du large poussait sur la ville un air vivifiant qu'il huma avec grand plaisir, ravi de retrouver sa ville. Il s'y glissa par la poterne de la Blatrerie, gagna, en longeant les maisons, la place de la cathédrale et il chercha refuge auprès de Bertine, l'ancienne cuisinière de monsieur de Grangeneuve, employée maintenant dans l'auberge d'un parent près de la tour du Fiel.

Depuis la signature entre le conseil des conservateurs et le roi de l'édit de Réduction, la ville avait retrouvé calme et prospérité. Une grande partie de la milice locale avait été démobilisée, de même pour le réseau d'informateurs que contrôlait le frère de Jehanne. Jacou en fut soulagé. Dès le lendemain, il se mit en chasse pour identifier les habitations susceptibles d'accueillir Jehanne, la famille et la domesticité. Il connaissait la ville comme le fond de sa poche et constata, après une journée à peine, que les rares habitations en chantier étaient destinées à de riches marchands. Plusieurs familles expulsées de la ville revenaient, reprenant leurs maisons ou louant celles disponibles.

Par ailleurs, il réalisa que, trop jeune et trop maigre, il seyait mal à ce rôle de chasseur d'habitations. Il avait beau raconter l'histoire d'un riche commerçant de Rouen voulant s'installer à Saint-Malo, son passé d'enfant de la rue le préparait mal à cette tâche, le rendait peu crédible. Il eût préféré l'anonymat, mais à Saint-Malo, tous se connaissant, il fut rapidement identifié comme étant de la maison des Fleuriot de Grangeneuve. Tout lui indiquait de quitter la ville, tout lui signifiait qu'il n'était plus à sa place dans cette cité, pourtant autrefois la sienne.

Après peu de temps, un homme lui fixa rendez-vous avec un notaire désireux de régler une succession importante incluant plusieurs propriétés vers Saint-Servan. Il s'y rendit. Le soir même, il dormait en prison.

***

Le matin, Jehanne sortait de l'Auberge Brochet, du côté de la rue Saint-Antoine, tournait dans l'étroite et obscure rue des Petites Boucheries puis dans la rue de la Prison et entrait par la porte principale de l'église Saint-Étienne, située presque sur le quai, en face du Havre-du-dedans.

Humble église de marins, elle avait résisté au temps et à la dévastation des guerres de religion. Quelques femmes, des veuves ou filles de marins disparus, occupaient les premiers rangs, courbées dans leur deuil éternel. Derrière celles-ci, durant ces mois où les marins s'ennuyaient à quai, des capitaines et des commandants priaient pour obtenir un prochain départ. Marins et petit peuple s'entassaient dans les dernières rangées, d'où montaient souvent des ronflements.

Ce matin-là, après la bénédiction du prêtre, elle s'attarda dans l'église et adressa à Dieu de pressantes prières pour le retour de Jacou. Lorsqu'elle sortit, la petite foule se dispersait sur le quai et dans les rues avoisinantes. Elle fut attirée par la haute silhouette d'un homme qui se dirigeait vers un bateau amarré au quai. Il gravit la passerelle, interpella les hommes qui flânaient sur le pont. Jehanne s'approcha.

Plusieurs navires sommeillaient dans le bassin en cette saison, du fait que Honfleur constituait un des plus importants ports de la côte atlantique du royaume. Ce statut, acquis de témérité et de hardiesse, lui revenait de droit. Il s'y parlait encore de Binot Paulmier de Gonneville qui avait atteint le Brésil en 1504, de Jean Denis qui avait exploré le golfe de la grande rivière du Canada, bien avant Cartier, de Thomas Aubert et de sa colonie sur l'île de Terre-Neuve, et de maintes autres légendes de bateaux et de mers.

Jehanne s'approcha du navire, dont le nom, *Le Catherine*, écrit de rouge et d'or, tranchait sur la coque brûlée par le soleil et le sel de la mer. Du haut du gaillard d'avant, l'homme l'aperçut et il se présenta comme étant Thomas Chefdhostel, propriétaire et commandant du navire. Il s'enquit de son intérêt, précisant qu'il préparait son bateau pour un départ hâtif.

— Préparez-vous un voyage de pêche aux Terres-Neuves ? demanda-t-elle.

— Pas seulement. Je commande la mission du sieur Mesgouez, le marquis de La Roche, qui compte installer une colonie là-bas.

— Vous partirez seul ?

— Non ! Nous voguerons à deux navires. En quoi, madame, ces affaires vous intéressent-elles ?

Jehanne répondit sans réfléchir :

— J'aimerais embarquer avec vous.

Il éclata de rire.

— Impossible. Les femmes ne sont pas admises à bord.

— Et pour quelles raisons ? rétorqua la commerçante, que tout refus hérissait.

L'homme quitta son bord et vint la rejoindre sur le quai.

— Parce qu'il en est ainsi, madame.

Chefdhostel précisa que, de sa vie, et de celle de ses ancêtres, il n'avait pas vu ou entendu parler d'une femme à bord d'un navire.

— La nature humaine, madame. La loi de Dieu qui vous a ainsi faite. Les conditions sont trop difficiles. De plus, imaginez-vous la pagaille chez les hommes !

Jehanne se garda de commenter. Une fois propriétaire de son propre bateau, se dit-elle, elle imaginait mal quelqu'un lui interdire le voyage.

— D'où êtes-vous, madame, et que cherchez-vous dans cette ville ? demanda le commandant.

— Je suis de Saint-Malo, répondit-elle, et je cherche le sieur Pourcin du Mas.

Chefdhostel déclara connaître le gentilhomme, précisant qu'il travaillait pour le sieur de La Roche. Il était encore à Honfleur récemment, dit-il. Il s'étonna lorsque Jehanne lui signifia qu'elle faisait affaire avec du Mas.

— Voilà qui est singulier, dit-il. J'aimerais vous entendre m'en parler plus. Venez chez moi. J'habite tout près, de l'autre côté du port.

Jehanne hésita. L'autre sourit :

— Mon épouse vous accueillera avec plaisir.

Ils contournèrent le bassin et gravirent une rue pentue. Chefdhostel habitait une demeure à façade de bois sculpté, du côté de l'église Sainte-Catherine. Jehanne découvrit cette impressionnante église faite de deux nefs jumelées, voûtées en forme de carènes renversées. Une église construite par des architectes de bateau et des marins, à n'en point douter. Bizarrement, situé de l'autre côté de la rue, le clocher, construit également de bois, était soutenu par d'énormes poutres extérieures. Sur la place autour, des paysans tenaient marché.

Le commandant Thomas Chefdhostel raconta avoir mené l'année précédente une mission exploratoire pour de La Roche. Selon la commission de cette année, il repartait avec deux navires, une quarantaine de colons et de quoi bâtir habitations et magasins. Son vaisseau, partant le premier avec de La Roche à son bord, déposerait les matériaux de construction sur l'île puis passerait au large la saison de pêche, avant de rentrer en France. Quant au deuxième navire, il conduirait les colons sur l'île et une fois les travaux de construction bien engagés, explorerait la côte.

— Sur l'île de Sable, les colons seront à l'abri des Sauvages, dit-il.

— Comment pourront-ils survivre, isolés au milieu de l'océan et du terrible hiver en Canada ? s'enquit Jehanne, gardant mémoire de l'épopée de Dreux.

Le commandant relata l'histoire des animaux abandonnés par les Portugais et la rassura. De La Roche y laisserait également des provisions. Les colons pourraient aussi pêcher, chasser le loup-marin et cultiver.

— Le marquis compte les visiter chaque année, ajouta-t-il.

Chefdhostel s'interrogea sur ses liens d'affaires avec Pourcin du Mas. Jehanne demeura prudente et s'en tint à de vagues propos. Le capitaine comprit qu'elle ne souhaitait pas parler et la raccompagna donc à la porte de la maison. Il ne mentionna pas, non plus, la participation de du Mas à la prochaine expédition de l'île de Sable.

— Trouverez-vous votre chemin de retour ? demanda-t-il, prévenant.

— Sans aucune difficulté, répondit-elle.

— Une dernière chose en ce qui concerne votre partenaire : je vous invite à la prudence. Je ne lui confierais certainement pas mon bateau. Il peut même être dangereux.

— N'ayez crainte, monsieur, je l'enterrerai assurément, répondit-elle en souriant.

— N'en soyez pas si certaine, murmura-t-il.

Une fois dans la rue, Jehanne songea à ce commentaire. Voulait-il la prévenir ou l'effrayer ? Se préoccupait-il d'elle ou s'intéressait-il à sa participation dans le navire de du Mas ? De retour à l'auberge, elle ne vit toujours pas Jacou.

***

Troilus de Mesgouez, marquis de La Roche, arriva à Paris le 10 février. L'entrevue avec le roi était prévue pour le 12. Par la suite, il comptait demeurer dans la capitale, histoire de renouer avec quelques connaissances et surtout de rencontrer les principaux pelletiers de la ville. Il vendait déjà les peaux d'animaux qui couraient encore la forêt.

Conformément aux désirs du souverain, il avait préparé un rapport complet de l'expédition de l'année précédente, qualifiée de « mission exploratoire ». Honnêtement, il n'en pouvait rien tirer de positif. Le bilan en termes de fourrure était mince et il clamait partout qu'il avait perdu de l'argent là où il comptait en gagner. Le commandant Chefdhostel s'y connaissait parfaitement en navigation et en pêche au large sur le Grand Banc, mais très peu lorsqu'il s'agissait de pénétrer dans le golfe du grand fleuve, de s'approcher des rivages et de transiger avec les Sauvages. Aussi s'était-il contenté de longer le littoral de la côte de Norembergue, n'en rapportant que des peaux de cerfs et d'orignaux, de faible valeur sur le marché.

Par bonheur, sur terre en France, du Mas avait bien travaillé. Le roi avait promis de verser douze mille écus pour supporter cette nouvelle expédition et l'installation des colons.

La Roche se fit introduire auprès de quelques maîtres fourreurs de la capitale. Après plusieurs années de stagnation, le marché se réorganisait. Des fournisseurs de Cologne avaient appointé Henri Hoton, un des leurs, comme maître pelletier délégué auprès des artisans français. Hoton, une fois installé dans la capitale, se rendit à plusieurs reprises à Rouen pour affermir les liens avec les marchands. On le disait prêt à investir dans le commerce outre-mer.

C'est seul et en habit d'apparat que le marquis se présenta au palais royal le matin du 12 février. Il vivait un grand jour, un nouveau moment de gloire. Sa fortune et son pouvoir étaient assurés à jamais. Il allait recevoir, des mains de Sa Majesté, le parchemin officiel, portant le sceau royal qui ferait de lui non seulement le gouverneur des nouvelles terres, mais aussi de tout le territoire de l'Atlantique Nord connu des Français. Il serait, lui-même, nommé propriétaire de ces terres avec capacité de lever une armée pour défendre sa propriété. Il pourrait également vendre ou céder des terres et jouir en exclusivité du commerce des fourrures. Tout autre marchand prenant part à ce commerce serait tenu de lui verser une redevance.

Ayant passé aisément les contrôles à l'entrée du palais, il se dirigea vers les appartements du souverain. Il fut bientôt redirigé vers la chancellerie, où il fut prié d'attendre. Tout de même étonné de ne point voir du Lac, l'audiencier du roi, de La Roche ne s'inquiéta pas, si près du but, de la fortune et de la gloire. Il était reconnu et ne doutait pas de se revoir parmi les pairs les plus influents du royaume.

Il patienta une longue heure avant qu'un laquais l'invitât à entrer dans une salle attenante. Quelques minutes plus tard, un officier de la chambre du roi, un certain Dugas de Mons, qu'il avait à l'occasion entrevu, se présenta et lui remit le parchemin. L'officier salua et quitta la pièce, sans autre commentaire.

Le marquis s'offusqua tout de même du procédé et déplora de n'être pas reçu par le roi. « Les convenances se perdent », se dit-il. L'événement l'aurait mérité, jugeait-il. Il déroula le document, vérifia qu'il portait bien la signature du souverain, le roula à nouveau et le fourra dans la bandoulière qu'il portait en travers de la poitrine. Il faudrait le tuer pour le lui prendre.

La Roche revint à son hôtel, fit appeler Pourcin du Mas et lui présenta le document. La réaction de l'autre ne tarda pas.

— Je comprends qu'Henri ait fait l'économie de vous recevoir.

— Qu'en est-il donc, monsieur l'avocat ? interrogea le marquis. Y a-t-il embarras ?

— Monsieur, comme convenu, le roi vous accorde les pays de Canada, Hochelaga, Terre-Neuve, Labrador, rivière de la grande baie de Norembergue et les terres adjacentes desdites provinces et rivières.

De La Roche écoutait avec impatience. Déjà qu'il faisait d'énormes débours pour préparer l'expédition, dont deux navires, deux commandants, deux équipages ! Il avait bien obtenu du Parlement de Rouen des prisonniers et des gueux de la ville avec droit de les conscrire, mais il lui fallait nourrir ces hommes, prévoir les constructions sur l'île et des provisions pour tenir une année. Il n'entendait pas y passer l'hiver, et pour y assurer le bon ordre durant son absence, il avait appointé le commandant Querbonyer ainsi que le capitaine garde-magasin Coussez. Si quelque chose clochait, il voulait le savoir immédiatement.

— Quel est le problème, monsieur maître du barreau ?

— Vous n'en êtes plus gouverneur, lieutenant général et vice-roi comme stipulé à vos lettres patentes de 1578. Sa Majesté ne vous nomme que son lieutenant général.

— Mais encore, qu'est-ce à dire ?

— Qu'il peut désigner quelqu'un d'autre au-dessus de vous, monsieur ! Dans le jeu du roi, vous êtes un valet et non plus seul à pouvoir détenir la propriété de ces territoires.

— Balivernes, du Mas.

Il se détourna et reprit le parchemin.

— Je verrai Henri, ajouta-t-il pour conclure. J'arrangerai cela. Sans doute un problème d'écriture. Ce qui compte vraiment, c'est la terre. La liste est juste, du Mas. Tout y est. Ces territoires m'appartiennent.

La Roche concrétisait le rêve qu'il avait imaginé vingt ans auparavant ; dont il avait poli tous les contours durant ses six années dans les cachots de Mercoeur ; pour la réalisation duquel il avait déjà compté toute la richesse. Il n'allait pas se laisser démonter si près du but, à quelques semaines du départ.

— Du Mas, cessez de m'importuner avec vos broutilles.

***

— Tout ce travail en si peu de temps ! s'exclama le sieur Duplessis-Mornay, passant en revue le bordereau figurant sur le document que lui présentait Saint-Hippolyte. Je suis fort impressionné. Très, très bien.

Saint-Hippolyte avait œuvré jour et nuit pour s'acquitter de sa tâche. Il avait lu et relu la douzaine d'édits, en avait compilé les acquis pour le parti huguenot desquels il avait dégagé une synthèse finale. Ce document constituait la base historique pour étayer la position de qui cherchait une solution au conflit opposant catholiques et protestants.

— Je le lirai attentivement et nous en discuterons avant de le présenter au roi. Pour aujourd'hui, j'ai à me rendre chez le légat du pape. Je vous invite à m'accompagner, ajouta-t-il d'une voix bienveillante.

Au sortir de la résidence, ils empruntèrent la rue de la Ville L'Évêque.

— Le cardinal Ottaviano de Médicis est un personnage fort intéressant, même s'il est catholique, ajouta-t-il, sourire aux lèvres. Vous verrez, c'est un homme d'une grande clairvoyance, de culture et d'intelligence, ayant gagné la confiance de notre

315

souverain. Nous entretenons, à l'occasion, de passionnantes discussions.

Les deux ecclésiastiques longèrent le couvent des Bénédictines et rejoignirent la rue Saint-Honoré, dans laquelle l'envoyé du souverain pontife occupait un bel hôtel particulier. Avec l'accession d'Henri au trône de France, le pape Clément VIII avait nommé ce Médicis son représentant spécial, dans le but de favoriser un rapprochement avec le nouveau roi. Le prélat et Duplessis-Mornay se rencontraient régulièrement, cherchant à s'entendre par la conciliation. Ainsi, les deux parties, catholique et protestant, s'appliquaient à finaliser les recommandations qu'ils feraient au roi pour rétablir la paix dans le royaume.

Le conseiller protestant s'arrêta devant un large portail de bois finement sculpté de scènes bibliques et frappa du marmot. Un religieux les accueillit et les guida. Les murs du couloir étaient couverts de magnifiques tentures portant les armoiries du pape. Ils passèrent un portail ouvert, exposant une chapelle somptueusement décorée. Leur guide les précéda dans une vaste pièce dans laquelle de hautes fenêtres laissaient couler sur le plancher une lumière bleutée. Il désigna des fauteuils lombards ornés de cuir fauve et de laiton doré, et les invita à y prendre place. Le cardinal-légat entra par une ouverture dérobée derrière un rideau mauve.

Ce représentant du pape portait fort bien un début de soixantaine. Front haut et dégagé, regard invitant et curieux, il exhibait, comme tous les personnages importants, une barbe blanche soigneusement taillée et lissée. S'avançant vers Duplessis-Mornay, il lui tendit les deux mains, affichant à la droite l'anneau d'or orné d'un énorme saphir.

Le protestant se limita à lui serrer le bout des doigts. En retrait, Saint-Hippolyte demeura immobile. Il n'avait pas rencontré de membre de la haute hiérarchie catholique depuis fort longtemps, aussi fut-ce avec une stupeur contenue qu'il contempla la tenue vestimentaire du personnage. Le légat portait la barrette de soie moirée rouge, la chape cardinalice, cintrée au cou d'un chaperon d'hermine blanche. Le grand manteau, plus haut sur le devant pour laisser libre cours au mouvement des mules de cuir verni écarlate, comportait une traîne. Un rochet ornait ce manteau, sur lequel la croix pectorale dansait.

La scène ramena Saint-Hippolyte à son ancienne vie. Comme si tous les morts des guerres de religion, comme si toutes les réformes clamées du haut des tribunes et des chaires, énumérées dans les édits et les bulles papales, se brisaient au mur des symboles et des traditions. Le contraste avec Duplessis-Mornay, sobrement vêtu de noir, sans appareil ni bijou, était sidérant et éloquent.

— Mon ami, salua le légat, j'ai honneur à vous revoir et à vous recevoir chez moi ! Asseyons-nous, chers amis, et vous, l'ami Philippe, présentez-moi ce nouveau collaborateur, que j'ai plaisir à voir pour une première fois, ajouta-t-il en désignant Saint-Hippolyte.

Ils prirent place. Sur le fait, un ecclésiastique entra et se glissa derrière le cardinal. Saint-Hippolyte se crispa sur son siège. Le nouvel arrivant s'arrêta sur le champ. Les deux se foudroyèrent du regard. La pièce tout entière se referma dans l'intensité de ce regard.

Les deux prélats se turent, embarrassés de ce soudain malaise. Duplessis-Mornay fronça les sourcils, puis, reprenant constance, se retourna vers le légat.

— Je vous présente monsieur de Noailles.

L'autre, qui avait pris place aux côtés du représentant du pape, lui chuchota à l'oreille :

— Je le connais. Il était chanoine à Saint-Malo. Il a changé de nom, mais c'est le même homme. Un hérétique, un sectaire féroce, monseigneur. Faites-le expulser.

S'ensuivit un long silence. Duplessis-Mornay, aucunement démonté, laissa son regard flotter dans l'air. Il avait compris la situation, tout en ignorant, bien sûr, l'inimitié entre les deux et la soif de vengeance de Quimart. Il laissa les secondes s'envoler puis, sur le ton de la confidence, se penchant vers le cardinal Médicis, il déclara :

— Vous serez d'accord, mon ami, que la conversion constitue une voie à deux sens. Si le roi donne l'exemple, peut-on priver ses sujets du même privilège ? J'ajouterai d'ailleurs que la paix de Beaulieu de 1576 établissait le droit des représentants de l'Église de se convertir à la religion réformée. Monsieur Quimart, s'agit-il bien de l'édit de Beaulieu ? dit-il, défiant l'ecclésiastique.

L'autre ne répondit pas.

— De Noailles ? demanda Duplessis-Mornay en se tournant vers Saint-Hippolyte.

— Tout à fait, monseigneur.

— Je ne vois aucune raison à revenir vingt ans en arrière, avisa fermement Duplessis-Mornay.

Le légat du pape acquiesça timidement et reprit l'initiative de la discussion.

— Nous en étions, lors de notre dernière rencontre, à la dénomination, n'est-ce pas ? Comment nommer votre Église ?

La question demeura suspendue quelques secondes dans l'air. Tous y avaient réfléchi, mais chacun évitait de se commettre.

— Je vous soulignais, rappela l'Italien, que l'Église catholique est la seule qui constitue une Église réformée. Vous conviendrez que le concile de Trente a fait, en matière de réforme, œuvre utile et que votre culte ne peut usurper cet apanage et plaquer pareil attribut. En l'occurrence, on ne réforme pas ce qui n'existait pas auparavant, ajouta-t-il avec sécheresse.

Il fit une longue pause et murmura :

— Par ailleurs, j'entends bien que le terme hérétique est pour vous des plus offensants. Aussi, que pensez-vous de l'utilisation, pour parler de votre parti, du vocable « Église prétendument réformée » ?

Saint-Hippolyte faillit bondir. Revenir à l'essence de la religion chrétienne, puiser sa foi dans les Saintes-Écritures, et maintenir un dialogue direct avec Dieu, tout cela était abaissé, réduit à une forme inférieure de culte, même pas à une religion. Il trouvait le terme odieux.

Duplessis-Mornay conserva son calme.

— Le titre ! Est-ce là bien important, monseigneur ? Les protestants de ce pays veulent vivre en paix, disposer partout du droit de culte, sur tout le territoire, sans restriction et sans crainte que d'hystériques chevaliers ne viennent les massacrer. Garantissez-nous le droit de culte partout, auquel s'ajouteront des lieux sûrs où nous maintiendrons une force de protection, armées ou garnisons, et nous pourrons discuter.

La loi du nombre pesait contre les protestants. Aussi Duplessis-Mornay était-il prêt à quelques compromissions en échange du droit d'exercice à l'abri de toute menace ou contrainte.

Après la rencontre, il fut le premier à parler.

— Alors donc, vous connaissez ce Quimart ?

— Nous eûmes, jadis, une altercation en la cathédrale de Saint-Malo alors qu'était annoncée la mort du duc de Guise. Ce monseigneur appelait au massacre et je m'y suis opposé.

— Il vous a foudroyé du regard pendant toute la réunion. D'ailleurs, c'est la première fois que je le vois aussi silencieux. Mais ne vous en faites pas. La personne importante, vous l'avez bien compris, demeure le légat du pape. Henri le respecte et lui accorde sa confiance. Trop, d'ailleurs ! Mais c'est un Médicis. Sûrement en ligne vers le Saint-Siège.

Saint-Hippolyte ne fit aucun commentaire. L'autre s'inquiéta.

— Vous me semblez préoccupé. Y a-t-il quelque chose qui ne vous convient pas ?

Guillaume ne répondit pas. Le titre de « religion prétendument réformée » le violentait dans tout son être. Comment Duplessis-Mornay pouvait-il accepter de voir rabaisser sa religion à ce point ? « Les catholiques n'ont point réformé leur méprisante arrogance », se dit-il.

Il faillit laisser éclater son ressentiment, mais la colère, jadis, l'avait mal servi. Il en conclut qu'il gagnerait à patienter et à comprendre, l'esprit des discussions et la stratégie du conseiller du roi. L'entreprise de faire avancer ses idées lui apparut trop importante pour risquer de brûler ses munitions auprès d'un allié.

***

Gravé du Pont reçut la note le 10 mars en fin de matinée. Privé de bateau pour se rendre en Nouvelle-France, le vin constituait son seul moyen de voguer, même qu'il sombrait assez souvent… Il repoussa la lettre, pensant qu'il ne pouvait s'agir que d'une réclamation ou une convocation quelconque. Le lendemain, ayant retrouvé ses esprits, il ouvrit la missive et y porta quelque attention.

Cher ami,

Je tiens pour certaine la présence de notre roi à Nantes au début du mois d'avril de cette année. Je vous suggère d'y être. Descendez à l'hôtel de Bretagne. Un ami vous conduira au roi. Vous y aurez une chance unique de faire avancer nos intérêts.

Cordialement,

Pierre Chauvin, sieur de Tonnetuit

Que lui voulait le roi ? « Faire avancer nos intérêts » ? Ceux-ci lui apparaissaient aussi proches que les côtes du Brésil.

— Que gagnerais-je à me rendre à Nantes ? grogna-t-il.

Parader devant le roi, glousser de satisfaction feinte, pour recevoir une brève accolade et quelques mots d'encouragement ? Et qui était ce quidam qui l'introduirait auprès du souverain ?

Il repoussa la lettre et se servit à boire.

Au cours des jours suivants, il apprit que le maréchal de Brissac marchait avec son armée à la conquête de la Bretagne. La victoire était complète, même que l'épouse de Mercœur, affolée, s'était portée au-devant du roi pour négocier la reddition de son mari. Un soupir de soulagement balaya la péninsule jusqu'en mer celtique. Ainsi tombait le dernier ligueur important, un de ceux de la première heure, un de ceux qui avaient voilé de foi chrétienne son ambition débordante. Dans ce contexte, risquer le voyage prenait du sens.

Gravé du Pont quitta Saint-Malo le 29 mars et mit huit jours pour gagner Nantes. Faut-il dire qu'il s'accorda une pause prolongée à Rennes. Comme pour une expédition outre-mer, il avait décidé d'être sobre durant son séjour à Nantes. L'arrêt en chemin lui permit de se constituer quelques réserves.

Le 13 avril 1598, il était sur place, parmi la foule dense qui assista à l'arrivée du roi Henri, caparaçonné en chef de guerre.

Accueil timoré ! La population sembla se réjouir davantage du départ de Mercœur et de sa troupe que de l'arrivée de son souverain.

Sa Majesté s'installa dans le château des ducs de Bretagne. Partout en ville, on disait le roi heureux, entouré d'une armée de nobles et de conseillers. Le souverain se fit discret, sortant peu, ne se mêlant pas à la foule comme il en avait l'habitude. Il ne participa qu'une fois à une chasse organisée en son honneur.

Certes, la prise de la Bretagne renforçait considérablement sa position et la nouvelle s'était répandue à la vitesse de l'éclair, atteignant Vervins, là où les délégations espagnoles et françaises négociaient la paix. La rumeur voulut que le représentant du pape, monseigneur de Médicis lui-même, s'y rendît dans le but de peser pour un règlement rapide.

Le Malouin descendit à l'hôtel recommandé par Chauvin, derrière la cathédrale. Dans l'agitation de la ville, il ne reconnut personne et personne ne l'aborda. Un jour, il crut entrevoir un visage familier, au milieu d'un groupe de protestants qui se dirigeaient prestement vers le palais. Ce visage était peut-être d'Amsterdam, de Honfleur ou de Saint-Malo. Il fouilla sa mémoire en vain.

Il crut que le messager annoncé par Chauvin pouvait faire partie de l'entourage du roi. La chose était plausible, car en ville ne grouillaient que nobles et officiers. Il ne pouvait faire un pas sur la chaussée, s'attarder quelques minutes dans une auberge ou flâner le long des quais sans croiser perruques et beaux habits, mais personne ne se manifesta.

Il ne tarda pas à s'ennuyer et à piaffer, désespérant de n'être point reconnu ou accosté. Après trois jours, l'ennui fit place à l'agacement et c'est au prix de grands efforts qu'il respecta sa résolution de sobriété.

Chaque jour, Pont-Gravé s'approchait un peu plus du palais, sans toutefois pouvoir y accéder. Par mesure de sécurité, le pont-levis était fermé et les brigades de conseillers devaient circuler par la porte étroite à droite de l'entrée, formant ainsi des files de gens, ceux entrant ayant préséance sur ceux qui sortaient. Personne ne voulait être en retard auprès du roi. La frénésie des mouvements s'étirerait parfois jusqu'à tard en soirée et il pouvait observer dans le halo des flambeaux vacillants de petits groupes de gens sérieux chuchotant activement des secrets d'État.

Le 25 avril, après plus de deux semaines d'attente, au retour d'une nouvelle errance dans la ville, il prépara son bagage. Ce Chauvin l'avait trompé, ragea-t-il. Le prétendu messager n'était point arrivé, ou le roi refusait de le recevoir. Il ne s'en étonna point. Pourquoi le roi lui eut-il fixé audience ? Il venait de renouveler le monopole du marquis de La Roche et tout ce que le souverain pourrait lui offrir ne serait que maigre consolation. Ne valait-il pas mieux rentrer, se mettre au service d'un autre et reprendre la mer ? Il partirait à l'aube du lendemain.

Il était à manger lorsqu'un étranger prit place devant lui.

— Monsieur Gravé du Pont, merci de votre très grande patience.

Le Malouin leva la tête. Il avait enfin devant lui quelqu'un sur qui faire rouler sa colère.

— Mal mer, monsieur au pourpoint noir, ne l'étirez pas davantage. Elle s'amincit chaque jour. Commencez par vous présenter. Je déteste parler à des inconnus.

— Bien sûr, bien sûr... Je suis Pierre Dugua de Mons, officier, gentilhomme de la chambre du roi et ami de monsieur Chauvin, avec lequel je partage un grand intérêt pour les Terres-Neuves.

— C'est tout bon pour vous. Et moi, dans votre théâtre, j'apparais où et quand ? Faites vite, cela fait trois semaines que j'attends en coulisse.

— Nous rencontrerons ensemble Sa Majesté le roi demain en début de journée.

Dupont-Gravé leva la tête, repoussa l'assiette qui contenait encore un reste de gigot et fixa l'homme devant lui. Grand, mince mais non point maigre, l'inconnu dégageait la force et l'énergie d'un chef d'armée. Pierre Dugua de Mons avait grandi dans le pays roannais là où les guerres de religion, ayant mis ce pays à feu et à sang, l'avaient obligé, très jeune, à exercer le métier des armes. Noble, ardent combattant dans l'armée du roi Henri, alors protestant, il s'était rapidement illustré. Plus tard, il avait tenu Tancarville, puis occupé Honfleur et combattu à Dieppe sous le commandement d'un catholique : Aymar de Chaste. En 1594, le roi lui avait accordé une pension de cent écus par mois et, comme Chauvin, nommé au prestigieux poste de Gentilhomme de sa chambre, titre réservé à une vingtaine de dignitaires et fidèles compagnons du roi. Aussi gouverneur de Pons, le roi lui avait récemment confié la lieutenance de Honfleur. Il avait également profité à son mariage d'une dot appréciable.

— Épargnez-moi les courbettes, j'ai mal au dos, riposta le Malouin. Pourquoi verrais-je le roi ?

— Pour obtenir le monopole du commerce des fourrures au Nouveau Monde.

Gravé du Pont poussa un soupir de baleine. L'autre ne broncha pas, il semblait même sérieux. Le Malouin frappa sur la table, appela la servante et commanda un pichet de vin. La perspective lui donnait soif.

***

Jehanne se morfondait devant le retard inexpliqué de Jacou. Il eût dû être à Honfleur depuis plusieurs jours. Lui était-il arrivé malheur en route ? Ou alors, était-il à Saint-Malo ? Sur le chemin vers Honfleur ? Elle regrettait maintenant de l'avoir laissé partir seul.

L'attente et l'oisiveté lui pesaient. Elle prit l'habitude de visiter le commandant Chefdhostel sur son navire, Geoffroy courant derrière elle, tant grandissait son intérêt pour le port, les bateaux et leurs gréements. Il fouillait sans relâche sous le regard bienveillant de l'équipage et des ouvriers. Il touchait à tout, découvrait la nature des objets, des outils, des mécanismes. Il explora le navire de Chefdhostel de la cale au pont, impressionné de voir les calfats jouer si habilement du fer et du maillet. Lors d'une visite, il s'échappa du regard de sa mère et se glissa sur le beaupré. Rendu loin devant au-dessus de l'eau, incapable de reculer, il fut ramené par le long bras d'un matelot amusé. Sa mère le menaça de le laisser à la maison.

Jehanne appréciait ses conversations avec le commandant Chefdhostel qui constituait une référence sur la navigation en Atlantique Nord.

Le trajet pour atteindre ces terres était connu depuis fort longtemps, lui confia le commandant. Cela ne le rendait pas facile pour autant : tempêtes, brouillard, glaces, sans oublier les pirates, les avaries ou le naufrage sur les côtes ou les récifs. Pour s'y rendre, il fallait compter trente à quarante jours avec des vents favorables ; parfois jusqu'à quatre-vingt-dix jours. Des journées de dur labeur par gros temps, interminables et lourdes de désœuvrement les jours où le vent évitait les voiles.

Il dressa pour elle la liste des provisions qu'il prendrait pour l'excursion au service de La Roche. Il lui fallait, pour ses soixante bouches à nourrir, prévoir des provisions d'eau, des animaux vivants, des provisions sèches, du bois pour faire un feu. Chaque matin en mer, le marin recevait une ration composée de bouillie d'orge ou de blé, parfois accompagnée de biscuits de mer qui consistaient en du pain cuit quatre fois. Le midi et le soir, un potage fait de semoule de seigle ou d'avoine agrémenté de fèves ou de pois. Quelques fois par semaine du lard salé et les autres jours, de la morue ou du hareng lorsque la mer donnait. Parfois, les hommes amélioraient l'ordinaire en pêchant un thon, un marsouin ou un requin.

Le cidre était disponible, avec le dimanche, parfois, un peu de vin selon l'humeur du commandant. Jehanne apprit que l'eau potable constituait la préoccupation majeure. Après quelques semaines, l'eau dans les barils virait au brun, parfois grouillait de larves ou d'asticots. Il fallait se boucher le nez pour en boire. La maladie frappait tous les hommes à bord.

Jehanne s'enthousiasma à l'idée d'approvisionner les navires. Elle imaginait déjà le négoce : un endroit pour accumuler des marchandises et, bien sûr, des clients. À Saint-Malo, comme sa famille était bien connue, en plus de monsieur Gravé du Pont, elle trouverait bien d'autres capitaines intéressés. Elle voyait déjà où organiser son commerce : une grande maison avec un entrepôt au rez-de-chaussée, quelques dépendances dans la cour arrière. Un domaine, ou une fermette, non loin de la ville, lui permettrait de fournir des animaux et quelques produits frais. L'activité d'approvisionnement la rapprochait de son rêve d'outre-mer. Pour une fois, elle avait les moyens de son ambition.

Mais Jacou tardait, toujours, trop.

∗∗∗

— J'ai reçu une note du légat du pape au lendemain de notre dernière rencontre. Les gens conservent de vous un souvenir impérissable, ajouta Duplessis-Mornay d'un ton faussement sérieux.

— Que me vaut ce souvenir qui me fait craindre, par votre ton persifleur, le pire ? s'enquit Saint-Hippolyte.

— Monseigneur de Médicis et son éminence Quimart m'ont suggéré de vous tenir à l'écart des affaires dont nous discutons actuellement. Vous auriez, à leurs yeux, cher ami, l'arrogance d'un Sisyphe, l'irrévérence de Prométhée, la fourberie d'un Judas Iscariote.

Le cardinal de Médicis, auteur de la missive, constituait un moindre mal face aux véritables intentions de Quimart. Ce dernier avait fait rappeler le sbire Ragnier et l'avait copieusement enguirlandé. Il avait même exigé le remboursement des sommes mises sur la tête de Saint-Hippolyte et obligé le sinistre tâcheron à reprendre le travail.

— Monseigneur, s'empressa de suggérer Saint-Hippolyte, si ma présence contrarie nos desseins et dessert les intentions de Sa Majesté, acceptez que je me retire.

Duplessis-Mornay réprima un rire.

— En vérité, monsieur le pasteur, le seul enseignement que je puisse tirer de cette lettre serait que ces Éminences ne manquent point de culture. Voilà bien leur seul mérite.

Il s'agissait assurément d'une nouvelle tentative de diversion de la part du camp catholique. Tout recul des protestants témoignerait d'une marque de faiblesse que l'autre camp s'empresserait d'exploiter.

— La nature humaine, mon cher de Noailles. Nous sommes en plein marchandage. L'avenir de la religion réformée se joue ici à Nantes en ces jours. Nous n'avons pas le droit d'échouer, car pareil échec plongerait à nouveau le pays dans les violences, les massacres et la guerre.

Duplessis-Mornay était d'avis que le peuple n'aspirait qu'à la paix et accepterait que chaque religion, respectant l'autre, bourgeonne et donne fruit. Sa Majesté, ajouta-t-il, comprenait la volonté de la population et entendait la satisfaire. Le conseiller se posait au service de cet idéal du souverain et se félicita de compter sur la contribution de Saint-Hippolyte.

— Bientôt, j'en suis convaincu, nous aiderons le roi à écrire l'histoire. Magistrale, à n'en point douter.

**

Le sieur Troilus de Mesgouez, marquis de La Roche, fier comme un paon, brouillon comme un prince, avait passé devant notaire, entre le 16 et le 18 mars, divers contrats touchant l'affrètement des navires. Le 19 mars, il signa une nouvelle procuration au dénommé Martin Le Lou pour le représenter et qu'il prenne charge de ses affaires.

Le premier navire, *Le Catherine*, ayant à son bord sa propre personne et le commandant Thomas Chefdhostel, quitta Honfleur avec moult provisions et du bois d'œuvre pour la construction de deux bâtiments nécessaires à l'établissement de la colonie de l'île de Sable.

Le marquis eut la conviction, vingt ans après la commission reçue d'Henri III, que le temps payait enfin un juste tribut à sa patience, à ses années de loyaux services. Cette fois-ci était la bonne. Il réaliserait ce grand destin d'installer la France en Amérique, projet pour lequel tant d'autres avaient échoué. Au sortir du havre, il se campa à la proue, tournant le dos à la ville et à ses habitants venus en nombre assister à ce départ. Au bout de l'horizon, l'avenir de la France l'attendait.

Le deuxième navire, *Le Françoise*, propriété de Michel Pourcin du Mas et dans lequel Jehanne détenait des intérêts, partit quelques jours plus tard du Havre-de-Grâce. Ce second navire transportait soixante colons, principalement des forçats tirés des prisons de Rouen, et quelques volontaires. Le commandant Querbonyer, le magasinier Coussez et quelques gentilshommes, dont un certain Cadet de la Touche, les sieurs de la Regnardière, Lamare et le Parisien, se joignaient au groupe pour en assurer la direction.

Bien sûr, il importait au commandant du premier navire de se réserver pour la pêche, car le service auprès du marquis de La Roche ne représentait qu'une activité accessoire. *Le Catherine* manœuvra donc avec célérité, cingla au plus près et, sous des vents favorables, atteignit la destination après cinquante-huit jours de navigation.

***

Guillaume Fleuriot de Grangeneuve visitait Jacou presque tous les jours. Il lui apportait un petit morceau de pain noir et de l'eau.

— Je veux m'assurer que tu seras vivant pour ton procès. Après quoi, tu crèveras en prison.

Il n'y avait jour qu'il ne bêlait pas les mêmes accusations. Jacou était de connivence avec Jehanne pour lui voler son argent, celui dont il avait droit par héritage. De plus, il revendiquait la propriété d'une partie du navire de Pourcin du Mas. Ce dernier l'encourageait en ce sens, tout en réfutant secrètement cette prétention, voulant profiter de la faiblesse du frère pour s'arroger la propriété complète du navire.

Après dix jours, il jugea avoir suffisamment attendu et comme aucun magistrat n'était venu en ville pour administrer la justice, il se tourna vers le tribunal épiscopal – bien qu'à Saint-Malo, ce dernier fût tombé en désuétude depuis des années. Il obtint audience auprès de l'évêque, plaida sa cause : Jacou, malfrat de la rue, était coupable de duplicité, de trahison et de complicité de vol. Conséquemment, il méritait un châtiment exemplaire et public.

L'évêque désigna un vicaire d'âge plus que respectable, fort instruit à déceler le mal et à appeler la justice divine. Il fut convoqué sur-le-champ et se déclara prêt à entendre la cause dès le lendemain. Jacou l'apprit le jour même peu après neuf heures, lorsqu'il fut extirpé de sa cellule.

Deux gardes le poussèrent vers la sortie pour le conduire au palais de l'évêque en face de la cathédrale. Au sortir de la prison du château, il franchit la jetée menant à la ville, encadré des deux sbires, le plus âgé portant bâton, et d'un plus jeune, qu'un pied bot laissait claudicant. Parce que jour de marché, tout un petit monde, de la campagne et de la ville, remuait sur la place principale et personne ne porta attention au prisonnier.

Guillaume Fleuriot attendait sur la place au bout de la passerelle, tout heureux qu'une partie de son malheur trouve enfin réconfort. Il prit la tête de l'escorte se frayant un chemin dans la foule compacte. Un garde mit la main sur l'épaule de Jacou. Le caractère du geste, présage de ce qu'il aurait à vivre, terrifia le jeune homme.

S'il paradait devant le tribunal, comprit-il, il serait assurément condamné. Que pouvait faire un gueux comme lui devant l'argent et la sainteté ? Il crèverait en prison et son corps serait jeté à la fosse publique. Il devait agir.

Animé de la fureur de vivre, il bouscula le vieux au bâton, piétina le pied bot de l'autre, esquiva deux étals avant que ses gardiens ne réagissent. Fleuriot se retourna :

—Au voleur ! Au voleur ! Imbéciles, rattrapez-le, ordonna-t-il, courant lui-même derrière le jeune homme.

Jacou se faufila entre les étals, créant la surprise, ne laissant à aucun quidam le temps de s'improviser justicier et d'arrêter sa course. Les trois poursuivants se butaient à la foule, aux animaux qui traînaient partout, aux charrettes qui obstruaient le passage. Le fugitif prit la rue de Buhen, enfila une venelle et monta la rue Poilecoq. Il n'était pas seul à connaître la ville. Le plus vieux comprit qu'il courait vers la poterne du Gras-Mollet et, par cours et escaliers, déboucha au haut, près de la porte, au moment où le jeune homme s'y engouffrait.

Jacou avait mal pensé. Il se retrouvait à découvert, devant les remparts, à la vue de tous. La marée haute lui barrait la plage. Il revint sur ses pas et fonça sur son poursuivant qui se figea, surpris de cette hardiesse. Jacou le renversa, puis revint à l'intérieur des murs, longea les remparts et se glissa dans les petites rues et les sentiers qui serpentaient dans cette partie peu construite de la ville. Il gagna les ruines du château Gaillard.

Caché dans un renfoncement, adossé à une paroi de pierre, le froid lui serrait les os, la faim et la peur le tenaillaient. Il rassembla ses esprits et tenta d'esquisser un plan pour sortir de la ville au plus tôt et partir loin avant la nuit, car les chiens du guet ne lui laisseraient aucune chance.

Il entendit un jappement, des voix s'approchaient. Il ferma les yeux et se fondit dans ce pertuis glacial et humide. Des personnes tournèrent au-dessus de sa tête, marchaient tout près. Il demeura paralysé, incapable de bondir hors du trou et de s'enfuir. Il maudissait l'idée d'être revenu dans cette ville, respirait à peine tant il voulait disparaître.

Puis, ce fut le silence. Vers midi, un rayon de soleil l'éclaira. Il avait dormi. Il releva la tête, la sortit hors du trou. Devant lui, assis sur un bloc de pierre, un homme tel une statue, les yeux fermés, somnolait. À ses pieds, un chien jaune le regardait.

***

Gravé du Pont dormit très mal, fut sur pied avant les lueurs du jour et, pensant bien faire, remit sa vêture achetée à fort prix lors de sa défaite de Paris. À la salle de l'auberge, il demanda une boisson chaude et du pain. On lui servit un pain chaud et un verre d'eau glacée. Mauvais présage, se dit-il. Il se faisait bien mal à l'idée de rencontrer le roi. Hanté par les souvenirs de son calvaire dans l'antichambre du Louvre, il eût laissé ce devoir, cette obligation, à d'autres. Or malavisé qui refusait une invitation du roi. Le lever du jour lui réchauffa l'âme et les esprits. À l'arrivée de Dugua de Mons à l'heure dite, il était déjà dans de meilleures dispositions ou, du moins, acceptait de paraître animé de préférables intentions.

Le Roannais avait confié à Gravé du Pont son désir d'abandonner l'armée et la propriété terrienne pour se lancer dans le négoce. En cela, rien d'original. Il suivait les préceptes de sa religion, qui exaltait l'initiative personnelle, les affaires, l'industrie et la richesse. Dugua de Mons entrevoyait la France d'outre-mer comme sa prochaine mission et il était prêt, confia-t-il au Malouin, à financer l'exploration et le commerce.

À l'horizon des Terres-Neuves, quel que soit le côté qu'il regardât, Pont-Gravé ne manquait pas de voir un huguenot. Depuis Roberval, les grands explorateurs de ce parti n'avaient pas manqué : Villegagnon au Brésil, de Ribault et de Laudonnière en Floride. Chauvin et Dugua de Mons poursuivaient une tradition d'hommes au destin singulier, dû à leur hardiesse et à leur détermination à outrepasser les limites du possible.

Dugua de Mons allongea son pas à celui du Malouin. Dans le ciel bleu timide de l'aube, le jour déposait sur les nuages de grandes taches rosées. L'air frais piquait. Après l'agitation des dernières semaines, plusieurs délégations et conseillers étant partis, la ville étirerait son sommeil.

Le Malouin était allé à Nantes à contrecœur. Il avait patienté de longues journées. Pourtant, insigne honneur, voilà qu'il verrait le roi pour la troisième fois en si peu d'années. Cette fois, l'enjeu lui apparut immense et il se refusa à la possibilité de l'échec. Comme attaché à la roue du gouvernail, il comptait traverser la tempête.

« Belle journée pour réussir », se dit-il, bombant le torse comme à son habitude.

Ils se présentèrent au roi en ce cinquième jour de mai, attendirent peu. Pierre de Béringhen, le premier valet de la chambre du roi, les fit entrer. Les deux hommes s'inclinèrent devant le souverain. Ce n'est que bien plus tard que le marchand malouin apprit que Béringhen, Chauvin, Dugua de Mons, tous trois fervents protestants, avaient concocté ce plan et activement milité pour que Sa Majesté le reçoive.

Le Malouin parcourut la pièce d'un regard furtif. Des tentures blanches ornées de lys brodés de fils d'or couvraient les murs le long desquels des tabourets accueillaient conseillers impatients et scribes silencieux. L'aumônier du roi occupait la banquette à gauche de la fenêtre. Une chaise de bois massif, haute et ouvragée, posée sur une estrade, tournait le dos à celle-ci. Une grande table entourée de bancelles incommodantes accaparait le centre de la pièce. Le temps du roi se payait du prix de l'inconfort.

— Prenez place, dit Henri, souriant, désignant deux bancs autour de la table. Pont-Gravé, que pouvez-vous me dire sur la Nouvelle-France ?

Henri avait toutes les raisons de se réjouir. Avec la reddition de Mercoeur, la Bretagne réintégrait le royaume. De plus, quelques jours auparavant, avait été signé, à Vervins, un traité de paix avec l'Espagne, assurant ainsi la paix aux frontières. La France, grande gagnante, pavoisait. Des cavaliers colportaient déjà la nouvelle à Rome et auprès des cours d'Europe.

De plus, on racontait en coulisse que le roi soumettrait prochainement aux parlements des villes et provinces un nouvel édit assurant la paix à l'intérieur du royaume. La nouvelle proclamation demeurait secrète de crainte que l'une ou l'autre des parties, sinon les deux, ne s'enflamment à nouveau et reprennent les armes. Il fallait laisser la rumeur faire son œuvre : habiter les esprits et gagner peu à peu les cœurs et les consciences.

— Votre Majesté, répondit Pont-Gravé que la question surprit. Que désirez-vous entendre ? Une minute, une heure ou une journée ? Paroles de soleil ou d'orage ?

Le roi se leva et, traversant la pièce, s'adossa au mur près de la fenêtre.

— Pont-Gravé, on me dit que vous vous y êtes rendu plusieurs fois.

— Oui, sire. Près de dix fois, pour l'exploration et le commerce.

Henri lui fit face, attendant la suite.

— Sire mon roi, nous regardons et prenons encore trop souvent ces richesses du pont de nos bateaux. Il nous faut fouler ce sol, s'y établir.

Le marchand insista. Cette lointaine province de France disposait de plus de richesses que l'on pouvait imaginer. Le poisson et la fourrure ne constituant que les plus accessibles.

— Il y a bien ces Sauvages ?

— Majesté, ceux de la grande rivière sont nos amis. Nous sommes en bon entendement. Il faut compter avec eux pour ratisser la vastitude du territoire et ainsi nous permettre de mieux le connaître. L'immensité est telle qu'il y a place pour quantité de nos bras valeureux.

Le roi s'approcha de la table et prit place en face des deux marchands.

— Dites-moi, Pont-Gravé, que pensez-vous de ce valeureux Mesgouez, sieur de La Roche ?

— Majesté, le soleil brille pour tous. Chacun son expérience.

— Pont-Gravé, votre souverain vous pose une question, insista-t-il à peine.

— Mon souverain, on ne bâtit pas un empire seul, sur une île isolée à vingt-cinq lieues du continent avec une bande de repris de justice. Je vois mal ce jardiniste cultiver les ambitions du roi de France.

Le roi fit à nouveau quelques pas, puis regagna sa place près de la fenêtre.

— Que me proposez-vous, Pont-Gravé ?

L'autre y avait suffisamment réfléchi. La réponse coula comme rivière.

— Un effort soutenu de commerce, l'installation de paysans, le drapeau du roi de France flottant au faîte des fortins et maisons.

Il fit une pause.

— Et si Dieu continue à aimer notre pays, reprit-il, le plus direct et le plus sûr passage pour la Chine.

Le roi ne répondit point. Il se tourna et regarda dehors. Le jour était maintenant levé. La ville bougeait. Le bruit des roues de bois sur les pavés de la cour du château résonnait dans l'air sec. Le crépitement du bois dans l'âtre rappelait la saison. Il s'approcha à nouveau du Malouin, posa ses mains sur la table et le fixa de ses yeux lumineux.

— Pont-Gravé, le roi a mille équilibres à conserver. Nous gagnerons tous deux à l'entreprise en y adjoignant...

Le roi fit semblant de chercher un mot, un nom.

— Aidez-moi, mon ami. Pensez à la stabilité du royaume, à la mince corde sur laquelle votre roi marche. Il vous faut un partenaire. Il me faut un nom ; plus même, une vraie personne. Comprenez pour que je n'aie pas à le désigner. Vous avez le privilège d'être juge et, éventuellement, partie.

Il s'accorda une pause, regarda à nouveau par la fenêtre.

— Il vous appartient d'entendre votre roi, reprit-il, allongeant le pas vers le fond de la pièce.

Henri se tint contre le mur devant eux, les bras croisés, attendant une réponse. Pont-Gravé baissa la tête.

— Désirez-vous y réfléchir, mon ami ? La nuit vous suggérera bien un de ces éminents personnages en costume noir, ironisa-t-il, en pointant Dugua de Mons.

Pont-Gravé se leva et s'avança vers le roi. Il mit un genou au sol.

— Votre Majesté, l'humble serviteur devant vous n'a que le désir de contribuer à la grandeur de son roi et de la France. Lui plairait-il, par lui, souverain de ce pays, de désigner le sieur Pierre Chauvin de Tonnetuit, fidèle soldat de Sa Majesté et avec lequel je me trouve en grande intelligence ?

Le silence tomba sur la pièce. Le roi demeura immobile quelques instants puis s'avança au centre de la pièce.

— Je vous aime, Pont-Gravé. Vous comprenez vite et bien. Excellent choix !

Le roi s'approcha du feu, se frotta les mains. Bien sûr, il devait honorer le jeu politique. Surtout au moment où il posait les pierres d'un édifice de paix qu'il voulait perpétuel. Il fit un signe à un scribe.

— Le roi, reprit Henri, inscrira dans tout monopole qu'il aurait grâce d'accorder la nécessité d'installer des colons, de recréer en ces terres lointaines une France nouvelle, dirigée par la noblesse du mérite et non plus celle de la naissance et des privilèges. Cette colonie, terre de paix, devra, bien sûr, accueillir catholiques et protestants.

Il s'avança à nouveau, tendit la main à ses visiteurs. Tour à tour, ils s'agenouillèrent devant le roi et baisèrent son anneau.

— Merci, mes amis. Je vous ferai connaître la suite.

L'audience était terminée. Les deux hommes se retirèrent et gagnèrent la rue en silence. Le Malouin était sous le choc. De Mons rompit le silence.

— Mon ami, quel homme vous êtes ! À vous le monopole.

— À Chauvin plutôt, grogna Pont-Gravé.

— Je connais Chauvin, il ne fera rien sans vous. Vous êtes trop précieux pour lui et, ajouta-t-il, pour nous tous. Rendez-vous à Honfleur, je vous y rejoindrai.

Avant de quitter Nantes, le Malouin trouva un tailleur rue de la Bâclerie derrière la cathédrale et se fit à nouveau confectionner un pourpoint et des chausses à la dernière mode. Il les porterait fièrement pour sortir du port de Honfleur lorsqu'il quitterait la France pour la première mission de ce nouveau monopole. Pour les chausses, il choisit un velours bleu profond. Pour le pourpoint, il prit un bleu royal dont les manches s'ouvraient sur un plissé de soie blanche et que fermaient des boutons dorés. Autour du col et sur les épaules, il fit broder des fleurs de lys en fils d'or. Il commanda un chapeau de même couleur, ceint d'un large ruban blanc.

***

Jacou avait échappé à Saint-Malo et, après deux jours, il s'accorda un premier repos aux alentours de Vire. Affamé, assoiffé et congelé, il trouva à dormir dans les fourrés, adossé à une maison à l'entrée de la ville. La mince couverture élimée que l'homme lui avait donnée le protégeait peu de la froidure qui battait encore les nuits de ce début du mois de mai.

Cinq jours auparavant, lorsqu'il avait pointé la tête hors du trou, le chien avait gémi doucement. L'homme avait ouvert les yeux et promené un regard rapide autour de lui.

— J'les ai balayés du côté des remparts. T'y peux sortir.

Jacou voulut s'enfuir, mais l'homme le retint.

— Attends. Y t'cherchent. T'es mieux de t'cacher encore.

Jacou maintint ses distances. Pour le rassurer, l'homme, le Picard qu'il s'appelait, raconta vivre dans les ruines du château. D'une grotte, il s'était fait un abri, de la pluie et des intrus.

— Prends ma couverte, tu cailles comme une marguerite de novembre. T'y veux faire quoi, l'ptit ?

Jacou ne le quittait pas des yeux. Il était prêt à bondir à nouveau si l'autre tentait une quelconque manœuvre à son encontre. Peut-être cherchait-il à l'amadouer pour ensuite le livrer contre récompense ? L'homme se leva en s'appuyant sur un bâton. Il lui manquait une jambe, à la hauteur du genou.

— T'as faim. C'test l'heure de ma tournée. J'vas t'quéri une ration.

Il louvoya entre les blocs de pierre et s'engagea vers la ville.

Le vent sifflait dans les ruines du château, abandonné depuis toujours. Jacou fit le tour du paysage. Personne en vue. Parfois lui parvenait un cri étouffé, le jappement d'un chien, le murmure d'un rat grattant le sol. Chaque bruit le mettait en alerte. Surtout ne pas retourner en prison et rejoindre Honfleur. Le temps coula sans qu'il pût décider des gestes à faire pour y parvenir.

Le claquement lointain de la béquille sur les dalles le sortit de ses pensées. Il courut se cacher plus loin.

— Ben, viens, p'tit. Y a pitance.

Le vieillard était seul et avait déposé sur une pierre un gros quignon de pain et un morceau de lard. Jacou s'approcha.

— Attends icitte ! Laisse-les se courir après l'queue deux, trois jours. Tu te pousseras ben après. Y vont s'accabler vite.

Jacou suivit le conseil. Lors du départ, au lieu d'emprunter le bord de mer, il choisit l'arrière-pays. De Saint-Malo à Dol puis Vire, il voyagea de nuit. Après ce dernier arrêt, il se crut assez en sécurité pour faire la route de jour, trouvant à manger la nuit dans les poulaillers ou par la porte arrière des auberges. Il mit douze jours à atteindre les abords de Honfleur et il attendit de voir sombrer le soleil dans la mer avant de pénétrer dans la ville. Il ne voulait rien risquer si près du but. Il atteignait le lieu de rencontre avec Jehanne deux mois plus tard que prévu.

Dans la ville, il s'enquit des auberges, choisit la plus rapprochée, tomba sur celle de la mère Brochet. Il contourna les greniers à sel et, dissimulé à l'angle d'un bâtiment, de l'autre côté de la rue, il observa. Une faible lueur éclairait la salle et il reconnut une domestique qui sortait. À son retour, il se glissa dans ses pas. Enfin de retour.

Jehanne eut peine à le reconnaître. Il était maigre, sale, vêtu de lambeaux. Il puait. Mais il était là. Enfin, il était revenu !

Elle se rua sur lui, le serra dans ses bras, ordonna qu'on lui apporte à manger, qu'on lui prépare un bain. Plus tard, une fois repu et débarrassé de la colonie de poux, il se réfugia au bout d'une table, face contre le mur, et pleura. Il avait failli tout perdre.

Le calme revenu dans l'auberge, Jehanne prit place à ses côtés et l'écouta. Cette fois, il ne lui épargna rien.

Il avait quitté monsieur de Saint-Hippolyte à Paris ; son arrivée et sa recherche de logement à Saint-Malo ; le piège et l'emprisonnement ; l'aide de l'homme, sa fuite et le long périple à pied jusqu'à Honfleur. Il avait couru presque tout le temps. On n'arrête pas un homme qui court, se disait-il.

Surtout, il devait l'aviser. Qu'elle se garde de retourner jamais à Saint-Malo. Sans relâche, son frère aiguisait les couteaux de sa vengeance.

Le lendemain, la maladie frappa. Jacou frissonnait des pieds à la tête. La peur de le perdre saisit Jehanne au ventre. Le rêve de Saint-Malo s'évanouissait.

***

Le ciel de l'auberge Brochet se chargea de lourds nuages. La présence de Jacou, malade, n'aida en rien. Le fils Brochet, Antonin de son prénom, revenu de voyage deux semaines auparavant, petit coq de basse-cour, ordonna son départ, menaça de le faire expulser. Jehanne dut débourser beaucoup plus qu'elle n'eût voulu. Elle n'était pas à court d'argent, mais ce n'était pas une raison de payer davantage. Déjà qu'elle assurait elle-même le couvert pour toute sa tribu, indépendamment de l'auberge, et que mère et fils ne se gênaient pas pour puiser, sans invitation, à la marmite.

Toutefois, l'attitude du jeune Brochet à son égard et à celui de son personnel la faisait rager davantage, l'obligeant à une constante vigilance. Jehanne eut beau insister pour dire qu'elle était mariée et qu'elle attendait son mari, il n'avait de cesse de se comporter en goujat : frôlements, paroles déplacées et insinuations, propos de fonds de taverne. Il ne lui épargnait aucune vexation. Quand il ne s'accrochait pas à elle, il poursuivait les domestiques.

Ce harcèlement s'ajoutait au désarroi engendré par les révélations de Jacou. Honfleur s'avérait un cul-de-sac. Devait-elle retourner à Amsterdam, y reprendre sa vie ? Cette perspective lui mina le moral, elle qui avait tant rêvé à ce retour dans sa ville natale. Elle se prit à plusieurs reprises à tourner dans ses doigts le petit bateau d'or qu'elle portait toujours au cou, sous son vêtement. Simon lui manquait.

Les malheurs de Jacou ravivèrent son inquiétude concernant son mari. Où était-il ? Que faisait-il ? Était-il même encore vivant ? La perspective de ne plus le revoir rajouta à son tourment. Des jours sans soleil s'étirèrent, lourds de frustrations, sombres de questionnements et d'inquiétude.

Jacou sombra dans un profond sommeil, agité de délires et de frayeurs. Redoutant le pire, Jehanne convoqua le médecin. Il demanda à être payé, puis s'approcha du garçon. Il fit soulever le drap, regarda à la croisée des jambes, puis sous les bras. Il ne vit aucune pustule ou autre marque apparentée à la terrible maladie. Elle respira. Pour évacuer le mal, le médecin proposa des saignées. Jehanne fit préparer un bouillon gras, auquel elle ajouta des herbes recommandées par la mère Brochet. Elle installa le malade à l'étage, dans l'impasse du corridor, près d'une fenêtre ouverte sur la mer, pour l'air vivifiant du large, et assigna la jeune Magdaleentje, que tout le monde appelait

Magda, aux côtés du malade pour le forcer, toutes les heures, à boire du bouillon.

Rien n'y fit. Le cinquième jour de la maladie, Jehanne fit chercher un prêtre. Faute de pouvoir le confesser, il lui prodigua l'extrême onction. La famille et les domestiques se réunirent autour du lit et prièrent pour le salut de l'âme du garçon. Jehanne l'avait sauvé une fois d'une mort certaine. Il ne fallait pas exiger trop du destin.

Au même moment, sans raison, elle ressentit l'urgence de faire face. S'établir à Honfleur, affronter son frère à Saint-Malo ou retourner à Amsterdam ?

***

— Belle mer ! Il me semblait bien vous reconnaître. Dans la forêt de pourpoints noirs, j'avoue, monsieur, n'avoir pas pris la peine de mettre des noms sur les rares visages familiers que j'ai croisés. Mille pardons, monsieur de Saint-Hippolyte.

Guillaume le rassura, glissa quelques mots sur les raisons de sa présence à Nantes et s'enquit du motif de la sienne. Gravé du Pont se montra discret, détourna la conversation sur la famille du pasteur et ainsi apprit-il que Jehanne avait fait escale à Honfleur et devait, à cette heure, être à s'installer à Saint-Malo.

Questionné à son tour, le pasteur ne fut pas très disert. Il avait d'ailleurs peu de raisons de pavoiser.

Les protestants avaient tenu le haut du pavé durant les premières semaines de la négociation. Toutefois, ils ne représentaient plus qu'une fraction de la population du royaume, principalement dans les provinces du sud et une partie du haut clergé et des nobles catholiques bien en vue s'opposaient à tout règlement. Plusieurs rêvaient même d'en découdre à nouveau.

Ainsi, le roi força le compromis, supervisa étroitement la préparation de l'acte et signa ce que lui-même appela l'édit de pacification, qu'il décréta perpétuel. Cet acte royal s'adressait « à ceux de la religion prétendue réformée ». Il comportait un préambule écrit de sa main, quatre-vingt-quinze clauses à caractère général et cinquante-six clauses secrètes ou particulières à des situations ou à des personnes. Enfin, l'édit accordait aux protestants cent cinquante places fortes où ils pouvaient entretenir une garnison. Ce n'était tout de même pas rien.

Cependant, la religion catholique demeurait sans compromis la religion dominante du royaume, et le « culte prétendument réformé » s'en trouvait limité. Saint-Hippolyte se voyait, lui et ses condisciples, rabaissé et stigmatisé à jamais. Par ce fait, croyait-il, l'édit portait le ferment de son échec.

Duplessis-Mornay souhaitait plus pour les siens et malgré tous ses efforts, dut se plier à la raison d'État, s'y rallier même, non sans écorcher le vernis sans faille de sa relation avec le roi. Il avait retraité vers Saumur, désireux de mettre entre lui et les raisons d'État, une distance salutaire.

Saint-Hippolyte résolut de rentrer, à jamais, chez lui. Était-il trop revanchard ou portait-il trop haut ses espoirs et ses ambitions ? Peut-être n'avait-il pas la fibre du politique, cette capacité de brider ses idées et ses idéaux, d'accepter le recul nécessaire pour perdre une bataille dans la perspective de gagner la guerre ? Le compromis lui était difficile et l'échec, douloureux. Porter un projet, lui donner son âme, y croire au point de s'accrocher, puis le déchiqueter et le brader en parcelles, tout cela était étranger à son génie. Il désirait retrouver les siens et terminer le ménage dans sa vie. Si la défaite l'amenait à retourner chez lui, où était donc ce lieu ? Amsterdam, la terre étrangère ? Saint-Malo, la ville de son épouse et de son apostasie ? Noailles, la terre de sa famille et de son innocence ? Les mirages d'un lieu qui fut sien, où poser sa vie s'évanouissaient l'un après l'autre. Il décida de retrouver son épouse et ses enfants et d'amarrer auprès d'eux sa conscience malmenée.

Pont-Gravé lui offrit de faire route ensemble. Dès le lendemain, ils partirent à la pointe du jour et firent le chemin en silence, chacun pensant à l'avenir qui était le sien : bleu mer pour l'un et gris brouillard pour l'autre.

Le marchand malouin avançait la tête bien haute, porté par le vent qui soufflait pour lui et qui gonflait la voile de ses ambitions. Il serrerait bientôt ses mains à la barre, voguant vers les Terres-Neuves. Celles-ci n'étaient plus un rêve lointain, mais bien volonté royale. L'attente, tout involontaire et pénible qu'elle fût, rapportait enfin. Pour un marchand comme lui, c'était beaucoup.

Son esprit bouillonnait et l'intrépide élaborait mille plans, chevauchait mille entreprises. Il prendrait le commandement de la flotte de Chauvin, imaginant déjà les cales débordant de poissons, l'entrepont bourré de fourrures. Pêcher, commercer, oui bien sûr, mais aussi installer des colons et surtout explorer, au-delà des rapides, l'horizon d'un autre continent.

Une seule fois furent-ils arrêtés par un barrage d'anciens soldats. Faméliques, ils faisaient de bien piètres bandits peu rompus au métier des grands chemins. Ils étaient quatre et Gravé du Pont en eut presque pitié. Il descendit de cheval, respirant d'aise. Les malfrats gagnèrent les fourrés sans rien espérer.

Ils atteignirent Rennes sans autre anicroche et y passèrent la nuit. Dès le lendemain, à la nuit tombée, ils entrèrent à Saint-Malo, peu avant la fermeture des portes. Pont-Gravé offrit l'hospitalité au pasteur, insistant pour l'accompagner, le lendemain matin, dans la recherche de Jehanne et de sa famille.

— Belle mer ! Le retour de la fille de Geoffroy Fleuriot de Grangeneuve n'a certes pas dû être l'événement le plus discret de l'année !

Saint-Hippolyte ne fit aucun commentaire. Les souvenirs de son dernier passage dans la ville occupaient sa mémoire, et bien que la situation actuelle fût totalement à l'opposé de la précédente, une sombre prémonition masquait toute perspective.

Dès la première heure, ils sortirent dans la ville à la recherche de la famille. Gravé du Pont consulta ses sources habituelles, mais après quelques questions sans réponse, ils durent convenir que Jehanne n'était pas encore arrivée. Le pasteur prétexta une grande fatigue pour retourner au logis de son hôte, pendant que ce dernier vaquait à ses affaires.

En ville, les dernières nouvelles, dont le départ de Mercœur et la fin de la guerre avec l'Espagne, animaient toutes les conversations. Le peuple se réjouissait car, enfin, la paix apparaissait possible.

Sur le port, il n'était question que de l'évacuation de l'armée espagnole qui s'attardait encore en Bretagne. L'Espagne, saignée par la guerre, manquait de navires. En conséquence, plusieurs proposèrent leurs services aux autorités. Ces dernières choisirent, entre autres, *Le Saint-Julien*, gros navire de cinq cents tonneaux, commandé par un capitaine d'expérience, Guillaume Allène. Il avait navigué du fond Oriental de la Méditerranée jusqu'en mer Baltique et même jusqu'à Arkhangelsk en Sibérie. Surnommé capitaine Provençal, de par son origine marseillaise, le capitaine, aussi habile à flairer les bonnes affaires que le vent de mer, avait amassé une fortune appréciable. Amorçant le soir de sa vie, sans progéniture, il invita à son bord un neveu, ayant servi, dès 1595, dans les armées du roi durant la guerre en Bretagne. Affecté au service du ravitaillement de par sa connaissance du trafic maritime le long des côtes de France, il était rapidement monté en grade et en responsabilité. À la fin de l'année 1595, il avait même rempli une mission secrète pour le compte du roi. Engagé dans la bataille de Crozon, affecté à l'état-major du maréchal d'Aumont, il avait pris par la suite le commandement d'une compagnie dans la garnison de Quimper. Démobilisé au début de 1598, il touchait une pension du roi.

Ce neveu du capitaine Provençal, âgé de vingt-huit ans, rêvait depuis toujours de grande navigation. L'homme, du nom de Samuel Champlain, ne pouvait laisser passer une telle invitation. Le roi non plus et, dans le plus grand secret, il lui confia une nouvelle mission.

***

Jehanne avait repoussé Antonin, mais les avances du vaurien pesaient encore plus lourd auprès des domestiques. Entre autres, il poursuivait assidûment Annette de ses ardeurs.

Annette était ronde et lumineuse comme un soleil. On ne pouvait pas ne pas l'aimer malgré son allure de général en campagne, mais le détestable Antonin comptait sur ses assauts soutenus pour venir à bout de sa résistance. Il n'y avait de jour qu'il ne tentât pas de la piéger dans un coin, de glisser une main sous ses jupes, de tirer sur son corsage. La vaillante le repoussait avec vigueur, alors le mufle, se tournant vers d'autres, répétait ses gestes déplacés. Avec la permission de Jehanne, elle décida d'agir.

Une fin d'après-midi, alors qu'il s'approchait d'elle, Annette feignit l'amusement, invitant le lourdaud à la rejoindre, entre chien et loup, dans la maisonnette des fermières au bout de la rue, près du marécage. À cet endroit, quelques femmes de la ville cultivaient des légumes et entreposaient dans une simple cabane de planches des instruments et des seaux.

Annette sortit la première, traversa la cour, longea le mur arrière des greniers à sel et se glissa dans la cabane. Elle barricada la fenêtre et les ouvertures par lesquelles seuls de petits grains de lumière tombaient au sol. Les autres la rejoignirent. Tout fut mis en place promptement.

Elles attendirent fort peu. Le grossier personnage se présenta, siffla comme un pinson, se fit répondre et entra dans la cabane. Dix mains le saisirent, le poussèrent par terre, lui retirèrent bottes, chausses, chemise et pourpoint et, dans le froissement des jupons, s'enfuirent avec leur butin avant qu'il ait pu réagir.

Il cria et aboya. Nul ne vint et il imagina le pire : une foule ricaneuse se moquant de son atterrement.

Transformé en ver de terre, Antonin dut attendre la nuit avant de courir, en longeant les murs et en fuyant sous les rayons laiteux de la lune, se réfugier dans la baraque de sa mère derrière l'auberge. Les jours suivants, il s'effaça. Attristée et rancunière, la veuve Brochet annonça bientôt que son fils reprenait la mer. Elle notifia Jehanne de sa décision. L'auberge fermait. La farce tournait en eau de boudin.

**

Jacou s'accrocha et après deux semaines de veille, Magda annonça à Jehanne qu'il avait ouvert les yeux. La servante demeura au poste.

Plus tard, on réalisa qu'il s'était levé le jour même où Guillaume et Gravé du Pont avaient franchi la porte de Honfleur. Ils s'arrêtèrent chez Pierre Chauvin. Les retrouvailles furent bruyantes et Saint-Hippolyte fut heureux de rencontrer le notable qui, le prévint-il, accueillait chaque semaine une assemblée de fidèles à laquelle il était dorénavant convié. Chauvin, au fait de la présence de Jehanne dans la ville, manda un valet de pied pour guider Saint-Hippolyte jusqu'à l'auberge Brochet. Ce dernier allongea le pas.

Jehanne faillit s'évanouir. Encore une fois des mois d'épreuves, des mois à assumer seule le destin de tous les siens, comme elle s'était jurée de le faire. Elle n'avait fermé les yeux sur aucun problème, sur aucune décision à prendre. Elle espérait qu'il revenait enfin pour eux.

Durant la longue chevauchée de retour, Saint-Hippolyte ne fut pas Paul de Tarse, ne tomba point de sa monture, ne partagea point son vêtement. Toutefois, il se sentit arriver au bout d'un chemin : il avait épuisé la vindicte qui l'animait depuis son départ de Saint-Malo, vidé la besace de ses ambitions, épuisé ses rêves de grandeur. Il revenait les bras chargés d'humilité et de renoncement.

Il s'approcha de son épouse, baisa tendrement sa main.

— J'ai beaucoup à vous dire, murmura-t-elle.

Il se pencha vers elle. Le passage de la vie n'épargnait point la jeune femme ; pourtant, il sourit au rayon de soleil qui réchauffait toujours son cœur.

— Je vous écouterai, dit-il. Je ne cherche plus qu'à prendre racine auprès de vous.

— Vous resterez ? demanda-t-elle d'une voix étonnée.

— Je vendrai mon cheval et s'il y a un coin de terre, j'y bâtirai maison, répondit le pasteur.

— Nous en inventerons un, monsieur, car votre souhait est aussi le mien.

Après dix ans chacun sur sa route, ayant chacun vécu par monts et par vaux, Jehanne et Guillaume arrivaient à la croisée de leurs routes. Ils s'installèrent dans la cuisine, auprès du feu, comme lors de la première nuit à Amsterdam, des années auparavant. Ils prirent la soirée et la nuit, pour se retrouver et refaire leur monde. À ce moment précis de leurs vies, ils comprirent combien leurs trajectoires de vie avaient été singulières et que, pour demain, marcher à deux, sur la même route, allégerait le voyage. La lente alchimie des jours ne faisait qu'un des deux destins ; dans l'absence, ils avaient réchauffé, dans leur cœur, une place pour l'autre. À travers les paroles et les silences, ils se comprirent, découvrirent dans les propos de l'autre l'écho de leur propre quête. Ils refermaient ensemble le deuxième chapitre de leurs vies.

Le soleil se leva sur un nouveau jour ; pour lui une existence à renouveler, à réinventer, pour elle une vocation à confirmer.

Jehanne ne voulait en aucun cas tourner le dos au commerce. Les années écoulées confortaient sa volonté de poursuivre sa voie. Elle n'imaginait rien de différent et ne voulait rien envisager d'autre que de continuer droit devant. Si près du vaste océan, le rêve d'un bateau bien à elle se dessinait clairement sur l'horizon.

Guillaume avait, à plusieurs reprises, fait de sa foi chrétienne le seul phare de sa vie, éclairant le chemin qu'il croyait le bon. Il avoua qu'il s'était trompé, qu'il n'était pas ce pèlerin politique capable de louvoyer à travers l'existence, gardant l'œil constamment sur la même destination. Il n'avait pas la patience du marin espérant d'un souffle favorable la progression de son navire. Il acceptait d'exclure dorénavant de sa vie le marchandage de ses idéaux. Il serait un simple pasteur, à défaut de transcrire ses idéaux en lois, il en ferait autour de lui des préceptes, les semences nécessaires à un monde meilleur.

Ils comprirent, ensemble, que Honfleur ne serait pas tant le théâtre d'un recommencement, mais une nouvelle ligne de départ, à moitié du parcours de leur vie.

Toutefois, les préoccupations étaient légion. Où vivraient-ils maintenant que Saint-Malo constituait un risque qu'ils n'avaient plus le luxe de s'offrir ? Où trouver de quoi mettre sur la table, non seulement pour leurs enfants, mais pour tous ceux dont ils acceptaient la charge ? D'autres épines saignaient leur conscience. L'héritage de la famille Saint-Hippolyte n'était pas le moindre souci auquel répondait l'histoire du bateau de Jehanne. L'un dans sa déception, l'autre dans sa bonté, les pères respectifs avaient apporté à leur vie des opportunités auxquelles seule l'audace donnerait suite.

Et surtout s'imposait à eux le sort de leurs trois enfants, responsabilité qu'ils avaient, à ce jour, bien mal assumée. Bien sûr, ils ne voulaient pour eux qu'un bel avenir. Mais leurs ambitions, leur course personnelle avait pris le pas. Cette responsabilité représentait dorénavant un travail constant, un métier où s'exprimaient à la fois l'ardeur de la forge et la délicatesse de la tapisserie. Leur progéniture n'appelait que leurs meilleures attentions. Ils en firent leur résolution.

***

— J'ai assisté au départ de votre ami de La Roche, il y a quelques jours, déclara Chauvin, recevant ses amis et nouveaux associés.

— Mal mer ! L'ami de qui ? Parlez pour vous, gronda Gravé du Pont.

Revenu de Paris au début de juin, Dugua de Mons avait rejoint les deux autres pour se réjouir du privilège qui était dorénavant le leur.

— Il faudra prévoir la réaction du sieur et de ses alliés, mentionna le Malouin.

— Je m'en occupe, affirma Dugua de Mons. Toutefois, j'ai bien peur que cette commission ne tarde un peu.

Chauvin avait pris place au bout de la table. L'accueil qu'il avait réservé aux deux autres surprenait. Point de félicitations, peu de célébrations. Pour le Malouin, l'occasion méritait bien une fête, et si, dans sa grande bonté, Dieu le père avait mis la vigne sur terre, ce n'était sûrement pas pour que les humains s'en privent. Ils n'eurent droit qu'à des pichets d'eau. Il apprenait à connaître son nouveau partenaire qui, fidèle entre les fidèles, rigoureux d'entre les rigoureux, bannissait de sa vie et de celle de ses proches tout ce qui, selon le dogme, s'approchait du plaisir et menaçait de l'éloigner de son salut.

Pont-Gravé s'attendait, tout de même, à quelques politesses, commentaires ou questions, lui reconnaissant certains mérites. Même si Chauvin avait, sans doute, bien manœuvré en coulisse, c'était tout de même lui et Dugua qui avaient rencontré Sa Majesté. Si l'autre allait disposer prochainement d'un monopole, c'était bien parce que lui, Pont-Gravé, avait tiré son nom de son chapeau.

— Quand disposerons-nous du document écrit dûment signé par Sa Majesté ? s'enquit le marin, désireux de passer à l'action.

— Vous semblez bien agité, mon ami, répondit Chauvin. Sachez que le roi n'a qu'un pas : le sien.

La saison des départs de navires se terminait et il était trop tard pour envisager une expédition cette année, mais le marchand de Saint-Malo exprima clairement qu'il entendait profiter du monopole dès le printemps prochain.

— Du calme, mon ami, rien ne sert d'improviser et de s'esquinter. Si le sieur de La Roche sommeille dans l'un de ses châteaux à la campagne et n'agite point sa frustration auprès du roi, peut-être pourrons-nous armer des navires et partir dès l'an prochain. Sinon, il nous faudra attendre le nouveau siècle.

— Mal mer ! Deux ans… J'aurai une barbe blanche, se plaignit le Malouin. Je ne dors pas sur une pension royale, moi. J'ai besoin de gagner.

Chauvin et Dugua échangèrent un long regard. Le premier, en plus des quatre navires qu'il possédait et qui faisaient presque cinq cents tonneaux, comptait de nombreuses propriétés, à Honfleur et autour, de même qu'à Dieppe, sa ville natale. Sans oublier, bien sûr, le domaine de Tonnetuit qui lui rapportait un revenu régulier. Dugua de Mons profitait d'une aisance certaine, du fait de la propriété de quelques domaines dans le Roannais, mais en aucune façon comparable à celle de l'ami Chauvin. Il envisageait d'ailleurs de vendre un domaine ou deux pour participer à l'aventure.

— N'ayez aucun souci, mes amis. Je ne vous demande rien. Je mettrai mon argent, sans faillir.

Gravé du Pont fut très étonné. Évidemment, celui qui investissait récoltait les bénéfices. Tous les bénéfices. Lui tirait-on le tapis de dessous les pieds ? Que lui resterait-il à lui ? Il ne se priva pas de réagir.

— Belle mer ! C'est un peu maigre pour moi. L'ami Chauvin, prenons exemple sur ces gens des Pays-Bas, créons une compagnie par laquelle nous mobiliserons des fonds, des ressources et aussi des appuis. L'amour d'un roi est bien volatile. De plus, l'installation des colons coûtera une fortune. Il faudra les trouver, les transporter jusque là-bas, construire des maisons, fournir quelques moyens de se nourrir, de se vêtir en attendant qu'ils assument eux-mêmes toutes ces charges. Combien de colons comptez-vous installer ?

Chauvin ne répondit pas à la question ni aux commentaires. Il quitta la table, marcha vers la fenêtre, prit son temps et dit :

— Messieurs, j'ai réfléchi à toutes ces questions. Attendons la commission du roi et j'aviserai. Bien sûr, j'entends faire le nécessaire, mais rien de plus. Nous sommes marchands. Le projet du roi s'adresse à des marchands et c'est pour et par le commerce qu'il prendra forme. Je veux voir mes bateaux voguer et revenir chargés de belles fourrures, après on verra.

Il fit une pause, se tourna vers la cour arrière de sa demeure d'où on voyait un navire à quai.

— Nous pourrions, certes, envisager l'installation d'un poste de traite. Voilà une première initiative mesurée et souhaitable.

Pont-Gravé fut choqué par les paroles de Chauvin. Ce dernier eût voulu le désavouer et l'écarter qu'il n'aurait dit autrement. Il comprenait que le projet d'une véritable colonie, si cher au roi et à lui-même, ne constituait pour Chauvin qu'une obligation à laquelle il souhaitait s'abstraire ou, du moins, en reporter la mise en œuvre.

— Mal mer ! J'espère que Sa Majesté ne vous entend pas. J'ajoute, en toute franchise, l'ami, que vous connaissez bien peu au commerce aux Terres-Neuves. Croyez-moi, un poste de traite représente un investissement inutile, car les Sauvages se réunissent une fois par année à Tadoussac, au moment où nous y sommes justement pour traiter avec eux. Autrement, ils courent les bois pour chasser.

Chauvin se refusa à entendre et reprit :

— La commission du roi me parviendra prochainement. J'affréterai mes quatre navires pour une expédition qui partira dès le mois d'avril 1599, pas avant.

Le marin quitta la rencontre, assommé. Il rentra à Saint-Malo le lendemain.

***

Pour Chefdhostel, l'arrivée à l'île de Sable fut une véritable libération. Durant toute la traversée, le pauvre dut supporter le babillage du marquis, lequel s'était instruit lui-même professeur ès cour royale. Il était remonté jusqu'à François Ier, puis Henri II, mais surtout à son épouse dont il ne se lassait pas de vanter les mérites, le bon goût, la sagesse et son rôle crucial dans l'histoire du royaume et de la monarchie. Cette reine, de laquelle on médisait allègrement en l'appelant l'Italienne, ne trouvait à ses yeux à lui que grâces et mérites. Et bien sûr, au centre de l'histoire tumultueuse de cette reine et de la France, il y avait lui, le marquis, aux si nombreux accomplissements.

Homme d'action, habitué à l'agitation constante mais silencieuse de l'océan, Chefdhostel en vint à souhaiter une tempête grâce à quoi il eût confiné son digne passager à sa cabine. Le temps étant favorable, la navigation se fit sous bon vent et le bateau atteignit la destination rapidement.

Dès qu'il toucha terre, de La Roche s'empressa de renommer le lieu l'île de Bourbon. Une fois la chose connue, plusieurs pensèrent qu'il s'agissait là d'un hommage attendu au roi, premier souverain de la lignée des Bourbon. De La Roche possédait un penchant naturel à la maladresse, ainsi avoua-t-il plus tard, sans réaliser l'impair qu'il causait, que le nom était lié au gouverneur de Normandie, le duc de Montpensier, lui aussi de la lignée des Bourbon. Le roi, à qui l'on s'empressa de

354

raconter l'anecdote et qui n'oubliait jamais rien, n'éprouva plus le moindre engagement à l'égard du marquis.

Chefdhostel fit décharger le bateau et voulut repartir, ce à quoi le marquis s'opposa vivement. Il n'était point question qu'il restât à peu près seul sur l'île dans des conditions misérables. Il imposa à l'autre qu'il attendît l'arrivée du *Françoise,* ce qui n'empêcha pas le commandant de tirer son bateau plus au large et de commencer sa campagne de pêche. Il faut dire qu'une bonne pêche signifiait plusieurs milliers de morues de près de deux pieds. Ainsi eut-il amplement le temps de s'installer et de pêcher avant de voir arriver le deuxième navire.

Les deux navires s'approchèrent de l'île ensemble. De La Roche accueillit à terre les colons et organisa la construction de l'habitation et du magasin. Il en profita pour faire le tour de l'île et constata ce qu'il qualifia d'une situation des plus enviables avec nombre de vaches, bœufs, veaux, cochons et chèvres en liberté. Des phoques, riches en viande et en graisse, paressaient sur la plage ou sur les récifs. Ainsi, les colons disposaient-ils d'un imposant garde-manger, en pleine nature. Sans compter la pêche que les hommes pourraient effectuer avec l'embarcation qui serait laissée au départ du bateau. Des sacs de farine et de froment, quelques barils de lard et des semences complétaient l'approvisionnement.

La petite troupe procéda rapidement aux diverses constructions et, après trois semaines, de La Roche donna le signal du départ. Malgré les promesses du marquis, la panique s'installa. Il expliqua qu'il partait explorer la côte dans le but de trouver un endroit plus approprié pouvant accueillir l'année suivante la colonie et leur promit de repasser par l'île avant de retourner en France. Querboyer prit la responsabilité de la colonie. Toutefois, dix hommes refusèrent de rester.

Le bateau se dirigea vers le nord-ouest et tenta, sans succès, d'atteindre la côte. L'embarcation fut prise, raconta-t-il plus tard, dans une terrible tempête qui la poussa au large et il dut rentrer directement en France, sans repasser par l'île de Sable.

Le Catherine de Chefdhostel revint à Honfleur le premier. À l'arrivée du *Françoise*, deux semaines plus tard, les habitants de Honfleur accoururent sur le port, croyant au retour des forçats. Ils eurent la surprise de voir le bateau abattre ses voiles, jeter l'ancre au large et demeurer immobile. On pensa à une quarantaine, rumeur qui fleurissait facilement lorsqu'il s'agissait d'un voyage outre-mer. Aucun pavillon n'en témoigna. Deux longues journées d'attente et d'interrogations passèrent avant qu'une petite voile ne fût hissée à mi-mât et le navire, porté par un léger vent du ponant et la marée montante, vint s'amarrer au Havre-du-dedans.

L'anecdote fit aussitôt le tour de la ville. En vingt ans de mer, le commandant du navire, un certain Griot, n'avait jamais connu passager aussi désagréable que ce Pourcin du Mas. Pendant tout le voyage de retour, il avait dégurgité sans arrêt plaintes, récriminations, critiques, doléances, que ce fût sur l'allure du bateau, la nourriture, les résultats de la pêche, la direction empruntée. Du Mas avait poussé l'arrogance jusqu'à réclamer la cabine du capitaine Griot, prétextant qu'il était propriétaire du navire et que cette mesure lui revenait de droit. Constamment et pour tout, il menaçait Griot et l'équipage de retenir leurs gages. Durant le retour et sans surprise, le marquis de La Roche, qui s'était joint à eux, prit fait et cause pour son partenaire.

Griot avait vu neiger. Son contrat stipulait qu'il serait payé à l'accostage à Honfleur. Mais il se garda bien de prendre un risque pour lui ou pour ses hommes. Payez et j'accosterai, s'entêtait-il à répéter à ce du Mas. Ainsi, après deux jours d'attente en mer, constatant que le capitaine n'allait point bouger, du Mas dut se résoudre à délier sa bourse.

Jehanne fut immédiatement informée de l'arrivée du bateau. Elle était déjà au bout de la passerelle lorsque le capitaine sortit, portulan et instruments de navigation à la main. Perché sur la dunette, du Mas, déjà ébranlé par la rébellion du capitaine et par le départ massif des marins, descendit se réfugier dans sa cabine.

Coïncidence ou non, au départ de l'expédition, ce fourbe de Pourcin avait soigneusement évité Honfleur. Avait-il appris la présence de Jehanne ou était-ce le hasard, comme il le justifia plus tard ? Quoi qu'il en fût, cette dernière se réjouit de voir enfin son navire. Elle en fit le tour, du moins de ce qu'elle pouvait apercevoir du quai. La fierté de voir enfin son bien et son manque d'expérience en matière de navire l'empêchèrent de reconnaître l'état déplorable du navire. Toutefois, consciente de sa chance, elle ordonna à Jacou de demeurer sur le quai et de la prévenir de tout mouvement du sieur du Mas.

**

Jacou était sur pied depuis quelques semaines seulement. La maladie et la convalescence s'étaient étirées au-delà de la patience de Jehanne, celle-ci pressée de le voir participer à ses nombreux projets. Elle s'enflamma en constatant que la maigrichonne Magda prenait des rondeurs. La chose devint évidente et Jehanne, au détour d'un souper où la servante avait dû courir se soulager dehors, fit rapidement le décompte et convoqua les deux tourtereaux.

— C'est toi le père ?

Le jeune homme baissa la tête sous le regard courroucé de Jehanne. Magda se mit à pleurer et Jehanne, n'hésitant pas un instant, apostropha Jacou.

— Tu vas l'épouser. Annette, cria-t-elle trouve un prêtre,

Ce problème de survie de l'espèce serait passé inaperçu, n'eût été l'exaspération générale engendrée par une condition encore plus éprouvante. La veuve Brochet se vengeait de l'affront fait à son fils. Elle fermait l'auberge, en expulsait les occupants.

Jehanne proposa une augmentation du prix, offrit de lui acheter l'établissement. Rien n'y fit. Chaque jour, la vieille dame se plaignait du bruit, de l'agitation, du désordre et de la malpropreté des occupants. Elle menaça d'instruire un magistrat de l'affaire et de procéder à l'expulsion.

***

Le chargé d'affaires Le Lou ne mit pas de temps à informer de La Roche des rumeurs persistantes au sujet du monopole sur le commerce des fourrures que le roi accordait à Chauvin et Gravé du Pont. La chose était prévisible, renchérit du Mas, toujours prêt, comme avocat, à se donner raison.

Tout de même ébranlé, le marquis répondit qu'il rencontrerait le roi, qu'il plaiderait l'antériorité de son privilège et qu'il remettrait toute cette affaire dans les formes plus convenables. La démarche toutefois lui coûtait, car depuis la dernière aventure, l'âge le rattrapait. Avait-il encore l'énergie de mener à bien ses entreprises, à passer six mois en mer, à assumer le poids des lourdes conditions de la commission du roi et du sort de ses colons déposés sur l'île ? Comble de malheur, l'aventure, pour l'instant, ne lui rapportait rien. Que des dépenses ! Que des ennuis ! Que des misères !

Il prit la direction de Paris, en faisant tout de même le détour par Saint-Malo avant de regagner son domaine. Ses collègues marchands de la ville se devaient d'être informés des manigances de l'un des leurs. Non seulement ce Gravé du Pont avait-il refusé de collaborer à son aventure, voilà qu'il se permettait de rogner ses privilèges. « Je remettrai ce téméraire à sa place », clamait-il partout.

Dans la capitale, il apprit que le roi avait soumis au Parlement de Paris et des principales villes ce qu'il appelait l'édit, perpétuel et irrévocable, de pacification et qui commençait par ce cri d'autorité et de ralliement : « Henri par la grâce de Dieu, roi de France et de Navarre. À tous présents et à venir. Salut. » Toutefois, de partout, montaient les réactions négatives à l'initiative du souverain. Celui-ci avait d'autres soucis que les larmoiements du marquis.

Malgré ses efforts assidus, de La Roche ne put voir le roi et dut se contenter de rencontres avec quelques-uns de ses seconds conseillers. Ceux-ci confirmèrent que Sa Majesté accordait au sieur Chauvin un monopole sur le commerce de fourrure en échange de l'établissement d'une colonie. Il eut beau expliquer qu'un monopole ne pouvait être partagé, dérouler ses années de services, ses multiples tentatives, même encore récentes, décrire les frais qu'il engageait au service du roi, Troilus de Mesgouez, marquis de La Roche, demeurait entendu, mais point écouté. Il réalisa que le nouveau siècle, à l'horizon, se ferait sans lui. Il fit deuil de ses illusions et quitta Paris pour son domaine. S'il devait se retirer du devant de la scène, le public se souviendrait de lui.

***

— Madame, vendez-nous votre auberge et n'en parlons plus, implora une nouvelle fois Saint-Hippolyte. Vous aurez toute quiétude pour écouler vos vieux jours.

Il reprenait, avec ardeur, l'idée de Jehanne. Ainsi, toute la famille pourrait continuer à vivre sans autre dérangement. Il y mit un prix que tout autre aurait accepté.

La dame refusait même de considérer l'offre, maintenant sa décision. La famille ne pouvait vivre avec la menace de la rue comme logis, menace encore plus imminente par le retour prochain du fils Brochet. Aucune autre solution de relocalisation ne s'était présentée. La ville constituait, il est vrai, un véritable chantier, mais les habitants reconstruisaient les maisons pour eux. En bâtir une nouvelle signifiait s'installer au-delà des remparts, dans un des faubourgs de la ville et Jehanne désirait, pour le bien de ses projets, demeurer près du port, près de ce qui remuait.

Saint-Hippolyte avança la suggestion d'acheter une ancienne auberge, pour l'instant abandonnée et placardée, qu'il voyait rue Haute, sur le chemin de la maison de Chauvin où il se rendait pour prier.

— Pourquoi ne pas en faire notre résidence ? suggéra-t-il.

— Pourquoi ne pas en faire notre résidence et une auberge ? répondit une Jehanne enthousiaste.

Les deux partirent sur-le-champ donner consistance à cet espoir.

L'édifice, situé à moins de deux cents pas du havre, avait perdu toute apparence d'habitabilité. Les poutres de la façade étaient noircies, le crépi entre les colombages se détachait et des touffes de verdure triomphaient dans toutes les fissures. Les pierres angulaires au-dessus des portes menaçaient de se détacher. Les détritus encombraient une porte-cochère qui donnait sur une véritable friche dans laquelle se profilaient encore quelques bâtiments en piteux état.

Saint-Hippolyte poussa de l'épaule une porte et pénétra dans un réduit encombré. Sa botte heurta de vieilles chopes de zinc et fit fuir une colonie de souris. Il pénétra dans la grande salle. Les volets fermés rendaient l'endroit sinistre. De rares rayons de lumière s'épuisaient dans la poussière. Le mobilier, en grande partie brisé, embarrassait le sol. Il retrouva son épouse demeurée dans la cour. Il n'eut pas le temps de suggérer d'abandonner l'affaire, Jehanne ayant déjà aligné les planètes.

— Cette pièce au niveau du jardin servira d'entrepôt et les domestiques dormiront à l'étage. Avec les enfants, nous occuperons les deux chambres arrière de l'étage du bâtiment principal et nous offrirons deux chambres à des visiteurs de marque. Peut-être pourrez-vous avoir une officine pour vous-même ou pour donner des leçons. Mon cher époux, dit-elle, débordante d'enthousiasme, je crois votre idée excellente.

— Une auberge ! Ce n'est en rien mon idée, balbutia-t-il. Il regarda tout autour. Pensez-y, madame, une auberge ! Vivre au milieu de la racaille...

— Rassurez-vous, mon époux. La racaille ne trouvera pas dans mon établissement de bancs sur lesquels poser son indignité et je ne demanderai jamais à mon pasteur de mari de tenir l'auberge. Je m'en occuperai. J'ai d'ailleurs d'autres projets pour l'endroit.

— Votre décision est déjà prise, dit-il, soufflé par la détermination de son épouse.

— Avons-nous d'autre luxe ? Ne laissons pas nos vies s'étioler dans un cul-de-sac. La route de Saint-Malo est fermée pour nous, et le retour à Amsterdam déshonorant. La dame Brochet refuse notre main tendue, elle ne mérite qu'un pied de nez. J'ai d'autres projets, autant faire de cette mauvaise fortune une occasion de renouveau et, pourquoi pas, monsieur mon époux, de prospérité.

Jehanne trépignait d'impatience. Saint-Hippolyte cachait ses inquiétudes. Qu'avait-il à voir avec une auberge ?

En retournant chez la mère Brochet, ils s'arrêtèrent aux côtés de *La Françoise* qui gisait, à marée basse, la coque dans la vase. Jehanne avait eu quelques rencontres avec Pourcin du Mas. Certaines brèves et enflammées, d'autres douces et prometteuses. Qu'elles soient fielleuses ou mielleuses, il chantait constamment le même refrain à l'effet que le père de Jehanne l'avait trompé. Un jour, il lui offrit d'acheter sa part en échange d'un billet promettant paiement une fois de vagues problèmes financiers réglés.

Jehanne n'avait plus l'innocence de la jeunesse. Elle avait refusé que le bateau quitte Honfleur tant que le litige ne serait pas réglé. De connivence avec Chefdhostel, la commerçante avait découragé tous les capitaines approchés par le filou pour conduire le vaisseau dans un autre port. Ainsi, même si du Mas était parti pour Saint-Malo, le bateau était demeuré sur place, malgré les colères de l'avocat. Il promit de revenir au début de la nouvelle année.

Toutefois, ce bien, couché dans la vase, prenait de l'âge sans rapporter. Jehanne toucha le petit navire d'or qui dormait sous ses couches de vêtement.

« L'année prochaine, cher bateau, tu seras à moi », se promit-elle.

1599

Le 6 février, Thomas Chefdhostel et Martin Le Lou se présentèrent devant le notaire Raynard pour la signature d'un contrat de ravitaillement de la colonie de l'île de Sable. Le commandant, pêchant dans les parages, s'engageait à y conduire quelques nouveaux volontaires recrutés récemment, et à approvisionner la colonie en vin, en cidre et en vêtements. La somme fut convenue et le marin exigea d'être payé dès l'abord.

Le Lou agissait ainsi en fonction de la procuration signée à son nom par le sieur de La Roche et d'un bordereau de change signé par lui pour couvrir les frais. Dans le message que de La Roche avait fait parvenir à son chargé d'affaires, il lui signalait être occupé à Paris, à Saint-Malo et en d'autres lieux, à protéger et défendre ses intérêts. Il fallait comprendre qu'il se remuait fort à empêcher le roi d'émettre la commission à Chauvin.

— Quand partirez-vous ? demanda Le Lou au capitaine, au sortir de l'officine du notaire.

L'autre était à rassembler l'équipage. Il verrait prochainement à avitailler le navire et selon l'humeur de la mer, lèverait probablement aux marées de la pleine lune de mars.

— Je vous fournirai volontiers en denrées et commodités pour le voyage.

— Épargnez-vous ce fardeau. J'ai déjà l'essentiel, répondit le commandant.

Le Lou ne cacha point sa surprise. Il était le principal avitailleur local et il n'avait rien entendu concernant Chefdhostel.

— Je fais affaire avec dame Jehanne Fleuriot.

Le Lou enquêta sur l'inconnue, ce qui l'amena rapidement à tourner autour de l'auberge. Il constata, comble de surprise, qu'une commerçante, qui plus est une femme, étrangère du lieu, dont on ignorait tout, s'installait sur la place et lui livrerait compétition. Il ne pouvait supporter pareille offense.

L'approvisionnement d'un bateau de cent quarante tonneaux comme celui de Chefdhostel impliquait, à tout le moins, la fourniture de trente quartiers de lard bien salé, une trentaine de barils de biscuits de Honfleur, des poules pour les œufs et la chair, des cageots de légumes-racines, des haricots et de la farine, auxquels s'ajoutaient vingt-six pipes de cidre et du vin. Certains bateaux accueillaient parfois une ou deux vaches et quelques chèvres. Les équipages complétaient leur alimentation par la pêche, la chasse à la baleine ou, à l'occasion, les échanges avec les Sauvages le long des rives.

Le service auprès de Chefdhostel était très important, car il passait toujours de bonnes commandes, ayant la réputation de bien traiter ses hommes et de payer ses fournisseurs. Perdre ce client impliquait trop. Le Lou devait agir.

***

Une colonie d'ouvriers s'affairait à nettoyer l'auberge délabrée avant le déménagement de la grande famille. Jehanne mena rondement les démarches pour l'acquisition de l'établissement. S'ancrer en France constitua une source d'énergie intarissable. Elle retourna la ville pour trouver un lointain cousin de l'ancien propriétaire de la place, décédé. Lui-même rejoignit le seul parent de l'épouse encore vivant. Jehanne les convainquit sans peine de vendre, sortit un magot raisonnable qu'elle répartit entre les deux parents, partage nécessaire pour voir la transaction sanctionnée sans délai. Les deux infortunés voulurent faire canoniser cette femme, pour tant de bonté.

Elle se lança avec cœur et intelligence dans la réfection des bâtiments, Les travaux l'accaparant jour et nuit. Problèmes et défis surgissaient sans cesse, l'obligeant à mille décisions et à allonger davantage de ses ressources dans l'entreprise. Le lieu promettait, mais la concrétisation des promesses dégarnissait sa bourse. Intrigués par cette ruche bourdonnante, des badauds s'arrêtaient à tout moment pour apprécier et commenter les travaux qui feraient revivre La Voile d'or, auberge renommée aux beaux jours de la ville. Chauvin, Dugua, Chefdhostel et plusieurs autres notables vinrent visiter par curiosité et pour soutenir les efforts de la jeune dame.

Saint-Hippolyte passa sous la porte cochère et regarda la cour intérieure. Il s'était rallié au projet de son épouse avec un entrain incertain, n'ayant rien d'autre à proposer. Il cherchait parmi les bâtiments en ruine un local où il pourrait démarrer une classe, un semblant de collège. Il admirait la pugnacité de son épouse et celle-ci le ramenait à son indécision, à sa propre apathie à l'égard du contentieux concernant le patrimoine familial. Bien sûr, il refusait de considérer que ces biens, qui lui revenaient par filiation, s'engouffrent et disparaissent dans un monastère. Il n'était pas loin de penser que les moines avaient abusé de son père. Mais que faisait-il pour faire avancer sa cause ?

À quelques reprises, il avait tenté d'écrire à ce paternel, pour le convaincre, l'amener à la raison. L'encre séchait au bout de la plume suspendue au-dessus du papier tant s'envolaient les mots du cœur qu'il eût souhaité révéler.

Il rédigea une note au notaire de la famille à Beauvais pour s'enquérir de l'état de santé de son père. Était-il déjà trop tard, était-il déjà mort et enterré, les moines accaparant l'immense domaine familial ? Il confia la lettre à un messager, lui laissa un généreux pourboire pour qu'il rapporte une réponse. Un soir, il revint à la charge auprès de Jehanne en reprenant l'idée de modifier, légèrement, le patronyme de Geoffroy pour qu'il se nomme de Saint-Hippolyte de Noailles, et d'ainsi contenter monsieur son père.

— On peut y voir aussi moyen d'assurer les ressources nécessaires à la poursuite de vos activités commerciales, ajouta-t-il.

— Sachant que mon frère n'aura pas d'enfant, comment osez-vous me demander d'éteindre à jamais la lignée de mon père ? rétorqua fermement Jehanne. Vous couperez ainsi les racines et les branches de l'arbre des Fleuriot. Cet arbre, monsieur, subit peut-être l'automne, mais le printemps reviendra. Si votre père vous déconsidère, je n'y suis pour rien. Baptisez à la religion catholique vos Saint-Hippolyte de Noailles, vous aurez le même résultat.

Guillaume voulut riposter, chercha ses mots. Elle ne lui laissa pas le temps d'ouvrir la bouche.

— Pour l'instant, mes affaires se portent bien et les perspectives sont plus qu'encourageantes. Alors, laissez-moi à mon négoce.

***

Jehanne surveillait les derniers travaux avant le déménagement de la tribu prévu pour les prochains jours. Elle

366

aperçut, près du portail, un homme zigzaguant sur la pointe de ses bottes entre les amas de gravats, le crottin des attelages et les outils des ouvriers. Il disparut sous la porte cochère et entra dans l'auberge par la porte arrière, serrant sur son flanc un porte-document. Il marchait précieusement, le regard hautain et dédaigneux. Jehanne le rejoignit dans la salle principale, laissant à son œuvre un maçon remodelant le manteau du foyer.

— Madame Fleuriot ou Saint-Hippolyte de Noailles, lequel dois-je employer ? pérora-t-il.

Jehanne dévisagea le biquet. Il reprit sans attendre la réponse :

— Qu'importe. Madame, je me présente, Colas Picot, bailli de l'évêché de Saint-Malo. Le tribunal de monseigneur l'évêque me mandate pour vous faire tenir cette décision de justice, à savoir une réclamation de monsieur Guillaume Fleuriot de Grangeneuve à votre égard et de votre prétendu époux ou de toute personne concernée, ayant pour objet le paiement immédiat de vingt-quatre mille livres or pour abus de confiance, tromperie et fraude en l'espèce, à laquelle somme s'ajoutent votre participation dans le navire de maître Pourcin du Mas dont j'ai également obtenu mandat, ainsi que les frais du tribunal et d'exécution de ce jugement. À défaut de diligenter une réponse appropriée et de recevoir ladite somme et considération, j'accomplirai saisie de vos biens.

Il s'arrêta, permettant à ses paroles de descendre et ainsi apprécier l'effet de son autorité.

L'homme, au long visage revêche, portait un mince collier de barbe, clairsemé, mais bien taillé, un chapeau noir à large rebord muni d'un ruban de soie moiré et, sur son pourpoint, un justaucorps de même couleur, long manteau de plus en plus porté par les hommes en saison. Un crucifix ostentatoire pendait sur sa poitrine. Il s'avança, présentant un parchemin ciré, tel un manchot grimaçant, les yeux mornes avisant le sol. L'homme était trop bien mis pour un si long voyage. Il était sûrement arrivé la veille et disposait d'appuis dans la ville. L'époux entra sur les entrefaites.

L'homme releva la tête, respira profondément et pointa le pasteur du doigt.

— Vous, faux curé ! s'exclama-t-il, s'il vous reste quelque sagesse et honneur, employez-les à traiter cette affaire dans les meilleurs délais.

Le couple en eut le souffle coupé. Il reprit, bravache et nasillant de suffisance :

— Je ne suis guère patient. Agissez rapidement, mieux cela vaudra.

Ils se regardèrent, ébranlés. Jehanne ordonna que l'on cessât les travaux pour la journée, se laissa choir sur un banc, s'appuya contre le mur et ferma les yeux, pensant trouver dans l'obscurité quelque lueur. Rien à faire. De funestes pensées bondissaient en tous sens. Si elle devait payer, elle sombrerait : ni réfection d'auberge, ni commerce, ni avitaillement de bateau. La réclamation de Colas Picot épuisait sa richesse, anéantissait tous ses plans. Elle demeura sans voix, écrasée par la charge et, sur le coup, se défendre lui apparut au-dessus de ses forces.

À la morgue du bailli, demeuré raide comme un piquet au milieu de la salle, elle présentait l'abattement du condamné, la résignation du deuil. Cela surprit le triste sieur, heureux de croire en sa rapide victoire. Elle demanda à voir les documents, implora un délai de quelques mois.

L'échassier refusa, disserta, menaça presque. Il promit de revenir le lendemain. Ils arguèrent. Saint-Hippolyte entra dans la discussion et finalement, invoquant l'importance de la somme à réunir et la longueur des déplacements, ils convinrent d'un délai, trois mois convinrent-ils. Elle eût préféré six, mais cela ne changeait rien. Le problème demeurait entier, la remise toutefois lui donnait le temps de trouver une parade, une contre-attaque ou de fuir, crut-elle. Elle maudit ce frère distillant la jalousie en fiel, incapable d'accepter que leur père pût l'aimer, elle, autant que lui. Ou était-il déjà à bout de ressources, incapable de pourvoir lui-même à ses besoins ?

Saint-Hippolyte la couvrit de ses meilleurs sentiments et de ses meilleures dispositions. Il lui conseilla de maintenir le cap, de reprendre les travaux d'aménagement de l'auberge et d'assumer ses autres engagements. Toutefois, en ces matières, l'époux, gonflé de bonnes intentions, s'essoufflait de pauvres conseils. Il n'était pas le plus vindicatif ni le plus conscient de la valeur des choses. Elle apprécia les bonnes paroles, accepta les bons sentiments, mais n'eut aucun doute qu'il lui faudrait livrer bataille et chercher ailleurs le renfort nécessaire.

***

Pont-Gravé eut connaissance du passage de La Roche à Saint-Malo, mais il ne chercha ni à le rencontrer ni à suivre ses traces auprès de l'élite de la ville. Comme il ne pouvait trouver de bateau, il gagna Honfleur pour obtenir un navire de Chauvin, à tout le moins pour pêcher et, si possible, faire la traite des fourrures.

À son arrivée, il ne put manquer l'auberge La Voile d'or. Des ouvriers travaillaient sur la façade et sous la porte cochère. Le lieu lui rappela son aventure militaire et il fut heureux de trouver de quoi se désaltérer à moins d'une encablure de l'austère maison de Chauvin. Il entra dans l'établissement, fut surpris et ravi d'y trouver Jehanne et Saint-Hippolyte.

— Belle mer, les aubergistes ! Quelle bonne idée de prendre racine ici ! Ayez du bon vin, je vous assure mon patronage. Nom de Dieu ! J'ai toujours cru que nous étions faits pour nous entendre.

— Hélas, monsieur, pour l'instant je n'ai rien à boire et notre passage ici risque d'être bref, lui répondit Jehanne, abattue.

Elle lui raconta la récente visite du bailli Picot. Elle eut beau invoquer tous les saints du ciel, tenir par-derrière elle tous les documents, la réalité d'avoir à se défendre contre cette injustice lui pesait. Elle évoqua la possibilité affolante de mettre encore plus de distance avec son passé, et surtout son frère, en retournant à Amsterdam.

— Mal mer de gredins ! s'exclama-t-il en bondissant de son siège. Comment rembourser l'amour d'un père à sa fille ? Votre incapable de frère n'a-t-il que la vengeance comme fonds de commerce ? Celui-là, qu'il s'assèche la gargoulette en premier, ainsi pourra-t-il travailler.

Le marchand s'abstint de l'affliger davantage en lui racontant la rencontre avec ce frère quelque temps auparavant, et il décela dans la poursuite l'ombre de Pourcin du Mas.

— Laissez-moi en parler au sieur Chauvin. Vous savez, c'est un officier de la chambre du roi.

Le Malouin se présenta chez Chauvin. Ce dernier le reçut avec sa chaleureuse retenue habituelle. Gravé du Pont brûlait de lui raconter l'histoire.

— Belle mer, l'ami Chauvin, j'arrive avec une besace pleine de sujets de la plus haute importance. Toutefois, difficile pour moi de parler avec la gorge aussi sèche. Qu'avez-vous à boire ? Et surtout, pas d'eau, rajouta-t-il. Je supporte très mal.

L'homme recevait toujours dans un bureau tout en largeur, muni de fenêtres ouvrant sur le jardin, le quai et les portes de l'entrepôt de marchandises. Les meubles de noyer foncé, les riches tentures, le feu permanent dans la cheminée témoignaient de son aisance. Le protestant se leva, disparut quelques instants puis regagna son siège, disposé de façon à surveiller à la fois les mouvements sur la cour arrière et sur le quai.

Une domestique entra, portant un pichet, fort modeste en regard de la soif du visiteur. Il reconnut la prodigalité de son ami huguenot.

— Je vous écoute, déclara Chauvin, ne laissant pas le temps à l'autre de se désaltérer.

Pont-Gravé souhaitait, impérativement, un navire. Toutefois, il commença par relater la rencontre avec les nouveaux aubergistes du bout de la rue, le désarroi de ceux-ci et l'obligation qu'il ressentait de leur venir en aide. Comme il ne connaissait pas cette ville ni la façon d'être utile en pareille situation, il suggéra au Dieppois de recevoir le couple, à tout le moins pour leur apporter réconfort et conseil. Rendez-vous fut fixé pour le lendemain en fin de journée.

Les deux époux s'y présentèrent. Depuis la visite de ce Picot, leur vie prenait l'allure du parvis de l'enfer. Chauvin les reçut avec considération en présence de Pont-Gravé, des sieurs Belloix, magistrat de la ville, et Dugua de Mons, commandant de la garnison. Ils écoutèrent la commerçante, posèrent quelques questions pour bien saisir les enjeux et le socle légal sur lequel la réclamation du frère prétendait reposer. Le sieur Belloix, méticuleux comme un copiste, scruta les documents auxquels Jehanne se référait pour sa défense.

La rencontre s'étira sur trois longues heures. Le couple en sortit épuisé et point tant rassuré. Tous se réservaient. Saint-Hippolyte tentait d'y voir un signe positif, mais Jehanne, persuadée de son innocence, acceptait très mal qu'il faille autant de temps pour les en convaincre.

Les autres prirent quelques instants pour partager réflexions et opinions. Prudent comme un chat, le magistrat conclut qu'il fallait approfondir le fond du litige.

— Belle mer ! Ne vaudrait-il pas mieux lui botter le derrière et le jeter à la mer ? vociféra le Malouin. A-t-on idée de voler ainsi d'honnêtes gens... Sachez, messieurs, que je me porte garant de la dame. J'avais son père en très haute estime.

La discussion terminée, Gravé du Pont retourna à l'auberge. Saint-Hippolyte lui fit visiter les lieux pendant que Jehanne examinait les travaux importants à faire avant de mettre le chantier à l'arrêt. La Voile d'or demeura fermée au public, mais pressée par la dame Brochet, la tribu s'y installa à demeure, malgré l'incertitude du moment. Les enfants trouvèrent un terrain de jeu plus vaste et des occasions d'amusement décuplées.

Geoffroy reprit ses excursions sur le port. L'activité maritime reprenait en ce début de saison. Des navires accostaient pour décharger ou charger des cargaisons de sel ou de produits des mers du Sud qui remontaient vers Paris. Les quais grouillaient d'activités rythmées par le son régulier des maillets de calfats préparant les navires. Le garçon aurait bientôt neuf ans. Qu'il soit vif et de commerce agréable n'étonnait personne. On eût dit qu'il avait pris le meilleur de chacun de ses parents. Toutefois, Guillaume, malgré l'enseignement qu'il lui prodiguait en privé, exprimait de sérieuses préoccupations à l'égard de l'avenir de ce fils. Idéalement, il l'eût confiné à Noailles, avec un précepteur et sous l'œil satisfait du grand-père, ce dernier toujours vivant, avait-il appris. Mais il lui faudrait changer le nom de son fils, qu'il devienne un Saint-Hippolyte, et le père ne trouvait pas le courage de reprendre le sujet avec son épouse.

Telle était sa nature. Les meilleures intentions, et elles étaient nombreuses, trouvaient occasionnellement le chemin de la réalisation. Elles demeuraient figées dans son cerveau et finissaient par s'y perdre, l'une poussant dans l'oubli la précédente. La menace imminente de perdre le patrimoine familial aurait dû pourtant le forcer à agir.

**

Pourcin du Mas n'attendit pas le retour du bailli Picot pour se présenter. Il se fit mielleux, déplorant presque les lourdes réclamations du frère de Jehanne.

— Vous savez, je peux vous aider, suggéra-t-il, la lippe molle, le regard toujours oblique. Les temps sont difficiles, mais je vous payerai pour votre participation dans le navire. Cette somme contribuera à alléger vos souffrances.

Pourcin mit sur la table un montant ridicule qu'elle rejeta, déclarant que cette valeur était bien en deçà de la somme payée par son père et de celle du rachat des parts de Gravé du Pont. La commerçante sollicita une meilleure offre, refusant de croire, dit-elle finement, qu'il pût profiter de la situation. Il se confondit en fausses excuses et considérations alambiquées, confondant la compétition sur le banc de Terre-Neuve, les pirates en Méditerranée et les errances du roi de France. Le filou comptait profiter de la situation, mais en dépit du poids du malheur sur ses épaules, Jehanne ne plia pas, le bateau portant déjà une partie trop importante de ses rêves.

Il revint les jours suivants, ânonnant toujours la même rengaine sur d'autres musiques. Ainsi, il prétendit se détourner des Terres-Neuves et envisager, à l'instar des Portugais et des

Hollandais, d'atteindre l'Asie par le détour du cap de Bonne-Espérance, entreprise pour laquelle il avait besoin d'importantes ressources. Il ignorait que Jehanne possédait une partie de l'histoire des Hollandais, acquise à fort prix. Elle posa quelques questions pointues et conclut que le bonhomme n'entendait absolument rien à une telle aventure. Il ne faisait que rajouter à sa fable un vernis de ridicule.

Jehanne se rendit à quelques reprises chez Chauvin et partagea avec ce dernier les ergoteries de l'avocat du Mas. Chauvin écoutait, mijotant visiblement un coup, qu'il refusait toutefois de révéler. Le marchand huguenot conjuguait entêtement et patience. Il supposait du Mas pressé d'encaisser pour être en mesure de financer de nouvelles expéditions. La saison de pêche et de traite battait son plein. Le moment d'un départ était presque derrière lui. Aussi, après quelques visites de Jehanne, mesurant l'impasse dans laquelle les deux parties se trouvaient, Chauvin lui suggéra de soumettre à du Mas une proposition de prix assortie d'une condition spéciale.

Déterminée à tourner la solution à son bénéfice et afin de donner plus de sérieux à la démarche, Jehanne donna rendez-vous à l'avocat chez un notaire recommandé par Chauvin. Du Mas crut l'affaire bouclée. Elle rayonnait de confiance.

Le soir même, la rumeur de l'arrivée à Honfleur de Colas Picot frappa l'auberge. Jehanne annula le rendez-vous chez le notaire et fit prévenir Chauvin. Ce dernier se présenta le soir même accompagné du magistrat Belloix. La partie serait rudement jouée. Jehanne en tremblait, craignant que les prochains jours ne remettent en cause les années d'effort.

***

Malgré la réfection de l'auberge, le déménagement et, surtout, l'accablement causé par les actions légales à son encontre, Jehanne avait chargé Jacou de réunir quelques provisions nécessaires à l'expédition de Chefdhostel. Le garçon battait sans relâche la ville et la campagne, revenant régulièrement le tombereau chargé de produits et de victuailles. La cour arrière accueillit bientôt quelques cochons bien gras, deux belles vaches et des poules.

Jacou visita tous les boulangers de la ville pour acheter une grande quantité du fameux biscuit de mer, spécialité de Honfleur. Les deux premières réponses furent encourageantes. Il faut dire qu'il contacta de petits artisans. Les deux vantèrent leur boulange, le travail bien fait, la qualité du produit. Ils réclamèrent une substantielle avance de fonds, mais Jacou comprit que pour l'un des deux, l'avance passerait sûrement à la taverne voisine. Lorsqu'il entreprit de contacter les boulangers plus importants, les portes des fours se refermèrent devant lui et les commerçants refusèrent de s'engager. Il creusa leur résistance et comprit, tous évoquant les mêmes raisons exprimées différemment, que derrière se menait campagne contre Jehanne. Il hésita à s'en ouvrir à elle, la sachant déjà submergée des problèmes des autres.

Pourtant, il lui fallait trouver une solution, car il n'y avait point d'expédition sans avitaillement et nul avitaillement sans biscuits. Cet aliment était au marin ce que la patience était au voyage. Le biscuit constituait l'alimentation de base du marin, son pain quotidien, ce qui lui remplissait l'estomac durant de longs mois. Rien ne pouvait le remplacer. Il en fallait des milliers.

Le départ de Chefdhostel approchait et le problème n'était pas simple. Jacou pensa, en premier, trouver le responsable de cette campagne contre sa bienfaitrice, mais la mise à jour de l'infamie ne remplirait pas les cales pour autant.

Produire des dizaines de milliers de biscuits représentait un défi de taille. Non seulement l'opération coûtait en farine, bois de chauffage et main-d'œuvre, mais surtout en temps pour compléter les quatre cuissons qui garantissaient la dureté et la durabilité du produit.

Il songea à monter sa propre échoppe dans le fond du clos derrière l'auberge, mais le temps n'offrait pas cette largesse.

À quelques reprises d'ailleurs, Jehanne s'impatienta en voyant l'entrepôt si peu garni. Le persévérant jeune homme revint vers l'un ou l'autre, essuyant le même refus jusqu'à ce qu'un des boulangers lui entrouvrît une porte.

— Si les nuages se lèvent, tu penseras à moi, lui fit-il promettre, après lui avoir exposé la possible solution.

Possible mais non tant simple à exécuter. L'homme avait un frère, aussi boulanger, à peu de lieues de la ville. Habitant de la campagne, simple, travaillant, il se déclara fort disposé, mais n'avait d'aucune manière les moyens de produire la quantité requise. Ils se quittèrent sur ce regret.

Jacou retourna vers la ville, chevauchant le même problème, son esprit fouillant tous les terreaux dans lesquels une solution pourrait germer.

Cet enfant de la misère n'était pas sans ressources. Sans rien confier, le lendemain matin à la première heure, il bourra sa charrette de bois et d'un baril de farine. Sa proposition brillait de simplicité : « J'apporte le blé et le feu, vous fournissez les bras et l'ardeur. »

Le boulanger se mit à l'œuvre et soutint la cadence. Jacou refit le même chemin jour après jour, constatant que la réalisation prenait forme. Aussi un soir réussit-il à convaincre

Jehanne de lui allonger quelques écus pour, dit-il, assurer un premier approvisionnement. Il se précipita chez l'artisan-boulanger et fit sonner ses pièces sur la table. L'autre crut celles-ci pour lui, ce que confirma Jacou, à la condition d'accroître la production. Il fallait produire bien, plus, et plus rapidement encore. L'homme n'était point bête. Il sortit par la porte de derrière et revint peu de temps après accompagné de sa femme et de ses trois enfants, tous comme lui, bâtis pour la besogne, faciles à l'entendement.

— Nous travaillerons jour et nuit, dit-il. Vous faut-il plus, mon bon sieur ?

Quelques jours plus tard, les premiers tonneaux de biscuits encore chauds roulaient dans l'entrepôt de Jehanne. Comme l'hirondelle qui ne fait pas le printemps, l'exploit n'apportait pas la victoire. Les difficultés dessinaient les contours d'une catastrophe imminente : la ville s'organisait contre la commerçante, l'étrangère. Même le chanoine curé de l'église Sainte-Catherine tramait l'anathème.

***

Les trois compères, le bailli Picot, l'avocat du Mas et le chargé d'affaires Le Lou, se présentèrent en fin de matinée à l'auberge. Ils affichaient tous la suffisance des plus beaux jours d'été, se croyant auréolés de la bénédiction d'un tribunal ecclésiastique, d'autant plus triomphants qu'ils croyaient à la faiblesse de la coupable devant eux.

Ils tonnèrent dès leur arrivée, exigeant que Jehanne réponde séance tenante à leurs revendications.

— Messieurs, ne voyez-vous pas que je suis à installer ma famille ? Je sollicite l'indulgence pour la mère débordée que je suis. De plus, pour l'heure, mon époux est absent. Prévoyons une rencontre, plus apaisée, en fin de journée.

Les trois hommes se regardèrent, heureux de la déroute qu'ils lurent dans les yeux de la commerçante. Fier et jubilant, le sieur Picot coquelina.

— Je ne saurais attendre plus longtemps que ce soir, susurra-t-il. La justice ne regarde point derrière. Votre frère attend mon retour avec impatience. Sinon, il saura en référer à Sa Majesté.

— Madame, ne songez pas à fuir. La ville est fermée, ajouta Le Lou, pour attirer vers lui l'éclat du moment.

Le sourire retenu de Pourcin du Mas n'échappa pas à la commerçante. La rencontre fut convenue dans le même lieu à la tombée du jour. Ils sortirent triomphants.

Jehanne fit prévenir Chauvin, qui alerta les autres. La position de ce dernier était toute militaire. Ne pas reculer, laisser l'ennemi s'épuiser. Aussi avait-il conseillé à Jehanne de feindre l'incompréhension, la détresse, l'impuissance. Il conseilla de retirer tout le mobilier de la salle à manger de l'auberge, d'y verser quelques gravats, rebuts de bois et autres encombrements, tout ce qui rendrait l'endroit inconfortable et jetterait l'illusion de la déroute et de la reddition assurée.

Quelques instants avant la rencontre, Chauvin, Pont-Gravé et le magistrat Belloix se glissèrent dans le réduit attenant à la grande salle de l'auberge. Ils s'installèrent, comme pour un long siège. La porte demeura entrouverte, de façon à ne rien perdre de la discussion.

Les faux justiciers apparurent peu après. Ils enjambèrent les résidus, eurent peine à se trouver un endroit dégagé. L'absence de mobilier les força à demeurer debout et ils séchèrent, droit comme des piquets au milieu du désordre. Picot donna lecture de l'acte, accusation de vol et usurpation, précisant que l'action en justice avait été légalement enregistrée au tribunal ecclésiastique de Saint-Malo et sanctionnée par l'évêque, monseigneur Bourgneuf lui-même.

Jehanne clama son innocence, multiplia les questions, jura avoir payé le correspondant de son père et détourna l'accusation vers ce dernier. Elle répéta les mêmes arguments, qui n'ébranlèrent pas les trois colonnes devant elle.

Saint-Hippolyte, jouant en retrait son rôle, lançait aux accusateurs des paroles incompréhensibles, des citations bibliques accusant le frère de tous les péchés de la terre et de l'enfer. Il jouait la mouche, ne piquait pas, mais n'avait de cesse d'importuner.

Les questions de Jehanne ou les atermoiements de Saint-Hippolyte constituaient plus qu'un agacement. La patience des trois coquillards s'éroda. Le sieur Picot, la voix haut perchée, exigea le paiement immédiat des milliers d'écus, tandis que, dans un geste de grandeur et de bonne volonté, du Mas suggéra à la jeune femme de renoncer à la propriété du navire au profit de son frère, mesure qui confirmerait sa bonne foi et diminuerait son obligation financière.

C'était bien ainsi que les trois hommes de main du diable de frère entendaient régler la chose, drapés de probité et de légalité. Le Lou affirma même que le retour de Jehanne aux Pays-Bas semblait de mise. Dans leur réduit, Chauvin et Belloix faillirent s'étouffer de rire, et Pont-Gravé de colère. Il eût avec plaisir et enthousiasme pris charge à l'instant du sieur du Mas pour lequel il gardait toujours un chien de sa chienne.

Jehanne feignit l'abattement et, à bout de questions et de suppliques, elle les pria de disposer, assurant qu'elle verrait à les contacter sans délai. Preuve de bonne foi, elle s'enquit de leur lieu de résidence pour y acheminer la somme due. Ils refusèrent de partir sans avoir touché ou vu quelques espèces. Jehanne, enfiévrée de colère, ramassa une pièce de bois traînant sur le sol. Ils se retirèrent prudemment.

Les témoins du réduit purent enfin sortir. Pour mieux réfléchir, Pont-Gravé quémanda à boire, le confinement l'ayant asséché, insista-t-il. Tous se tournèrent vers le magistrat Belloix. Ce dernier ne tarda pas à les rassurer de paroles bien choisies. Il les quitta sur promesse de revenir à eux rapidement. Il demanda à Jehanne la permission d'emporter les documents. Gravé du Pont accompagna Chauvin, non sans avoir pris avec lui un pichet de vin.

Le soir même, Magda, la domestique, mit au monde le fils de Jacou, qui fut prénommé Étienne, du nom du saint patron de la ville. Annette veilla auprès de la jeune épouse et, pour un premier enfant, l'accouchement se déroula étonnement bien au regard de la condition frêle et malingre de la mère. La nature possédait des ressorts inimaginables et Jehanne vit dans cette naissance un message d'espoir, un signal des cieux : malgré les épreuves, la vie continuait.

De retour en sa demeure, Chauvin confia à Gravé du Pont qu'il entendait racheter le bateau de du Mas, ainsi que les parts de Jehanne dans celui-ci. Il comptait indemniser cette dernière d'un montant raisonnable. Ainsi, Pont-Gravé pourrait prendre la mer dès l'affaire conclue. Le négociant-armateur fut toutefois muet sur la stratégie et les arguments qu'il comptait utiliser pour parvenir à ses fins.

— Belle mer, mon ami, que de bonnes nouvelles en cette journée ! feignit le marchand malouin, roulant les yeux de bonheur. Il croyait toujours en sa chance de racheter le bateau de du Mas, même s'il devait avoir Chauvin comme partenaire.

**

Geoffroy consacrait tout son temps à deux activités : avec son père, l'apprentissage de la lecture et de l'écriture et, par lui-même, l'exploration intensive des quais et de tout ce qui y bougeait. Cette ronde quotidienne au port demeurait le soleil de sa journée. Le garçon surveillait les arrivées et les départs des navires, parlait aux commandants et aux capitaines. Il suivait toujours derrière sa mère ou Jacou lorsque ceux-ci rencontraient un commandant.

À plusieurs reprises lors de ses excursions en bord de mer, il suivit de loin l'homme immense, visiteur régulier de l'auberge de sa mère. Sachant que, pour se rendre au port, ce marin devait passer devant la porte de l'établissement, le garçon prit l'habitude de se blottir dans l'angle mort de la porte cochère. Ce matin-là, le géant passa plus tôt et Geoffroy courut derrière lui.

Plus encore que les autres jours, le commandant François Gravé du Pont marchait d'un pas rapide et décidé. L'acquisition imminente du bateau de du Mas le transportait. À peine le soleil tiré de la montagne derrière la ville, s'était-il mis en route pour aller en faire inspection. Il se posait bien quelques questions sur la façon dont Chauvin convaincrait du Mas de vendre son navire, mais au moment où il marchait vers le port, il ignorait le sort des deux visiteurs de Saint-Malo.

Le commandant portait un chapeau à large rebord, un pantalon long roulé au genou, découvrant de hautes bottes de cuir. Il regardait droit devant comme s'il eût marché dans le désert.

Au fond du havre, il tourna sur sa gauche et entreprit de remonter le quai jusqu'à la grève, le navire *Le Françoise* gisant sur son flanc, à marée basse. Il passa devant l'église Saint-Étienne puis, un peu plus loin, il s'arrêta, apostrophé par une dame qui tenait étal de légumes.

— Vous traînez un souriceau, lui dit-elle, pointant du nez derrière lui.

Il n'y porta point attention d'abord, fit quelques pas, puis se retourna. Le gamin s'arrêta quinze pieds derrière, essoufflé qu'il était d'avoir gambadé de ses courtes jambes dans la foulée du marin.

— Mal mer, petit, gronda-t-il, reconnaissant le fils aîné de Jehanne. Que farfouilles-tu dans mes pas ?

Geoffroy ne répondit pas et s'approcha du commandant.

— Si loin de l'auberge, mât de misaine, retourne d'où tu viens, grogna l'homme.

Le garçon vint se pointer devant. Gravé du Pont soupira fort.

— Es-tu sourd ou aussi têtu que ta mère ? bougonna-t-il.

— Pourquoi ce vieux bateau ? murmura l'enfant, pointant *Le Françoise*.

— Bonne mer, petit, tu n'as pas l'œil d'un mousse du nid-de-pie.

Les deux partirent côte à côte vers le navire. Pont-Gravé se rendit aussi loin qu'il put sur la grève, le gamin toujours sur ses talons. Il fit, à haute voix, l'inspection du navire, comme si l'enfant accroché à ses chausses fût un autre marin, un ouvrier chargé des réparations ou un clerc dressant un procès-verbal. Bien que de peu d'années, le bateau souffrait d'un manque d'entretien. Rien de très sérieux, se rassura le marin, mais il fallait y voir.

Aussi revint-il vers la ville, laissa le jeunot à l'auberge et retrouva Chauvin. Le lendemain, il recruta quelques marins pour remettre le bateau à la mer et l'amarrer le long du quai derrière la maison de son futur propriétaire. Le commandant refusa de prendre Geoffroy à bord et celui-ci maugréa durant toute la manœuvre, les pieds enfoncés dans le sable mou de la grève.

***

Belloix se prit d'intérêt pour la cause et d'affection pour la dame qui se démenait dans la tourmente. Il effectua un travail consciencieux, zélé même. De plus, que d'autres viennent faire justice dans sa ville contrariait sa personne et froissait sa fonction. Il répondit à la procédure de Picot dès le lendemain matin. Il mandata Dugua de Mons, lieutenant de la garnison et fort d'une brigade, de procéder à l'arrestation de messieurs Picot et du Mas en leur hôtel. De confuses raisons leur furent données. Ils échouèrent prestement à la prison située derrière l'église Saint-Étienne, à côté de la maison du curé Frémont, officiant de Saint-Pierre du Theil. Les captifs eurent amplement le loisir de méditer et de prier.

La tension des dernières semaines avait miné Jehanne. Elle réalisait les limites de ses récentes actions. Depuis l'ouverture de l'auberge, la clientèle évitait l'établissement ; le navire de Chefdhostel naviguait avec quelques provisions qu'elle avait fournies, mais si peu... Elle était loin de contribuer à la naissance de la Nouvelle-France ou de participer à la découverte d'une route pour la Chine. Et surtout, combien lui coûterait, au final, le règlement de la poursuite de son frère ?

Pendant des jours, elle serra le petit navire qui pendait à son cou, comme si celui-ci lui apporterait la réponse à sa question : comment relancer la poursuite de ses ambitions ? Faire un pas en arrière pour, à son heure, mieux rebondir fut la seule solution à s'imposer. L'après-midi, elle remonta la rue, frappa à la porte du sieur Chauvin, le trouva à son bureau, l'aborda d'une voix décidée :

— Monsieur, mes parts dans *Le Françoise,* sont à vendre. Combien m'offrez-vous ? lui lança-t-elle.

— Madame, prenez place. Parlons de cette possibilité, minauda-t-il en se rasseyant. Comprenez-moi, je cherche la propriété entière du navire.

Il ne put commencer une nouvelle phrase.

— Monsieur, je contrôle ma participation. C'est ce que j'ai à vendre. C'est maintenant ou jamais.

Chauvin hésitait. Son ciel n'était pas exempt de nuages. Une année après la rencontre de Gravé du Pont avec le roi, les lettres patentes tardaient, la procédure étant emmêlée dans le faisceau de représentations que les associations de marchands dans toutes les villes de la côte orchestraient à son encontre. Le roi ne trouvait aucune sortie et sa France conquérante consistait en une poignée d'infortunés, perdus sur l'île de Sable, au seuil d'être abandonnés par le marquis de La Roche qui, comme un faux bourdon, ne brassait que du vent.

— Combien m'offrez-vous ? dit-elle, impatiente.

— Madame, c'est plutôt à moi de vous demander quelle compensation soulagerait votre tourment…

Jehanne se leva.

— Monsieur, je ne vends ni calvaire ni n'achète vos bons sentiments. Il s'agit d'un navire. Faites l'économie de paroles inutiles. J'ai d'autres offres, mentit-elle. Vous donnez votre prix, ou je m'adresse ailleurs.

Chauvin encaissa la salve de Jehanne sans montrer la moindre émotion. Toutefois, le coup porta. La discussion fut brève et rendez-vous fut pris chez le notaire. Non seulement Jehanne obtenait-elle le prix qu'elle souhaitait, soit le prix payé par son père, légèrement augmenté, payé comptant, mais la transaction prévoyait que, pour les cinq prochaines années, elle serait l'avitailleur des navires du négociant-armateur au départ de Honfleur pour la course vers les Terres-Neuves. Comme Pont-

Gravé faisait partie de l'affaire et commandait un des navires, elle eut confiance. Chauvin dut gratter les fonds de tiroirs pour réunir la somme. Jehanne s'en tirait très bien.

Au départ de la commerçante, Chauvin se dirigea vers la prison. Picot et du Mas y mijotaient. Ce dernier, atterré dans un coin, épuisait ses dernières colères. Chauvin exprima du bout des lèvres des regrets pour cette triste situation et suggéra qu'il pourrait éventuellement faciliter son élargissement à titre de nouveau partenaire dans le navire, ayant consenti, spécifia-t-il, à acheter la participation de Jehanne aux seules fins de favoriser un dénouement heureux de l'affaire. Encore mieux, en retirant la réclamation concernant le bateau, du Mas serait libéré à l'instant, promit-il.

L'avocat véreux comprit avoir devant lui requin plus affamé. L'affaire fut conclue rapidement. Un clerc fut mandaté sur place pour noter l'intention des parties. Chauvin se rendit chez le magistrat Belloix et retira la plainte concernant le navire. Du Mas fut relâché le matin suivant, signa chez le notaire à la première heure, toucha son dû et battit en retraite vers Saint-Malo.

***

Pont-Gravé s'agita ferme pour mettre le bateau en état de naviguer et pour rassembler l'équipage. Malgré de difficiles conditions, il résolut de partir. Il se rendrait à la rencontre des Sauvages puis, au retour, pêcherait sur le banc au large de l'île de Terre-Neuve, dans sa partie nord-est nommée de plus en plus couramment la Côte des Français.

Geoffroy trouva une trouée dans l'enceinte d'une propriété voisine, s'y faufila et, sautant clôtures et barrières, il atteignit le quai derrière la maison de monsieur Chauvin pour assister aux travaux sur *Le Françoise*. L'attachement de Geoffroy aux navires, à la mer et peut-être bien au commandant ne se démentait pas. Même que l'équipage du bateau s'impatientait de voir le garçon courir de la cale au pont, fouillant les cabines, l'entrepont, interrompant tous ceux qui s'affairaient dont les gabiers emmêlés dans la réparation des voiles du navire.

Ce matin-là, les marins lui interdirent l'accès à bord. Le garçon trépignait d'impatience à l'arrivée du commandant, portant à l'épaule un coffre de bois. Le Malouin lâcha quelques jurons en voyant les amas de cordages qui encombraient encore le pont et que les marins devaient encore lover et ranger à poste. Il arrivait prêt pour le voyage, comptant passer la nuit sur le bateau. Il retrouvait un navire qui lui était familier, dont il connaissait tous les caprices, la manière de chevaucher la vague ou de pencher au vent, de gémir sous la bourrasque. Il regrettait une seule chose : ne pas en être le propriétaire.

— Mal mer ! Hâtez-vous, gabiers de porcelaine ! cria-t-il en montant à bord. Je partirai demain, même si ce bateau n'est pas prêt. Vous travaillerez jour et nuit, sinon, je vous promets les chaînes.

Le commandant menaçait, mais il n'était point de ceux qui abusaient des châtiments ; surtout pas du redouté supplice de la cale. Ce châtiment répandu consistait à attacher le matelot à une vergue et à le jeter à la mer. Deux ou trois manœuvres suffisaient souvent pour arracher la vie des plus résistants et effrayer les autres. Mais François Gravé du Pont avait trop de respect pour ces hommes avec lesquels il partageait tous les périls pour mettre en œuvre pareils sévices. Sous ses allures de fauve en cage, il traitait ses hommes avec considération, pour autant, il va sans dire, que ceux-ci lui fussent loyaux.

Le commandant déposa le coffre sur le plancher de la dunette derrière la barre du gouvernail. Le gamin s'approcha.

— Mon commandant, dit-il le plus sérieusement du monde, dans quelle direction partirez-vous demain ?

— Droit devant, mon garçon, là où le soleil se couche.

Le garçon regarda derrière lui, puis vers le ciel. Il fixa le soleil et son regard parcourut l'arc de cercle qui amenait, comme tous les soirs, le soleil à sombrer dans l'océan en abattant la nuit tout autour. Geoffroy demeura près du marin.

Le commandant avait le front couvert de sueur et regardait fébrilement autour de lui, cherchant à s'assurer que tout était bien en place.

— Mal mer, mon garçon, tu me sembles bien soucieux, ce matin.

— Mais monsieur, le soleil se lève derrière la colline. Comment ferez-vous pour revenir ? Vous ne le verrez point.

Gravé du Pont poussa une longue exclamation de plaisir.

— Belle mer, quelle fouine ! Il veut tout comprendre, ce coquin.

Geoffroy ne cherchait pas qu'une explication. Il voyait très bien les bateaux partir et revenir. Il se préoccupait du retour du commandant Gravé du Pont lui-même. Le marchand malouin représentait ses rêves de mer, de voyages et d'aventures. Le garçon s'était attaché à cet homme bourru, rugueux, lequel, en retour, l'avait pris en affection. Il le suivait tout autour du havre, l'observait discuter avec les autres commandants, haranguer de sa forte voix les marins et badauds qui traînaient sur les quais. À l'auberge de sa mère, Geoffroy l'épiait souvent et il goûtait les moments ou Gravé du Pont, ayant fait le plein, entonnait ses chants de marins de Saint-Malo que des clients reprenaient en chœur. Durant leurs promenades, Geoffroy surprenait parfois le marin lorsque celui-ci portait sur l'océan, à l'ouest, un regard tendre et affectueux. Il enviait ce moment et, déjà, se forgeait en lui cette volonté qu'un jour lui aussi serait du voyage.

— Viens ici, mon petit, lui dit-il en ouvrant le coffre déposé sur le pont.

Le marin plongea ses deux mains dans la malle. Il en ressortit une grande pièce :

— Le bâton de Jacob, confia-t-il presque en confidence.

Le marin prit dans ses larges mains une longue pièce de bois marquée d'inscriptions, la porta haut devant lui comme un prêtre dévot implorant le Père miséricordieux et il pointa vers le soleil. De sa main droite, il fit glisser une pièce de bois perpendiculaire à l'axe.

— D'un côté de ce marteau, je fixe l'étoile Polaire ou le soleil, et de l'autre, l'horizon. Je note le point et le reporte à cette table de conversion que tu vois à côté. Cette donnée établit la latitude, c'est-à-dire une ligne qui fait le tour de la terre, dessus ou dessous l'équateur. L'équateur, mon petit, constitue la ligne qui court autour de la terre en son centre.

Il fit une pause et vérifia du coin de l'œil.

— Est-ce que tu me suis, mon garçon ?

Gravé du Pont expliquait la navigation au jeune garçon comme il l'avait fait avec son propre fils qui, depuis, s'était enrôlé dans la marine royale. Geoffroy acquiesça, captivé, ne voulant rien perdre, impatient de la suite. Le marin redéposa le premier instrument dans le coffre. Il sortit un sac de cuir duquel il retira un disque métallique.

— L'astrolabe. Mon grand-père et ceux avant lui utilisaient un instrument semblable, qu'ils appelaient le quart-de-cercle. Regarde, petit, je fixe le soleil par deux petites fentes ici, dans le bras mobile.

Il se pencha vers l'enfant et lui fit voir les ouvertures. Le garçon ne comprenait pas tout, mais voulait connaître la suite.

— L'un ou l'autre instrument me donne donc la ligne, appelée latitude, sur laquelle je navigue.

— Il faut bien aimer le ciel pour naviguer, n'est-ce pas, monsieur ?

— Oui, petit. Le bateau glisse entre ciel et mer.

Dans son coffre, Pont-Gravé prit une pochette de cuir et en sortit un cahier. Il poursuivit :

— Dans mon portulan, j'inscris la latitude, qui me conduit vers les différentes destinations que je veux atteindre, les obstacles en chemin, les routes favorables, celles plus difficiles. Et, pour sûr, le chemin du retour.

Le jeune garçon tendit les mains et le commandant y déposa, avec affection, un cahier qui portait la patine et les stigmates de ses années de voyages. Geoffroy se pencha sur la couverture, gravée en lettres d'or, il lut : FRANÇOIS GRAVÉ DU PONT, Officier du roi, Capitaine de la marine.

— C'est bien à vous, monsieur ? demanda-t-il, admiratif.

— Belle mer ! Bien sûr que c'est à moi, mon garçon. Chaque commandant a le sien. Aussi précieux que l'œil sur l'océan. Je ne le prête à personne. Je pourrais perdre une boussole et la remplacer. Pas ce cahier. J'ai plus de vingt ans de routes de mer dans celui-ci. Il m'est très précieux et si le naufrage est mon destin, j'y poserai ma tête à jamais au fond de la mer.

Il poursuivit rapidement, comme pour chasser cette pensée :

— Lorsqu'il sera temps de revenir, je mettrai cap à l'est et je suivrai la même latitude, celle qui me portera jusqu'ici.

— Vous reviendrez, n'est-ce pas ?

— Belle mer, petit, je reviendrai, c'est certain, aussi certain que le soleil se lève tous les jours.

Il fit une pause, remué par le ton insistant du garçon. La mer comportait ses dangers. Mais c'était son domaine, son espace, comme la forêt au bûcheron. Il ne saurait que faire ailleurs que derrière une barre de navire, à scruter l'horizon, à commander aux hommes. Il connaissait les risques, mais clamait haut et fort qu'il mourrait dans son lit.

— Tu me verras arriver, garçonnet.

Il fit une longue pause avant de reprendre en se penchant vers le garçon.

— Pour toi, j'accrocherai un fanion rouge au beaupré.

L'enfant sourit, rassuré, bien qu'il ne soit pas au bout de ses questions.

— Quand partirez-vous, monsieur ?

— Demain, dès les premières lueurs, lorsque la marée viendra battre sur les flancs du navire.

— Est-ce que je pourrai partir avec vous ?

Le commandant s'étouffa. Jamais il ne prendrait un gamin de cet âge à bord. De plus, il n'oserait même pas en faire la demande à sa mère, de peur de se faire arracher la langue et bannir de l'auberge. Il voulut esquiver la réponse, sachant le gamin déjà fort tenace.

— Belle mer ! Demande à ta mère, répondit-il, pour clore la discussion sans équivoque, réalisant que ce n'était peut-être que partie remise.

— Vous croyez que je ne l'ai point fait, peut-être ?

Le lendemain, jour du départ de Pont-Gravé, Geoffroy se glissa, aux lueurs de l'aube, hors de l'auberge. Il courut le long de la rue Haute, se faufila derrière les maisons et les entrepôts bordant les quais. Il arrivait à temps. Debout sur la dunette, droit comme un if, le commandant Gravé du Pont humait la brise saline et portait son regard au grand large. Il fit larguer les amarres et lever les petites voiles. Le bateau glissa le long du quai. Une bise vint le cueillir et le poussa lentement vers le large.

Geoffroy s'avança sur le quai, aussi près qu'il pût de l'océan. Il porta bien haut sa petite main blanche qui s'agitait sur le paysage gris de la ville derrière lui. Le commandant l'aperçut et, rompant avec son habitude de ne point saluer en quittant le port– cela porte malheur, disait-il –, par affection pour le gamin, retira son grand chapeau et salua. Le garçon se retourna pour cacher ses larmes et murmura : « Mon Dieu, faites qu'il revienne. »

Devant la tour du Havre-du-dedans, Jehanne aussi avait suivi le départ du bateau. Dire qu'elle en avait été en partie propriétaire… Chauvin avait bien manigancé. Elle enserra dans sa main le petit bateau d'or qui pendait à son cou. « Oui, Simon, je l'aurai, mon bateau », se dit-elle.

***

La missive du notaire de Beauvais parvint à Guillaume le dimanche 18 juin. Le baron était au plus mal et, écrivait le notaire, ses jours, assurément comptés. Saint-Hippolyte comprit. La grande faucheuse avait la lame longue et la patience courte.

Il n'avait d'autre choix que de courir au chevet de son père, sans que Jehanne et lui aient élaboré un compromis à l'égard du patrimoine familial. La seule concession qu'il pût arracher fut d'y emmener les trois enfants, espérant que la vue de sa progéniture infléchirait son vieillard de père à de meilleurs sentiments et ferait de lui, son fils naturel, l'héritier de l'immense domaine.

Les époux convinrent de confier à Annette, Jacou et une autre domestique la tâche d'accompagner Saint-Hippolyte et les trois enfants au long du périple jusqu'à Noailles. Les préparatifs exigèrent trois journées d'affolement, au cours desquelles la tension frisa, à plusieurs moments, le cataclysme. Malgré tout, la caravane familiale quitta Honfleur à l'aube du quatrième jour. Il fallait en compter, au mieux, cinq pour atteindre la demeure patrimoniale. Peut-être arriveraient-ils trop tard. Dans la cohue des préparatifs, Saint-Hippolyte ne put que s'en remettre à la vertu du voyage pour voir éclore une solution.

La première pensée qui le réjouit fut celle de croire que son père, avant son dernier souffle, à défaut d'endosser ses choix, reconnaîtrait le mérite de ce fils assumant droitement ses idéaux. N'avait-il pas lui-même marqué sa propre vie du sceau de la loyauté à son roi, à ses croyances et convictions ? Il devait reconnaître, chez son fils, idoines qualités. Ainsi, qu'il fût protestant, Sarrazin, orthodoxe ou marrane, il demeurait son fils, porteur du cœur et de la force d'une noble et fière lignée.

Cette vraisemblance s'imprima en son âme comme certitude et illumina la première journée du déplacement qui, somme toute, se déroula convenablement. La troupe fit escale pour la nuit à Bourneville.

Le lendemain, dès le départ, peut-être à cause du temps sombre, il mit en doute la lumineuse solution de la veille. La vieillesse aurait-elle si gravement ramolli ce père ? se demanda-t-il. Le baron cultivait plutôt la réputation d'homme fermé et têtu, ne brillant guère que des reflets de l'épée. Revenir sur une décision par lui prise tiendrait du miracle. Aussi chercha-t-il au long du chemin une autre solution à son problème.

« Peut-être, se dit-il, trouverai-je un clerc qui glissera délicatement le nom Saint-Hyppolite dans le patronyme de mon fils. » Il serait donc Geoffroy Fleuriot de Saint-Hippolyte, baron de Noailles. Il s'enthousiasma. Cette altération, pour ne pas dire ce subterfuge, coûterait. Peut-être beaucoup. Non seulement des écus, mais Jehanne lui ferait payer cher cette trahison. Toutefois, pensait-il, si Henri, son roi, pouvait affirmer que Paris valait bien une messe, l'avenir de son fils supporterait bien une querelle de ménage. La propriété familiale du domaine se perpétuerait et quelque part, la couleuvre se noierait dans la coutume, pensa-t-il pour se rassurer.

Le troisième jour, il pleuvait et la caravane s'épuisa rapidement. Ils s'arrêtèrent au bac près d'Oissel. La nuit précédente s'était révélée bonne conseillère. Saint-Hippolyte convenait que Jehanne ne méritait pas l'affront du changement de nom de son fils. De plus, la mise à jour de la fraude entraînerait un cortège funeste de complications. En vérité, Saint-Hyppolite ne figurait pas au nom de Geoffroy tout simplement parce que lui-même était absent au moment de la naissance du garçon. Il demeurait toutefois convaincu que le titre de baron ainsi que le domaine revenaient au premier des enfants. À ses yeux, Geoffroy ne déméritait en rien ; même que le père, sans l'avouer, le privilégiait pour lui faire bénéficier des siècles de prospérités familiales. Ce garçon avait tout de lui. Il renonça toutefois à offenser Jehanne. Elle avait sa fierté et ce fils en faisait partie. Le soir, Saint-Hippolyte regagna sa couche, aussi dépourvu de remède qu'au matin du départ.

Ils se remirent en route tôt le quatrième jour, pour franchir rapidement le fleuve et rattraper un peu du retard causé par la route fangeuse de la veille. La fatigue gagnait la troupe. Les enfants s'agitaient, Annette et Jacou affichaient moins d'énergie au ménagement de l'expédition. Le petit Jean se glissait hors du carrosse, le père devant constamment intervenir. À travers le brouhaha, il eut cette résolution fugace de faire baptiser la jeune Madeleine. Ainsi sécuriserait-elle l'héritage dans sa famille. Il s'avisa également que Jehanne en serait plus que ravie. À l'auberge, le soir, le calme revenu sur sa quête, il réalisa qu'il lui faudrait trouver un tuteur et plus encore. Un jour, il faudrait bien marier cette fille, alors le domaine quitterait la famille et la religion protestante perdrait une fidèle. À nouveau à court de solutions, il se coucha fort abattu.

Ils quittèrent Étrépagny à la levée du jour dans l'espoir d'atteindre Noailles en début de soirée. Il ne lui restait en tête que deux solutions : baptiser son fils Jean en lieu et place de Madeleine ; ou, ultime hérésie, reprendre lui-même la religion catholique.

Jean ne représentant en rien une solution, sa reconversion constituait la voie la plus simple et la plus aisée. Il se présenterait en pécheur repentant à l'abbaye de Beauvais, se jetterait à genoux, renoncerait à sa propre apostasie, clamerait son aveuglement et promettrait quelques pieuses redevances. Par ailleurs, il devrait, honteux, vivre avec sa propre décision, ce qu'il croyait, avec le temps, pouvoir surmonter. Il sentait encore à fleur de peau la déception de son dernier engagement à la cause des protestants. L'avenir de la communauté en France ne dépendait que de celui qui coifferait la couronne royale, croyait-il. Y avait-il encore un avenir pour lui et ses coreligionnaires dans ce pays au catholicisme d'État ? Plus contraignant serait le regard irrévérencieux de ceux et celles pour qui il était, hier, le pasteur, ou dont il commandait le respect.

Cependant, la mesure valait mieux que de baptiser Jean, le petit dernier. Si la fille avait sa chevelure à lui, Geoffroy, les cheveux blonds de sa mère, le benjamin promenait une tignasse d'étranger, une chevelure frisée, confuse, presque rousse, étrangère à la famille sous laquelle grouillaient en permanence mauvaises idées, extravagances.

Quatre ans auparavant, en acceptant cet enfant, il avait sauvé Jehanne. Par amour pour elle, il avait ouvert son cœur, foulé les conventions, affronté l'opprobre. Aujourd'hui, si tous avaient oublié, lui, en regardant l'enfant, voyait toujours une vraie tête de Juif. La tête du faux neveu de Pinheiro, malgré les dénégations de Jehanne.

Il conservait bien ce jugement par-devers lui, mais il n'en pensait pas autrement. L'enfant n'avait rien de lui ; donc, tout d'un autre, et il connaissait le coupable. Confier la richesse familiale aux mains de ce descendant d'Abraham se révélait un sacrifice – que dire, un sacrilège – auquel il ne pouvait consentir.

Ils atteignirent Noailles à la nuit tombée. Le personnel du château l'accueillit avec toute la déférence, l'affliction et la réserve que le funeste moment commandait. La famille fut nourrie et soignée, puis prestement installée dans une dépendance immédiate du donjon. Saint-Hippolyte voulut voir son père, ce que lui déconseilla l'aumônier présent. Brisé par le long voyage, il discuta peu, et repoussa son désir, convaincu que la famille se présenterait le lendemain devant le patriarche encore vivant.

***

De l'autre côté de l'Atlantique, quelques semaines auparavant, Pont-Gravé avait conduit *Le Françoise* en face de Tadoussac pour s'accorder quelques jours au commerce avec les Sauvages. Ces derniers étaient de plus en plus nombreux à se présenter à ce qui constituait désormais un rendez-vous annuel. Il en allait de même des navires français. Le Malouin revit Anadabijou et traita directement avec lui. Ils passèrent de longs moments ensemble et trouvèrent le moyen de se comprendre.

Anadabijou réitéra ses craintes pour les peuples de la région. Il désirait la paix, mais entre-temps, il lui fallait plus d'armes, plus de haches, de pointes de lance, de couteaux. Pendant le séjour de Pont-Gravé, Anadabijou lui confia son fils, qui fut reçu à bord et avec lequel le commandant affina son apprentissage de la langue locale. Le Français notait avec attention dans un petit livret les mots, tels qu'il les entendait. Il avait compris que tous les Sauvages le long du rivage de la côte nord du fleuve parlaient une langue apparentée. Pour lui, être compris constituait une obligation, le socle d'une relation fructueuse. Le fils du chef s'intéressa au français et apprit beaucoup pendant les quelques jours qu'il passa à bord.

La traite terminée, Pont-Gravé revint sur ses pas, franchit le détroit de Belle Isle et ancra son navire dans une baie sur la côte nord-est de Terre-Neuve. En s'approchant de son lieu de pêche, il croisa deux navires de Saint-Malo. À chaque fois, au grand plaisir de ses marins et de l'autre équipage, il avait grimpé sur le beaupré, dos au vent, et entonné une chanson de marins de son pays.

Les meuniers sont des larrons
Tant du Naye que du Sillon.
J'ai la cale pleine d'or
Je m'aligne sur Solidor.

Sa voix puissante portait jusqu'à bord de l'autre navire et les marins de Saint-Malo couraient au bordage pour lui répondre.

Quand enfin j'accosterai
De ma belle prendrai baisers.

C'était sa façon, au milieu de l'océan, dans l'immensité, de se rappeler et de rappeler à tous la terre unique où ils avaient vu le jour.

L'ancre jetée, il mit ses hommes à la pêche. Autour de lui, de nombreux navires battant pavillon portugais, espagnol, anglais profitaient de la ressource inépuisable de la mer devant l'île de Terre-Neuve.

***

Arrivé au château de Noailles, Guillaume de Saint-Hippolyte ne trouva pas le repos. Si près de ce père, de mauvais pressentiments rongeaient sa nuit. Il ne l'avait pas revu depuis le lendemain de Pâques 1589. Douze années ! À l'époque, l'homme était encore solide, plus chicanier que jamais, pestant contre les Espagnols et déplorant que tous les ennemis du roi, surtout les protestants, ne fussent pas décapités.

Que d'événements en si peu d'années ! Que de bouleversements, de quêtes pour revenir au point d'origine de sa vie, à la maison de son enfance, contraint de choisir sa religion. En échange de la propriété domaniale, il s'était résolu à renoncer à la religion réformée. Il était peu fier de lui, mais jugeait qu'il s'agissait là de son devoir envers ses ancêtres et ses enfants. Il pensa à sa progéniture qui oublierait son parjure, et qui vivrait de cette terre qui l'avait en son temps si bien nourri.

À son arrivée, il n'avait point vu le notaire. Qu'en était-il aujourd'hui du testament ? Trouverait-il occasion de se convertir et son père de lui confirmer le legs à son profit ? Exigerait-il de voir la confession ? Il avait fait un si long chemin dans son cœur et il ne voulait ni arriver trop tard ni faire preuve de négligence. Il lui appartenait de s'assurer que tous les efforts portaient en faveur de sa famille. Il résolut, à tout hasard, d'envoyer chercher le clerc dès la première heure.

Remuant ses pensées, il s'étonna qu'à son arrivée, le moine lui eût refusé une simple visite auprès du grabataire. Quelques secondes pour poser sa main sur la sienne, pour le rassurer, lui faire sentir sa présence, car, malgré tout, il demeurait son fils unique. Trouvant la manœuvre suspecte, il se leva dans la nuit, traversa la cour et monta à l'étage où, en sa chambre, l'avait assuré le moine, son paternel dormait.

Il ne rencontra personne sur son chemin. Aucun domestique, aucun bruit à l'intérieur, aucune lumière sous la porte. Il poussa l'huis de la chambre, pénétra dans une nuit d'encre. Même trépassé, des cierges bénis eussent illuminé l'espace. La lumière ne signifiait-elle pas la présence de Dieu ? De lourds rideaux entouraient le lit. Il crut son père mort, et après avoir mis un genou à terre, il tira délicatement la tenture.

L'instant d'après, il se précipitait dans la tour, dévalait l'escalier, courait vers la chapelle. L'aumônier dormait dans la sacristie et rouspéta ferme lorsque Saint-Hippolyte se rua sur lui. Il tomba en bas du lit, chercha refuge près de l'âtre d'où un restant de chaleur s'échappait encore.

— Où est mon père ? hurla le pasteur.

— Mon fils, du calme, pourquoi me réveiller en pleine nuit ?

Saint-Hippolyte s'approcha, menaçant.

— Est-il mort ? Où est monsieur mon père ?

— Mon fils, mon fils, pour son bien et sa quiétude, nous l'avons conduit à l'abbaye. Votre père, à travers nous, a remis sa vie entre les mains de Dieu. Nous le préparons pour l'accueil au royaume de Dieu.

Guillaume s'accorda un répit pour jauger la situation et prendre une décision. Il marcha vers la fenêtre. Un jour timide allumait l'horizon. Il respira profondément. La situation lui apparut claire. Il se tourna vers le religieux.

— Préparez-vous, nous courons à l'abbaye.

L'autre voulut protester, mais Saint-Hippolyte était déjà sorti et de ses ordres, réveillait le château, mandait un employé de prévenir le notaire. Rapidement, les enfants furent habillés, sauf

Jean qui refusa de quitter sa chemise de nuit, sur laquelle Jacou passa une couverture. Les voitures furent amenées et le cortège, avec l'aumônier en tête, s'enfonça dans l'aube timide.

Saint-Hippolyte frappa avec force à la porte de l'abbaye au moment où l'office de matines se terminait. Au bruit de l'agitation, le portier tira le guichet puis ouvrit après avoir reconnu l'aumônier. Ce dernier, poussé par Saint-Hippolyte, conduisit la troupe vers l'infirmerie. Le prieur, informé de l'arrivée des intrus, s'agita dans l'espoir de bloquer la porte, mais Saint-Hippolyte le toisa d'un regard qui ne laissait place à aucune discussion. Il entra dans le vestibule, poussa la seconde porte et fit signe à sa famille de prendre place autour du lit. Annette portait Madeleine, Geoffroy se tenait à côté de son père et Jean, dans les bras de Jacou, peinait à se réveiller. Ils entourèrent le lit du vieillard.

Un souffle l'animait encore.

Le fils s'agenouilla, s'essuya les yeux, se signa et posa sa main sur le bras décharné de son père. Le notaire arriva dans la chambre et se faufila de l'autre côté, prêt à cueillir le souffle d'une dernière volonté.

Était-ce l'obscurité de la pièce ou la pénombre de son esprit ? Le baron bougea et balaya plusieurs fois la pièce de ses yeux ténébreux.

— Père, voici devant vous votre fils et sa famille, réunis pour vous porter hommage et prier pour vous.

Le vieillard tourna la tête dans la direction de la voix. Saint-Hippolyte poussa Geoffroy près du lit, et ordonna d'un signe à Annette et Jacou de s'approcher. Le vieux père suivit la manœuvre des yeux. Son regard se promena de l'un à l'autre.

Lentement, d'un à l'autre, le regard épuisé se fixa. D'une main tremblotante, il fit signe à Jacou d'approcher. Le garçon pivota et lui présenta Jean, lové au creux de son épaule. Le garçonnet redressa la tête, allongea le cou et fixa le mourant devant lui.

Le vieil homme voulut boire ; un moine lui porta un gobelet d'eau, mais il faillit s'étouffer. Son regard se porta de nouveau un très long moment sur le plus jeune. Il essaya de parler, fit signe au notaire d'approcher. Aucun son ne sortait de ses lèvres qui bougeaient. Le clerc se pencha au plus près au-dessus du lit, prêt à capter une confidence dans ces derniers souffles de vie.

Quelques mots glissèrent de la bouche du mourant. Le notaire s'approcha davantage, touchant presque de son oreille les lèvres du patriarche qui ouvrit les yeux et murmura à nouveau. Le clerc répéta lentement ce qu'il croyait avoir entendu. Le vieillard cligna des yeux.

— Telle est votre volonté ? reprit le notaire en regardant le vieillard.

Ce dernier confirma d'un signe de tête et referma les yeux quelques instants. L'effort lui avait coûté le peu d'énergie qu'il avait encore. Il tourna la tête vers son fils et le regarda dans les yeux, lui sourit. Le notaire se redressa.

— Il en sera ainsi fait, monsieur le baron, répondit le notaire, de façon à ce que tous entendent et comprennent.

Les moines, ne sachant que penser, craignant le pire, s'agitèrent et l'un d'eux courut alerter le prieur qui faisait les cent pas dans le cloître.

Le notaire fit signe à Saint-Hippolyte de sortir, partagea quelques détails et confirma les signatures pour le lendemain en son office. Lorsque le fils revint autour du lit, monsieur Guillaume Lisac de Saint-Hippolyte, baron de Noailles, se présentait à Dieu, conservant le domaine dans la famille.

***

Ainsi voguait la justice et Colas Picot dut, quant à lui, méditer encore plusieurs jours. Lorsque le sieur Belloix et Jehanne furent convaincus que le temps l'eut bien ramolli, le magistrat fit dresser, à l'étage de la prison, une table et quelques chaises, puis convoqua les parties. La geôle seyait mal au bailli de Saint-Malo. Il se présenta, déshonoré, en queue de chemise, ayant dû vendre aux gardiens ses beaux atours pour une bien maigre pitance.

Il apparut évident que son esbroufe n'avait pour assise que les mensonges du frère et la généreuse commission que ce dernier avait attachée à la résolution favorable de la réclamation. Picot avait cru la victoire facile parce que la proie portait jupon. La prison dévalua sa perspective de gain et Picot réalisa que sa liberté valait plus que la promesse du frère. Il avait trouvé plus belliqueux et coriace que lui, son foyer lui manquait, il ne songeait qu'à partir. Durant l'interminable séance, il baissa les yeux pour éviter le regard d'aigle que Jehanne, assise au premier rang, dardait sur lui. Pressé d'en finir, il répondit humblement et civilement au magistrat.

Malgré l'empressement du prisonnier, le magistrat Belloix trifouilla la réclamation de Geoffroy Fleuriot, en décortiqua les divers éléments puis s'attaqua à les démolir un à un, s'appuyant sur les documents de Jehanne et d'obscurs articles de la loi, puisant même dans la Coutume de Paris quelques arguments ignorés de tous, suscitant, par ailleurs, plus d'admiration que de conviction.

Bien qu'affichant un air sérieux, on eût dit qu'il s'amusait, à tout le moins qu'il y prenait un plaisir sincère. Après avoir assuré l'irrecevabilité de chacune des dimensions de l'affaire, il fit, en plus, pour son plaisir personnel, la démonstration éloquente que le tribunal ecclésiastique de Saint-Malo ne pouvait avoir juridiction à Honfleur, siège d'un autre diocèse, d'un autre évêque, ayant en matière de justice ses propres chats à fouetter.

Il y alla même d'un autre coup : la démarche du frère de Jehanne, pour être légale, eût exigé, selon lui, rien de moins qu'une procuration royale. Le déluge de considérations juridiques, citant Platon et le roi, finit de confirmer soit sa maîtrise édifiante des codes de loi, soit qu'il avait raté une prestigieuse carrière de comédien de cour. N'étant que le pigeon messager, Colas Picot, pressé de sortir de la cage, avoua plus que ce que l'on exigeait de lui et il fut libéré. Penaud, il quitta la ville sur l'heure, abandonnant même sur place les documents de poursuite sur lesquels il fondait son avenir financier.

Ayant cru tout perdre, Jehanne reçut le jugement comme un soleil brillant, ne demanda rien de plus, salua le président Belloix et quitta le tribunal. Elle courut vers le port, s'arrêta en chemin à l'église Saint-Étienne, et passa de longs moments, entre larmes et bonheur, à goûter le moment présent. Il ne lui restait que l'intrigant Le Lou, dont elle ne savait que faire, n'ayant point revu l'homme, sachant toutefois qu'il ne rôdait pas loin. Elle l'ignorait, mais ce dernier n'était pas seul à entasser les nuages à l'horizon. Elle sortait d'un terrible orage, qu'un autre menaçait déjà.

***

Le commandant Chefdhostel aborda à Honfleur le vendredi 16 octobre. Avertie par Geoffroy, Jehanne vint s'enquérir de sa satisfaction en regard de l'approvisionnement de son équipage et des quelques biens qu'elle avait fournis pour les habitants de l'île de Sable. Ces hommes, raconta-t-il, avaient accueilli le commandant avec force satisfaction, bonheur et démonstrations. Plusieurs avaient exprimé le souhait de rentrer en France et avaient tenté de monter à bord de son bateau. Le capitaine avait dû refuser.

— Je n'y vivrais pas moi-même, déclara-t-il d'emblée. Une prison en plein océan.

— Mais, commandant, ils n'y sont point retenus.

— Ma chère dame, que voulez-vous qu'ils fassent ? Où voulez-vous qu'ils aillent ? La terre la plus proche est à peine à portée de vue. Bien sûr, ils ont à manger. Certains peut-être plus que durant leur vie sur le continent, mais vous n'imaginez pas la misère qui les afflige. L'île est constamment balayée par un vent qui hurle aux oreilles si fort qu'il faut se rabattre le bonnet jusqu'au cou. Point de forêt, point de montagne, creusez un trou et vous serez enfoui sans délai par le sable. Triste spectacle que de les voir courir après les phoques sur la grève, se jeter dessus et leur ouvrir la gorge. Les peaux s'entassent, il est vrai, et chaque tonneau vide est rempli de graisse. Mais que feront-ils avec ? Quand le marquis de La Roche se présentera-t-il ?

Trois semaines plus tard, Gravé du Pont accosta à Saint-Malo, gonflé du bonheur de revoir sa famille et sa ville. Il ne tarderait pas à revenir sur terre. Sur le quai de Honfleur, Geoffroy s'inquiétait.

À Saint-Malo, après quelques jours de démarchage, Pont-Gravé dut se rendre à l'évidence : il ne trouvait aucun preneur pour sa morue salée. Les refus des acheteurs habituels s'additionnaient sans que les raisons avancées lui parussent justifiées. Il remonta à bord et fit ajouter une couche de sel sur la cargaison.

C'est dans sa ville qu'il apprit que Chauvin et Dugua de Mons se trouvaient à Paris, auprès du roi, pour recevoir les lettres patentes qui leur conféraient le monopole tant convoité. Le débat au sujet ce privilège royal était partout, des maisons de commerce de Rouen et des autres villes portuaires jusque dans la chambre royale. À Saint-Malo, en particulier, l'histoire de François Gravé du Pont, fils de la ville rencontrant le souverain, acoquiné à des protestants était décriée. Pour plusieurs, il représentait le ver dans la pomme de leur prospérité et ainsi, le sachant dans les murs, ils ne tardèrent pas à le convoquer au conseil des conservateurs qui dirigeait la ville.

Le commerce des fourrures déclassait la pêche à la morue. Cette dernière activité requérait des équipages importants et des mois de voyage. De plus en plus, les navires des Pays-Bas venaient sur le grand banc et achetaient le poisson des autres. Les bateaux français, moins stables sur la mer, plus lents, nécessitant deux fois plus d'hommes pour naviguer, s'en trouvaient dépassés. Pour survivre, les marchands devaient impérativement compléter leur saison de pêche par le commerce des fourrures.

Les navigateurs-marchands n'étaient pas seuls à se plaindre. Les pelletiers de Rouen, de Bordeaux et surtout de Paris craignaient qu'un monopole ne limitât la matière disponible et ne fît monter les prix. Ces gens s'agitaient auprès du roi et de ses conseillers. Le projet de Nouvelle-France se révélait un océan de discorde.

C'est dans ce contexte que Pont-Gravé se présenta devant ses pairs, tous fort montés contre lui. Toutefois, il n'entendait pas baisser la tête, abdiquer ou confesser quelque faute. Devant ses accusateurs réunis, il se proclama résolument du côté du roi, artisan de la mise en œuvre d'un projet glorieux pour la France, même pour Saint-Malo.

Certains tentèrent de s'épancher sur le sort des dizaines de marchands alors privés de leur gagne-pain, acculés à la faillite et à la misère. Il sut répondre :

— Que faisiez-vous, messieurs, alors que personne ne voulait se lancer sur le fleuve Saint-Laurent ? avança-t-il. Eh bien, continuez, maintenant !

Affronter la horde s'avéra tout de même plus laborieux que naviguer sur une mer déchaînée. Il tenta de les amener à la raison, faisant valoir qu'un commerce désordonné, anarchique, comme il se faisait de plus en plus, nuirait à tous. Augmentation du prix payé aux vendeurs de fourrures, coûts plus élevés pour les obtenir et surabondance sur le marché européen, entraînant une chute de prix. Il invoqua aussi la menace de l'arrivée prochaine sur les territoires outre-mer des Hollandais et des Anglais. Il revint avec son idée de compagnies, auxquelles les marchands de Saint-Malo participeraient.

Rien n'y fit. Ils en avaient tous contre l'idée de la colonie, justification du monopole, entreprise inutile et coûteuse, clamaient-ils.

Après trois séances d'un concert discordant, Pont-Gravé renonça ; d'autant plus qu'un des opposants eut la gentillesse, bien malgré lui, de le prévenir de l'arrivée imminente du sieur Pourcin du Mas qui, disait-on, reprendrait le bateau dont Chauvin l'avait dessaisi.

Le Malouin ne tarda donc pas à aligner les astres. Il fouilla quelques auberges et réunit son équipage au motif de décharger le poisson. Il les fit dormir à bord et, avec une difficile discrétion, commanda à son épouse de préparer des bagages pour un long voyage. Dans la cohue d'un jour de marché, la famille monta à bord. Le lendemain, la marée haute tira le bateau au large. Ce n'était pas qu'un simple départ.

***

Après la mort de son père, Saint-Hippolyte eut peine à ordonner le retour, tant il pataugeait dans une confusion de sentiments : tristesse de perdre son père, bien sûr, mais également fierté de savoir le domaine dans les mains d'un Saint-Hippolyte, même celles du moins capable. Qu'avait donc vu le mourant dans ce demi-fils ? Avait-il, par vengeance ultime, lancé son bien loin des apparences évidentes des liens de sang ?

De plus, ce dénouement n'apportait pas que du réconfort. Il n'aurait donc jamais réussi à obtenir de ce père la moindre affection, la moindre reconnaissance, le moindre amour. Lui, pourtant, avait été prêt à abdiquer sa religion pour, une dernière fois, lui plaire, pour satisfaire sa volonté, pour maintenir le nom de sa famille sur la terre de France. À peine avait-il eu droit à un plissement de lèvres, un regard gris, un toucher froid. Le vieillard emportait en terre une partie de son âme à lui. Certes, il avait récupéré le domaine, mais l'amour de ce père lui échapperait à jamais.

À titre de tuteur, il devenait l'administrateur du domaine. Faute d'avoir prévu ce qu'il fallait en faire, il convoqua le régisseur, connaissant l'homme pour l'avoir, de tout temps, vu autour du château. Il ne comptait plus les âges, et ses premières paroles furent de demander à être relevé de ses fonctions. Sans le dire, il redoutait le travail sous l'autorité d'un homme dépourvu de toute connaissance des choses de la nature, des travaux de la terre, du petit peuple qui s'y affairait – et pasteur protestant en plus. Saint-Hippolyte refusa. Il exigea du vieil homme et de la domesticité de poursuivre leurs tâches jusqu'à sa prochaine visite, car la seule solution qu'il pût entrevoir n'était autre que de ramener toute la famille au château, d'y vivre leur vie, redoutant que Jean n'ait jamais la capacité d'assumer la responsabilité du domaine. Une nouvelle existence s'offrait à eux dans la campagne picarde. Il ne lui restait qu'à en convaincre Jehanne.

Pour une première fois depuis sa tendre enfance, il fit un tour complet du château, pièce par pièce, corridor par corridor. C'est dans l'un d'eux, à sa grande surprise, qu'il comprit la décision de son père. Presque mort, le vieux avait encore l'œil.

***

L'année tirait à sa fin, Jehanne se retrouva seule et en paix. Curieusement, elle revivait les sentiments qui l'animaient lorsqu'elle était entrée au couvent : à la fois fébrile et sereine, elle chercha un lieu pour vivre, en toute plénitude, le moment présent.

Elle se rendit à pied au sanctuaire de Notre-Dame-de-Grâce sur les hauteurs de la ville. Elle se recueillit dans la petite chapelle obscure, assista aux offices de none, vêpres et complies au monastère, dormit dans un refuge de pèlerins tout proche, assista à la première messe à la pointe du jour, puis trouva, sous les arbres, un banc duquel elle pouvait voir la ville, une partie du Havre-du-dedans et l'océan immense qui occupait les trois quarts du paysage. Le soleil sortait des collines à l'est, montait dans un ciel bleu annonçant une magnifique journée et répandait sur l'eau de brillants filets d'argent. Un bateau louvoyait pour sortir du port.

Elle respira profondément. Pour la première fois, elle sentit ses dix ans de malheur derrière elle et son long périple, Saint-Malo-Amsterdam-Honfleur, terminé. Elle vivait en France, pour l'instant à Honfleur, honorant la promesse qu'elle s'était faite dix ans auparavant. Elle ne sacrifiait pas Saint-Malo, certaine que son purgatoire aurait une fin, croyant qu'un jour son frère verrait la lumière. Entre-temps, elle pouvait regarder sa vie, sa vie passée, sa vie future. Elle traînait quelques boulets en forme de deuils : celui de son père, de Dreux. Des deuils de gens toujours vifs aussi : son frère et surtout Simon, dont elle eût voulu à l'instant goûter la présence. Mais ces boulets n'avaient pas tous le même poids et n'entraveraient pas son pas, car à ceux-ci elle opposait plusieurs conquêtes : celles sur elle-même surtout, celles d'être devenue une battante, une commerçante aux projets ambitieux, avec laquelle il faudrait compter.

Sur l'horizon immédiat, s'inscrivaient l'auberge et l'avitaillement des navires. Elle ne s'en trouvait pas comblée.

De plus, elle attendait avec impatience le retour de son époux et des enfants. Guillaume avait-il réussi à se réconcilier avec monsieur son père ? Reviendrait-il dans les mêmes dispositions qu'au départ ? Que voulait-elle pour ses enfants ? Geoffroy, trop attaché au quai et aux navires, partirait à Rouen pour son éducation. Il serait marchand et sa préparation commencerait bientôt. Elle inscrirait Marie auprès des religieuses de la ville pour lui donner aussi une nécessaire éducation. Elle pensa à l'autre. « J'ai deux familles, se dit-elle : Jean et les autres. » Que ferait-elle de lui ? Elle n'était pas consciente de l'injuste fardeau qu'elle lui faisait porter.

Dans les prochains jours, elle compléterait les travaux de réfection de l'auberge, réaménageant aussi les bâtiments à l'arrière pour recevoir plus de provisions. Elle changerait le nom de l'auberge pour celui du Bateau d'or, pendrait la crémaillère et ferait suspendre la carte de Mercator au mur de la grande salle à la vue de tous. À un des clous, elle attacherait le pendentif que lui avait offert Simon. Le pendentif pointerait vers l'ouest, vers les terres nouvelles de l'autre côté de l'Atlantique. Posséder un bateau n'était plus un rêve secret. Elle n'en avait jamais été aussi près. C'était dorénavant un projet de la maison, de la famille qu'elle affirmerait devant tous : Pont-Gravé, Chauvin, Dugua de Mons et les autres. Elle convaincrait Chauvin de lui revendre son bateau.

L'émotion la gagna et mouilla ses yeux. Les larmes témoignaient du combat qu'elle avait livré, du bonheur d'avoir traversé les épreuves, d'avoir su s'imposer, d'avoir à son tableau plus de victoires que d'échecs. Elle laissa les larmes envahir ses yeux, car c'était des larmes de joie. Plus tard, elle prit le chemin de la ville en ne voyant que bien peu de nuages dans son ciel.

Pourtant, à Saint-Malo, son frère étalait sa rancœur. Le vindicatif sieur Le Lou, s'accrochant à sa position de premier avitailleur de la ville, préparait son coup et, au même moment, Baptiste Ragnier arrivait en ville, avec un travail à finir.

Une autre surprise l'attendait.

Imprimé en Allemagne
Achevé d'imprimer en janvier 2022
Dépôt légal : janvier 2022

Pour

Le Lys Bleu Éditions
40, rue du Louvre
75001 Paris